JUNTOS SOMOS ETERNOS

TAMBÉM DE JEFF ZENTNER

Dias de despedida

JEFF ZENTNER

JUNTOS SOMOS ETERNOS

Tradução
GUILHERME MIRANDA

O selo Seguinte pertence à Editora Schwarcz S.A.

Grafia atualizada segundo o Acordo Ortográfico da Língua Portuguesa de 1990, que entrou em vigor no Brasil em 2009.

TÍTULO ORIGINAL The Serpent King

CAPA Nik Neves

PREPARAÇÃO Luisa Tieppo

REVISÃO Érica Borges Correa e Renato Potenza Rodrigues

Dados Internacionais de Catalogação na Publicação (CIP)
(Câmara Brasileira do Livro, SP, Brasil)

Zentner, Jeff
Juntos somos eternos / Jeff Zentner ; tradução Guilherme Miranda. — 1ª ed. — São Paulo : Seguinte, 2018.

Título original: The Serpent King.
ISBN 978-85-5534-076-5

1. Ficção juvenil I. Título.

18-19181 CDD-028.5

Índice para catálogo sistemático:
1. Ficção : Literatura juvenil 028.5

Iolanda Rodrigues Biode — Bibliotecária — CRB-8/10014

[2018]

EDITORA SCHWARCZ S.A.
Rua Bandeira Paulista, 702, cj. 32
04532-002 — São Paulo — SP
Telefone: (11) 3707-3500
www.seguinte.com.br
contato@seguinte.com.br

/editoraseguinte
@editoraseguinte
Editora Seguinte
editoraseguinteoficial

Para Tennessee Luke Zentner, meu menino lindo.
Meu coração.

1

Dill

Havia coisas que Dillard Wayne Early Jr. temia mais do que a volta às aulas no colégio Forrestville. Não muitas, claro, mas algumas. Pensar no futuro era uma delas. Dill preferia não fazer muito isso. Também não fazia questão de conversar sobre religião com a mãe. Esse assunto nunca o deixava feliz, nem fazia com que se sentisse a salvo. E odiava a expressão de reconhecimento das pessoas quando descobriam seu nome. Raramente resultava numa conversa agradável.

E ele *odiava* visitar o pai, o pastor Dillard Early, na prisão Riverbend. Mesmo que a viagem para Nashville daquela manhã não fosse para encontrá-lo, Dill sentia um medo estranho e incômodo e não sabia direito o motivo. Podia ser porque as aulas começariam no dia seguinte, mas, de alguma forma, parecia diferente dos outros anos.

Teria sido pior se não fosse pela empolgação para ver Lydia. Os piores dias que passavam juntos ainda eram melhores do que os melhores dias sem ela.

Dill parou de dedilhar o violão, se inclinou e escreveu no caderno de composições da loja de um e noventa e nove aberto no chão à frente dele. O ar-condicionado caindo aos pedaços chiou na janela, perdendo a luta contra o calor abafado da sala.

Apesar do barulho, as batidas de uma vespa no vidro chamaram sua atenção. Ele se levantou do sofá rasgado, foi até a janela e a puxou com força até se abrir com um rangido.

Dill espantou a vespa na direção da fresta.

— Ei, você não quer ficar aqui — ele murmurou. — Esta casa não é lugar pra morrer. Vai. Pode ir embora.

Ela pousou no batente, como se estivesse considerando continuar dentro de casa, mas voou para fora. Dill quase teve de se pendurar para fechar totalmente a janela de novo.

Sua mãe chegou, vestindo o uniforme de camareira. Ela estava com uma expressão cansada. Sempre estava, o que fazia com que parecesse ser muito mais velha do que seus trinta e cinco anos.

— O que você estava fazendo com a janela aberta e o ar ligado ao mesmo tempo? A eletricidade não é de graça.

Dill se virou.

— Vespa.

— Por que está arrumado pra sair? Aonde você vai?

— Nashville. — *Por favor, não faz a pergunta que sei que você vai fazer.*

— Vai visitar seu pai? — A voz dela era ao mesmo tempo esperançosa e acusadora.

— Não. — Dill desviou o olhar.

Sua mãe deu um passo na direção dele e o encarou.

— Por que não?

Dill evitou encará-la.

— Porque não. Não é pra isso que a gente vai.

— A gente quem?

— Eu. A Lydia. O Travis. O pessoal de sempre.

Ela apoiou uma das mãos na cintura.

— Para que vocês estão indo pra lá, então?

— A gente vai comprar roupas pra usar na escola.

— Suas roupas estão boas.

— Não estão, não. Estão ficando pequenas demais em mim. — Dill levantou os braços finos, a camiseta subiu, revelando a barriga magra.

— Com que dinheiro? — A mãe franziu a testa, que já era mais enrugada do que a da maioria das mulheres da sua idade.

— Com o que ganhei ajudando as pessoas a carregar as compras até o carro.

— Já que você vai ter uma viagem de graça pra Nashville, deveria aproveitar e visitar seu pai.

"Acho bom você visitar seu pai, senão...", é o que você quer dizer. Dill cerrou os dentes e olhou para ela.

— Não quero. Odeio ir naquele lugar.

Ela cruzou os braços.

— Não é pra ser legal. É por isso que é uma prisão. Você acha que ele gosta de lá?

Provavelmente mais do que eu. Dill deu de ombros e olhou para a janela.

— Duvido.

— Não estou pedindo muito, Dillard. Me deixaria feliz. E deixaria seu pai feliz.

Dill suspirou e não disse nada. *Você pede muita coisa sem realmente pedir.*

— Você deve isso pra ele. Você é o único com tempo livre aqui em casa.

Ela jogaria aquilo na cara dele. Se ele não visitasse o pai, sua mãe faria aquilo doer mais do que ir até a prisão. O frio na barriga de Dill aumentou.

— Talvez. Se sobrar tempo.

Quando sua mãe estava prestes a arrancar uma promessa dele, um Toyota Prius cheio de adesivos entrou na rua e parou cantando pneu na frente da casa de Dill com uma buzinada. *Obrigado, Deus.*

— Preciso ir — Dill disse. — Bom dia e bom trabalho. — Ele deu um abraço de despedida na mãe.

— Dillard…

Mas ele já estava fora antes que ela tivesse a chance de continuar. Ao sair para aquela manhã de verão, o garoto se sentiu intimidado pela luz do sol e protegeu os olhos. A umidade já estava assustadoramente intensa, mesmo às nove e vinte da manhã — como uma toalha quente e úmida grudando em seu rosto. Ele olhou para a Igreja Batista do Calvário com a tintura branca descascando, do outro lado da rua. Forçou a vista para ler a placa por força do hábito. SEM JESUS, SEM PAZ. ENCONTRE JESUS, ENCONTRE A PAZ.

E se você encontrou Jesus, mas não a paz? Quer dizer que a placa está errada ou que você não encontrou Jesus de verdade? Dill não tinha sido criado para considerar nenhuma dessas opções.

Ele abriu a porta do carro e entrou. O ar-condicionado gelado fez seus poros se diminuírem.

— E aí, Lydia.

Ela tirou um exemplar velho de *A história secreta* do banco de passageiro antes de Dill se sentar, e jogou o livro no banco de trás.

— Desculpa pelo atraso.

— Você não está sendo sincera.

— É claro que não. Mas preciso fingir. Obrigações do pacto social e tal.

Dava para ajustar o relógio pelos vinte minutos de atraso de Lydia. E não adiantava tentar enganá-la pedindo para ela encontrar você vinte minutos antes do horário em que você realmente queria encontrá-la. Isso só a fazia se atrasar quarenta minutos. Ela tinha um sexto sentido.

Lydia se inclinou e abraçou Dill.

— Você já está todo suado e ainda é de manhã. Meninos são nojentos.

A armação preta dos óculos dela bateu no queixo de Dill. O cabelo rebelde e azul-cinzento de Lydia — da cor de um céu nublado de outono — cheirava a mel, figo e patchuli. Ele inspirou o cheiro. Deixava sua cabeça tonta, mas de um jeito bom. Ela vestia uma regata vermelha vintage quadriculada, shorts jeans pretos de cintura alta e botas de caubói, também vintage. Dill adorava o jeito como ela se vestia — todas as curvas, e eram muitas.

Dill prendeu o cinto de segurança um momento antes de a aceleração o jogar contra o banco.

— Desculpa. Não tenho como comprar um ar-condicionado que faça o verão parecer inverno. — Às vezes ele passava dias sem sentir um ar fresco como o do carro de Lydia, exceto quando abria a geladeira.

Ela aumentou um pouco a temperatura.

— Acho que meu carro deve combater o aquecimento global de todas as formas possíveis.

Dill virou uma das saídas de ar para o rosto.

— Já parou pra pensar como é estranho que a Terra esteja girando no vácuo negro do espaço, onde é, tipo, mil graus abaixo de zero, enquanto a gente está aqui suando?

— Sempre penso como é estranho que a Terra esteja girando no vácuo negro do espaço enquanto a gente está aqui, pensando em coisas bizarras.

— Então, aonde a gente vai lá em Nashville? Shopping Opry Mills ou o quê?

Lydia lançou um olhar feio para ele e se voltou para a pista. Estendeu a mão na direção dele, ainda olhando para a frente.

— Desculpa, pensei que a gente era melhor amigo desde o nono ano, mas acho que a gente nunca se conheceu. Lydia Blankenship. E você?

Dill aproveitou a oportunidade para pegar na mão dela.

— Dillard Early. Talvez você já tenha ouvido falar do meu pai, que tem o mesmo nome que eu.

Tinha sido um escândalo enorme em Forrestville, Tennessee, quando o pastor Early da Igreja Discípulos de Cristo dos Sinais da Fé foi parar na penitenciária estadual — e não pelos motivos que as pessoas imaginavam. Todo mundo achava que algum dia ele teria problemas pelas cerca de vinte e sete cascavéis e serpentes-cabeça--de-cobre que seus congregantes passavam de mão em mão todo domingo. Ninguém sabia exatamente que lei estavam infringindo, mas aquilo parecia ser contra alguma lei. E o Departamento de Vida Selvagem do Tennessee assumiu a custódia das cobras depois da prisão dele. Algumas achavam, ainda, que talvez ele agisse de forma ilícita quando induzia sua congregação a beber ácido de bateria e estricnina diluídos, outra das atividades prediletas do culto. Mas não, ele foi preso por um tipo diferente de veneno: pela posse de mais de cem imagens de menores em atividades sexuais.

Lydia inclinou a cabeça e estreitou os olhos.

— Dillard Early, hein? Esse nome me parece familiar. Mas, sim, vamos dirigir uma hora e meia até Nashville para ir ao Opry Mills e comprar os mesmos moletons de merda que Tyson Reed, Logan Walker, Hunter Henry, suas namoradas insuportáveis e todos aqueles amigos péssimos deles vão vestir no primeiro dia do último ano do ensino médio.

— Foi só uma pergunta…

Ela ergueu um dedo.

— Uma pergunta idiota.

— Uma pergunta idiota.

— Obrigada.

Dill observou as mãos de Lydia ao volante. Eram pequenas, com dedos longos e graciosos, unhas pintadas de vermelho e muitos anéis. O resto do corpo dela não era sem graça, mas os dedos eram intensamente graciosos. Ele adorava vê-la dirigir. E digitar. E tudo que ela fazia com as mãos.

—Você ligou pro Travis pra dizer que a gente vai se atrasar?

— Eu liguei pra *você* pra dizer que ia me atrasar? — Ela fez uma curva em alta velocidade, cantando pneu.

— Não.

— Acha que ele vai ficar surpreso por eu estar atrasada?

— Nem um pouco.

O ar de agosto era como uma névoa de vapor. Dill conseguia ouvir o zumbido dos insetos, seja lá como se chamavam. Aqueles que faziam um barulho estridente nas manhãs escaldantes, avisando que o dia só ficaria ainda mais quente. Não cigarras, ele pensou. Bicho-guizo. Parece um nome melhor.

—Vou ter que me virar com quanto hoje? — Lydia perguntou. Dill a encarou, sem entender. Ela ergueu a mão e roçou um dedo no outro. — Qual é, amigo, me dá uma ajuda.

— Ah. Cinquenta. Consegue dar um jeito?

Ela bufou.

— É claro que consigo.

— Certo, mas sem me vestir de um jeito esquisito.

Lydia estendeu a mão para ele de novo — com mais força, como se fosse dar um golpe de caratê.

— Não, sério. A gente já se conhece? Como você se chama mesmo?

Dill pegou na mão dela de novo. Qualquer motivo servia.

—Você está mal-humorada hoje.

— Porque você não me dá moral. Podia ser só um pouquinho. Não muito, pra eu não ficar mal-acostumada.

— Nem pensar.

— Nos últimos dois anos de compras de roupas pra escola, já fiz você usar algo ridículo?

— Não. Quer dizer, ainda me enchem o saco, mas tenho certeza que isso aconteceria de qualquer forma, não importa a roupa que eu usasse.

— Aconteceria. Porque a gente vai pra escola com gente que não tem a mínima noção do que é ser estiloso. Tenho uma ideia pra você, inspirada no estilo americano rústico. Camisas meio Velho Oeste com botões perolados. Calça jeans. Clássico, masculino, linhas icônicas. Enquanto todo mundo na escola tenta desesperadamente fingir que não vive em Forrestville, vamos aceitar e assumir a nossa ruralidade sulista, numa veia entre Townes Van Zandt dos anos setenta e Ryan Adams na época do Whiskeytown.

— Você planejou isso. — Dill adorava a ideia de Lydia pensando nele, mesmo que apenas como um manequim.

— Você esperava menos que isso?

Dill inspirou a fragrância do carro. Aromatizante de baunilha misturado com batata frita, loção de jasmim-laranja-gengibre e maquiagem quente. Eles estavam quase na casa de Travis. Ele morava perto de Dill. Pararam num cruzamento; Lydia tirou uma selfie com o celular e o passou para Dill.

— Tira uma do seu ângulo.

— Tem certeza? Seus seguidores podem começar a achar que você tem amigos.

— Engraçadinho. Tira e deixa que eu me preocupo com isso.

Alguns quarteirões depois, pararam na casa dos Bohannon. Era branca e estava caindo aos pedaços, com um telhado de zinco gasto e madeiras empilhadas na entrada. O pai de Travis estava no caminho de cascalho que levava até a casa, pingando enquanto trocava as velas de ignição da caminhonete, que tinha o nome da empresa da família, Lenhas Bohannon, estampado na lateral. Ele lançou um olhar suado para Dill e Lydia, levou as mãos em concha até a boca e gritou:

— Travis, seus amigos chegaram!

Assim Lydia não tinha de buzinar.

— Papi Bohannon também parece de mau humor — Lydia disse.

— Pelo que o Travis conta, papi Bohannon sempre está de mau humor. Isso se chama escrotice gigante, e é incurável.

Um tempo se passou antes de Travis sair trotando. Arrastando os pés, talvez. Seja lá o que os ursos fazem. Todos os seus dois metros e 110 quilos. Seus cachinhos ruivos desgrenhados e sua barba ruiva e falha de adolescente ainda estavam molhados do banho. Ele estava usando o coturno preto de sempre, calça preta, e uma camisa preta larga abotoada até em cima. Em volta do pescoço, tinha um colar cafona com um dragão de estanho segurando uma bola de cristal roxa — uma lembrancinha do festival da Renascença. Sempre usava aquilo. Estava carregando um livro cheio de páginas dobradas da série Bloodfall, outra coisa que sempre carregava.

No meio do caminho até o carro, ele parou, ergueu um dedo, deu meia-volta e entrou correndo em casa de novo, quase tropeçando nos próprios pés. Lydia se inclinou, as mãos no volante, o observando.

— Ah, não. O cajado — ela murmurou. — Ele esqueceu o cajado.

Dill resmungou e bateu a mão na testa.

— Sim. O cajado.

— O cajado de carvalho — Lydia disse, imitando uma voz grandiosa e medieval.

— O cajado mágico dos reis e lordes e feiticeiros e... elfos ou sei lá o quê.

Travis reapareceu, segurando com suas mãos desajeitadas o cajado, cheio de símbolos e rostos entalhados. Seu pai ergueu os olhos com uma expressão aborrecida e voltou ao trabalho. Travis abriu a porta do carro.

— Oi, gente.

— O cajado? Sério? — Lydia perguntou.

— Sempre levo ele em viagens. Além disso, e se a gente precisar se defender? Nashville está perigosa.

— Claro — Lydia disse —, mas não por causa de ladrões com cajados. Eles têm revólveres hoje em dia. E revólver ganha de cajado em revólver-cajado-tesoura.

— Duvido muito que a gente entre numa briga de cajado em Nashville — Dill disse.

— Eu gosto dele. Me sinto bem com ele.

Lydia revirou os olhos e engatou a marcha.

— Que graça. Certo, meninos. Vamos lá. É a última vez que a gente vai fazer compras juntos para a volta às aulas, graças ao bom Deus.

E, com esse anúncio, Dill percebeu que o frio na barriga não iria embora tão cedo. Talvez nunca. O pior de tudo? Ele duvidava até se conseguiria fazer uma música boa com aquilo.

2

Lydia

O horizonte de Nashville se estendia ao longe. Lydia gostava de Nashville. Vanderbilt estava na sua lista de universidades. Não no topo da lista, mas estava lá. Pensar em universidades a deixava de bom humor, assim como estar numa cidade grande. De modo geral, ela se sentia muito mais feliz do que na véspera da volta às aulas de qualquer outro ano letivo de sua vida. Mal conseguia imaginar como se sentiria na véspera da volta às aulas do ano seguinte — o primeiro na universidade.

Enquanto se aproximavam dos arredores de Nashville, Dill olhava pela janela. Lydia tinha dado a câmera para ele e o nomeado o fotógrafo da expedição, mas ele se esquecera de tirar as fotos. Ele estava com aquele ar distante de sempre e com a melancolia típica. Mas parecia diferente, de alguma forma. Lydia sabia que visitas a Nashville tinham dois lados para ele, por causa do pai, e ela tinha tentado propositalmente escolher um caminho diferente do que ele pegava para visitar o presídio. Ela tinha passado um bom tempo planejando no Google Maps, mas não adiantara. Não havia muitas possibilidades de trajeto de Forrestville para Nashville.

Talvez Dill estivesse observando as casas pelas quais passavam. Não parecia haver casas tão estreitas e malcuidadas como a dele nem nos bairros de Nashville em que existiam casas estreitas e malcuidadas. Pelo menos, não no caminho que estavam fazendo. Talvez ele estivesse pensando na música que corria pelas veias da cidade. Ou, talvez, em outra coisa completamente diferente. Era sempre uma possibilidade quando se tratava de Dill.

— Ei — ela disse, com carinho.

Ele levou um susto e se virou.

— Ei o quê?

— Nada. Só ei. Você está tão quietinho.

— Não tenho muito o que falar. Só estou pensando.

Eles atravessaram o rio em direção à parte leste de Nashville e passaram por cafés e restaurantes até pararem num chalé rústico reformado. Uma placa pintada à mão na entrada dizia ATTIC. Lydia estacionou. Travis pegou o cajado.

Lydia ergueu um dedo em alerta.

— Não se atreva.

Eles entraram, mas não antes de ela mandar Dill tirar uma foto dela perto da placa e outra apoiada na grande varanda.

A loja cheirava a couro velho, lã e jeans. Um ar-condicionado zumbia, bombeando ar fresco com cheiro de mofo limpo. Fleetwood Mac tocava em alto-falantes escondidos. O piso de madeira rangia sob os pés dos três. Uma moça bonita de uns vinte anos com cabelo loiro-avermelhado e uma aparência boêmia estava sentada atrás de um balcão de vidro cheio de joias artesanais, observando concentrada a tela do notebook. Ela ergueu os olhos quando eles se aproximaram.

— Certo, adorei seu look. Você está muito gata, sério — ela disse para Lydia.

Lydia fez uma reverência.

— Obrigada, moça da loja. Você também está muito gata.

Lydia lançou um olhar para Dill que dizia "tente receber esse tipo de tratamento com os idiotas do shopping Opry Mills".

— Estão procurando alguma coisa específica?

Lydia puxou Dill pelo braço e o empurrou na sua frente.

— Roupas. Trapos. Calçolas. Que caibam neste menino aqui e façam todas as mulheres do Planalto de Cumberland do Tennessee e região caírem aos pés dele.

Dill desviou o olhar.

— Talvez a gente possa se concentrar só na parte das roupas servirem por enquanto, Lydia — ele disse entre dentes.

A mulher suspirou.

— Meus pais quase me deram o nome "Lydia". Acabou sendo April.

— Comece os trabalhos, srta. April — Lydia disse. — Vejo que vocês têm uma excelente curadoria de peças, escolhidas a dedo.

Dill entrava e saía do provador enquanto Travis lia, sentado numa cadeira de madeira que rangia, alheio ao mundo ao seu redor. Lydia estava à vontade; dificilmente ficava tão feliz como quando brincava de vestir Dill, seu pequeno projeto de caridade de moda.

Lydia entregou outra camisa para Dill.

— Precisamos de uma música para experimentar roupas... "Let's Hear It for the Boy" ou algo do tipo. E em algum momento você sai do provador vestindo uma fantasia de gorila ou algo do tipo, e eu balanço desaprovando a cabeça na hora.

Dill colocou a camisa, a abotoou e se olhou no espelho.

— Você assiste a muitos filmes dos anos oitenta.

Depois de um tempo, eles tinham uma pilha com camisas, calças, uma jaqueta jeans forrada de pelo de ovelha e um par de botas.

— Eu adoro comprar roupas vintage com você, Dill. Você tem o corpo de um rockstar dos anos setenta. Tudo fica bom em você. — *Nota mental: todos os namorados da faculdade precisam ter o corpo de Dill. É um corpo legal de vestir. Na verdade, também parece um corpo legal de... bom, enfim, um corpo legal de vestir.*

— Não tenho dinheiro pra isso tudo — Dill murmurou.

Lydia deu um tapinha na bochecha dele.

— Fica tranquilo.

April fez as contas. Trinta dólares pelas três camisas. Trinta pela jaqueta. Quarenta pelas botas. Vinte pelos jeans. Cento e vinte dólares no total.

Lydia se debruçou no balcão.

— Certo, April. O negócio é o seguinte: eu adoraria se você vendesse tudo isso por cinquenta contos, e estou preparada para fazer o seu esforço valer a pena.

April inclinou a cabeça com uma expressão simpática no rosto.

— Ah, lindinha. Eu adoraria. Mas, olha, vou te fazer por cem, precinho de amiga, porque gostaria que fôssemos melhores amigas.

Lydia se debruçou no balcão e apontou para o notebook.

— Posso?

— Claro.

Lydia digitou "Dollywould" no navegador e esperou carregar. Virou o computador para April.

— Já entrou nesse site?

April semicerrou os olhos para a tela.

— Sim... parece familiar. Quase certeza de que já entrei. Não foi nele que saiu um artigo sobre os melhores brechós do Tennessee?

— Sim.

April navegou pela tela.

— Ah, é, já entrei mesmo. Era um artigo ótimo.

— Obrigada.

— Calma, foi você quem escreveu?

— Aquele e todos os outros artigos do Dollywould. O site é meu.

April ficou boquiaberta.

— Não brinca. É sério?

— Sim.

— Mas você tem o quê? Uns dezoito anos?

— Dezessete.

— Por onde você estava quando *eu* estava na escola?

— Forrestville, Tennessee, querendo ser você. Como você faz propaganda daqui?

— Boca a boca, principalmente. Não tenho muito orçamento pra publicidade. Às vezes, quando tenho um mês bom, compro um anúncio no *Nashville Scene*.

— E se eu fizer uma matéria de destaque sobre a sua loja no Dollywould em troca de um desconto?

April tamborilou os dedos no balcão e refletiu por um segundo.

— Não sei...

Lydia tirou o celular do bolso e digitou enquanto April pensava. Ela deixou o aparelho no balcão, deu um passo para trás e cruzou os braços com um sorriso largo. Seu celular começou a vibrar e a apitar.

— O que é isso? O que você fez? — April perguntou.

— Pensei em te dar um gostinho. Você tem Twitter?

— Tenho uma conta da loja.

— Tuitei para os meus 102 678 seguidores que estou no melhor brechó do Tennessee e que eles deveriam vir aqui dar uma olhada.

— Uau. Obrigada, eu...

Lydia ergueu um dedo e pegou o celular.

— Espera aí. Vamos ver as respostas. Certo, temos setenta e cinco curtidas, cinquenta e três retuítes. "Valeu pela dica, vou dar uma olhada", "Sempre confio no seu bom gosto", "Preciso fazer uma viagem pra Nashville, talvez a gente possa se encontrar pra fazer compras"...

— E se...

Lydia ergueu o dedo de novo.

— Ah, esse aqui é bom. É da Sandra Chen-Liebowitz. O nome talvez não te diga nada, mas ela é editora-assistente da *Cosmo*. Vamos ver o que ela disse: "Ótima dica. Aliás, estou trabalhando numa matéria sobre Nashville agora mesmo. Valeu!". Então talvez você apareça nas páginas da *Cosmo*. Convencida?

April observou Lydia por um segundo e levantou as mãos com uma risadinha.

— Tá bom, tá bom. Você venceu.

— *Nós* vencemos.

— Então você é basicamente a garota mais descolada da escola, imagino eu?

Lydia riu. Dill e Travis também.

— Ai, ai. Sim, sou a mais descolada. Agora, a mais *popular*? Vamos dizer apenas que ser famosa na internet não é muito bem-visto entre os meus colegas.

— É meio malvisto, na verdade — Dill explicou.

— Isso. Não tem como ser respeitada na escola sendo uma mulher que tem, você sabe, opiniões fortes sobre qualquer coisa.

— Bom, estou impressionada — April disse.

— Ótimo. Enquanto você cobra o meu amigo, vou descobrir a melhor forma de gastar trezentos dólares aqui.

— E você? — April perguntou para Travis. — Não sei se a gente tem algo que caiba em alguém tão alto quanto você, mas quem sabe?

Travis corou e ergueu os olhos com um sorriso tímido.

— Ah, não, obrigado, moça. Meio que uso a mesma roupa todo dia para poder pensar em outras coisas.

April e Lydia trocaram olhares. Lydia balançou a cabeça. A expressão de April era de compreensão.

Lydia não teve a menor dificuldade em gastar todo o seu dinheiro reservado para roupas naquele lugar. Antes de saírem, ela fez Dill tirar umas cinquenta fotos dela usando as roupas novas em várias combinações. E o fez tirar outras vinte dela com April. Ela e April trocaram números de celular e prometeram manter contato.

Eles começaram a suar no momento em que saíram da loja. Estava, pelo menos, uns trinta e cinco graus. O sol de fim de tarde queimava. O zumbido das cigarras pulsava como um coração sendo escutado por um ultrassom.

Lydia fez um sinal para eles se juntarem.

—Vamos tirar umas fotos de nós três. Nossa última viagem a Nashville para fazer compras antes das aulas.

Dill forçou um sorriso.

—Vamos lá, cara, você consegue fazer melhor que isso! — Lydia disse.

Ele tentou de novo. Não melhorou.

— Ei, Lydia, tira umas fotos minhas com o cajado?

Lydia estava radiante pelo plano que tinha conseguido executar para Dill, por seus próprios achados em roupas e por sua nova amiga estilosa e mais velha. Mesmo assim, fingiu grande irritação, para manter a pose.

— Ai, tá bom. Vai lá. Buscai vosso cajado.

Travis foi saltitando até o carro e pegou o objeto. Voltou e assumiu uma postura séria e contemplativa.

— Pronto.

Lydia tirou várias fotos. Travis mudava de pose: se apoiava no cajado, empunhava o cajado prestes a atacar…

— Meu colar de dragão precisa aparecer nas fotos, não esquece.

— Cara. Eu não sou iniciante em fazer acessórios bonitinhos aparecerem com destaque nas fotos.

Quando ela terminou, Travis veio ao lado dela para olhar seu trabalho, com um grande sorriso infantil e radiante no rosto. Ele cheirava a suor e a roupas mofadas que foram deixadas tempo demais na máquina de lavar antes de irem para a secadora.

— Saí bem nelas — ele murmurou. — Pareço o Raynar Northbrook de Bloodfall.

Dill esticou o pescoço para espiar.

— Ah, você ficou a cara do Raynar Northbrook mesmo. — Travis nem percebeu a ironia.

Lydia bateu palmas.

— Senhores. Estou com fome. Vamos pro Panera.

— O Panera é muito chique. Quero ir pro Krystal's — Travis disse.

— Em primeiro lugar, é "Krystal", sem o S. Em segundo, não.

— Ah, para! Você pode escolher a música na volta.

— Tem um Krystal em Forrestville. Não tem Panera. Não viajamos até aqui para comer em um Krystal idiota e ter a mesma diarreia que poderíamos ter em Forrestville.

— Vamos deixar o Dill decidir. Ele desempata.

Dill estava olhando para o nada.

— Eu... não estou com fome. Vou comer em casa.

— Não importa — Travis disse. — Pode votar mesmo assim.

— Se votar no Krystal, está votando em voltar a pé pra casa — Lydia disse.

— Voto no Panera, então — Dill disse, com um sorriso mais sincero.

Eles acabaram indo ao Krystal, para deixar o Travis feliz.

3

Dill

Dill tinha torcido para que, quando perguntasse se poderiam dar uma passadinha na prisão na volta, depois do almoço, Lydia dissesse que tinha de voltar para casa e que não teria como esperar ele visitar o pai. Mas não.

A prisão Riverbend ficava numa região enganosamente bonita e pastoral de Nashville. Colinas altas e um tapete verdejante de árvores cercavam os prédios beges retangulares de janelas estreitas.

— Não vou demorar, tá? Vocês sabem que eu odeio vir aqui — Dill disse, saindo do carro.

Lydia estava digitando no celular.

— Relaxa, amigo. Posso ir editando meu post de volta às aulas.

Travis levantou um livro.

— Era pra falarem que estão loucos pra voltar pra casa — Dill disse.

— Ah, tá — Lydia disse, sem olhar para ele. — Certo, Dill, vai rápido ou, tipo, vou ficar de castigo e levar uma surra ou algo do tipo.

— É, seja rápido, Dill — Travis disse. — Quero muito voltar pra casa e ficar com meu pai da hora em vez de continuar aqui lendo meu livro preferido.

Dill abriu um sorriso constrangido e mostrou o dedo do meio

para os dois. Ele respirou fundo e caminhou até o prédio central. Passou pela segurança e se identificou. Os guardas o levaram até a área de visitas. Não parecia com as áreas de visita da TV. Não havia divisórias transparentes e telefones. Era só uma sala grande cheia de mesas redondas, cada uma com duas ou três cadeiras e algumas máquinas de salgadinhos. Lembrava o refeitório da escola, e ele se sentia tão animado por estar lá como se sentiria no refeitório da escola. Estava abafado, apenas fresco o suficiente para lembrar que o prédio tinha ar-condicionado, mas alguma limitação orçamentária ou moral impedia o aparelho de ser usado para deixar o clima agradável. Vários guardas estavam de vigia ao redor da sala.

Dill era o único visitante. Ele se sentou à mesa e tamborilou os dedos na superfície. Não conseguia parar de mexer as pernas. *Só quero que isso acabe logo.*

Ele se virou e ficou em pé quando abriram uma porta e um guarda entrou acompanhado por Dillard Early.

O pai de Dill era alto e magro, puro osso. Tinha os olhos escuros e fundos, um bigode com as pontas curvadas e o cabelo comprido, oleoso e grisalho preso num rabo de cavalo. A cada vez que Dill o via, ele parecia mais duro. Mais ardiloso. Mais arisco e serpentino. A prisão o deixava cada vez mais abatido, arrancando qualquer suavidade e leveza que pudesse ter. Ele era quase dez anos mais velho que a mãe de Dill, mas parecia ter uns vinte a mais que ela.

Estava usando um jeans azul-escuro e uma camisa azul-clara com um número estampado no peito e TDOC nas costas.

Seu pai andava a passos lentos. Tinha um caminhar desconfiado e predatório.

— Oi, Júnior. — Dill odiava ser chamado de Júnior. Ele se levantou e os dois se encararam por um segundo. Não podiam se abraçar ou se tocar de nenhuma maneira. Dill conseguia sentir o cheiro dele do outro lado da mesa. Não era exatamente um cheiro ruim, mas inconfundivelmente humano. Primitivo. Como pele e cabelo que não eram lavados com tanta frequência como os de pessoas em liberdade.

Eles se sentaram. O pai de Dill colocou as mãos sobre a mesa. Tinha MARCO tatuado nos dedos de uma mão, e S e os números 16 e 18 tatuados nos da outra. As tatuagens eram novidade. *E não uma novidade boa. Não é um bom sinal ver que ele está ficando cada vez mais esquisito.*

Dill tentou parecer casual.

— Oi, pai. Parece que você fez umas tatuagens.

Seu pai olhou para as mãos, como se descobrisse uma informação nova.

— Sim, fiz. Não me deixam pregar meu ministério de sinais aqui dentro, então estampei minha fé na pele. Isso eles não podem tirar de mim.

Parece que você está se dando bem aqui. Quando seu pai foi preso, as pessoas acharam que ele iria sofrer bastante, considerando o motivo de sua condenação. Mas subestimaram o carisma do pai de Dill. Pelo visto, se você consegue convencer as pessoas a segurar cascavéis e serpentes e tomar veneno, também consegue convencê-las a proteger você do que o próprio Dillard chamava de "sodomitas".

Eles ficaram sentados e se entreolharam por alguns segundos constrangedores.

— E aí? O que você tem feito? — Dill perguntou.

— Vivendo um dia de cada vez, louvado seja Deus.

— Você está... comendo bem? — Era difícil achar assunto para conversa-fiada na prisão. Nem o clima era um tema de interesse mútuo.

— Minhas necessidades têm sido atendidas, podemos dizer. Como estão você e sua mãe?

— Sobrevivendo. Trabalhando muito.

Os olhos intensos do pai cintilaram com uma luz estranha e Dill sentiu uma escuridão por dentro.

— Fico feliz em ouvir isso. Trabalhem muito. Paguem nossas dívidas para eu poder reconstruir meu ministério depois que cumprir minha pena. Talvez você possa se juntar a mim, se sua fé estiver fortalecida até lá.

Dill se mexeu desconfortavelmente.

— É, talvez. Enfim, as aulas voltam amanhã.

Seu pai apoiou os cotovelos sobre a mesa e entrelaçou os dedos, como se estivesse rezando.

— Então já estamos nessa época do ano, é? E como vai ser esse ano na escola? Você vai ser um soldado de Cristo e pregar a boa nova da salvação e os sinais dela aos seus colegas? Vai fazer o trabalho que não posso?

Dill se ajeitou de novo na cadeira e desviou o olhar. Ele não gostava de fazer contato visual com o pai. Seu pai tinha o tipo de olhar que levava as pessoas a fazerem coisas que elas sabiam que fariam mal para elas.

— Eu... Tipo, não acho que meus colegas ligam muito para o que tenho a dizer. — *Isso. Um lembrete de como não sou popular junto com um lembrete de como sou uma decepção para o meu pai, tudo numa tacada só. Visitar a prisão é sempre divertido.*

Seu pai se inclinou para a frente, os olhos concentrados em Dill, um sussurro conspirador na voz ao falar:

— Então não *diga. Cante.* Erga a voz que Deus te deu. Use as mãos que Deus abençoou com o dom da música. Pregue o evangelho pela canção. Os jovens adoram música.

Dill conteve um riso amargo.

— É... mas não música sobre serpentes e tal. Esse tipo de música não faz muito sucesso.

— O Espírito vai se fortalecer dentro deles como se fortalecia na nossa congregação quando você cantava e tocava. E, quando eu sair, nossa congregação vai ser dez vezes maior.

Que tal eu só tentar sobreviver ao ano letivo? Que tal não fazer nada para ser ainda mais ridicularizado?

— Escuta, pai, a sua... a nossa... situação... dificulta pra mim falar com meus colegas sobre essas coisas. Eles não estão muito a fim de ouvir, sabe?

O pai bufou.

— Então vamos permitir que as artimanhas de Lúcifer destruam nosso ministério dos sinais? Vamos entregar a vitória a ele de mãos beijadas?

— Não, eu... eu não... — Dill se deu conta de como era surreal que um *prisioneiro* estivesse fazendo com que ele se sentisse imprestável, e ele não conseguiu completar seu raciocínio.

— Lembra que você escrevia salmos e os cantava com a banda de louvor? Lembra disso?

— É. Acho que sim. Lembro.

O pai de Dill se recostou na cadeira, olhando para o nada, balançando levemente a cabeça.

— Eram canções lindas. — Ele voltou a encarar Dill. — Canta uma pra mim.

— Tipo... aqui? Agora? — Dill procurou qualquer indicação de que seu pai estivesse brincando. Seria um acontecimento extremamente raro, mas vai quê.

— Sim. Aquela que você compôs. "E Cristo vai nos libertar".

— Aqui não tenho violão nem nada. Além disso, não seria... esquisito? — Dill apontou para os guardas entediados conversando entre si.

Seu pai virou e olhou para os guardas. Voltou-se para o filho com um brilho no olhar.

— Você pensa que eles já não acham a gente esquisito?

É um bom argumento. Dill corou. Podia acabar logo com aquilo. Com a voz baixa, cantou rapidamente a música a cappella. Pelo canto do olho, viu os guardas pararem de conversar para ouvir.

— Outra — seu pai pediu, aplaudindo. — Uma nova.

— Eu... faz tempo que não componho.

— Você desistiu da música?

— Não exatamente. Só... estou compondo coisas diferentes agora.

A expressão de seu pai ficou sombria.

— Coisas diferentes. Deus não deu o dom da música para a sua voz para que você cantasse os louvores do homem e da prostituição.

— Não componho músicas sobre prostituição. Não tenho nenhuma música sobre prostituição, aliás.

Seu pai apontou para ele.

— Lembre-se do seguinte: Jesus Cristo é o caminho. O único caminho. Sua caminhada para a salvação. E sua música é a sua caminhada para Cristo. A minha caminhada para Cristo foi a manifestação dos sinais da fé. Se pararmos de andar em direção a Cristo, perdemos nossa caminhada para a salvação. Perdemos nossa recompensa eterna. Entendeu?

— Sim, entendi. — Conversar com seu pai fazia Dill se sentir como se estivesse conversando com uma parede consciente de tijolos que, de alguma forma, sabia sobre Jesus. — Bom, eu preciso ir.

A expressão de seu pai ficou ainda mais sombria.

— Mas você acabou de chegar. Com certeza não veio até aqui pra ficar só uns minutinhos e ir embora.

— Não. Peguei uma carona com uns amigos que tinham de fazer compras pra volta às aulas. Eles estão esperando no estacionamento lá fora, e está muito calor. Foram legais de me deixarem vir aqui por um tempo.

O pai de Dill exalou o ar pelo nariz e se levantou.

— Bom, é melhor você ir, então. Tchau, Júnior. Manda um beijo pra sua mãe e diz que logo vou escrever pra ela.

Dill se levantou.

— Vou dizer.

— Diz que estou recebendo as cartas dela.

— Tá bom.

— Quando vou te ver de novo?

— Não sei direito.

— Então vou te ver quando Deus quiser. Vá com Jesus, meu filho. — O pai de Dill ergueu as duas mãos e as uniu uma à outra. MARCOS 16:18. Então ele se virou e saiu andando.

Dill soltou um longo suspiro quando saiu do prédio, como se tivesse segurado a respiração por todo o tempo que esteve lá dentro, para não inspirar qualquer que fosse o vírus dos presidiários. Ele estava se sentindo um pouco melhor sem o medo de ir visitar o pai. Agora, sentia só o medo original daquela manhã.

Ele chegou ao carro. Lydia estava falando para Travis sobre quantas calorias um dragão teria de comer por dia para conseguir cuspir fogo. O argumento dela não parecia convencer o amigo.

Ela ergueu os olhos quando Dill se aproximou.

— Ah, graças a Deus. — Ela ligou o carro. — E aí, como está seu pai?

— Estranho — Dill disse. — Muito estranho.

— Ele… — Travis começou a perguntar.

— Não estou com muita vontade de falar disso.

— Tá, nossa.

— Desculpa, não queria ser grosso — Dill disse. — Só… vamos logo pra casa.

Eles ficaram praticamente em silêncio durante a viagem de volta. Travis leu seu livro. Lydia pôs para tocar uma playlist de Nick Cave & the Bad Seeds e Gun Club e tamborilou o volante no ritmo das músicas, ainda irradiando bom humor. *E por que não irradiaria? Ela teve um dia ótimo.*

Dill ficou olhando pela janela as árvores que cercavam os dois lados da estrada, as cruzes feitas à mão aqui e ali, marcando onde a vida de alguém havia acabado, pontuando a muralha ininterrupta de vegetação. Três abutres rodeavam alguma coisa ao longe, planando no ar. Ele tentou aproveitar os últimos momentos da viagem.

Nossa últimas compras de voltas às aulas juntos. A morte de um pedacinho da minha vida. E nem consegui aproveitar direito por causa do maluco do meu pai. Que está ficando cada vez mais maluco.

Pelo canto do olho, ele observou Lydia dirigir. Os cantos da boca dela. O jeito como se erguiam num sorriso irônico constante. Como os lábios dela se moviam de maneira quase imperceptível enquanto cantava junto com a música, sem nem perceber.

Lembre-se disso. Escreva em uma cruz feita à mão e a finque no coração para marcar este fim.

Quando entraram em Forrestville, as sombras eram compridas e a luz parecia atravessar uma garrafa de chá gelado. Deixaram Travis primeiro.

Travis saiu e se agachou para olhar dentro do carro, com a mão no capô.

— Mais um ano, pessoal. Vejo vocês amanhã?

— Infelizmente — Dill disse.

Travis andou devagar até a entrada da casa. Virou e acenou de novo quando chegou à varanda, o cajado erguido.

Lydia acelerou.

— Não estou com pressa pra ir pra casa — Dill disse.

— Normal.

— Quer ir ao parque Bertram e ver os trens até escurecer?

— Adoraria, mas preciso muito começar a me dedicar mais ao blog para os próximos meses. Vou falar dele nas minhas inscrições pras faculdades, então precisa ter um conteúdo bom.

— Ah, vamos.

— Olha, seria divertido daquele jeito entediante de sempre, mas não.

Eles pararam na frente da casa de Dill. Ele esperou um momento, sem colocar a mão na maçaneta, antes de se voltar para Lydia.

— Você vai ficar ocupada demais para a gente este ano?

O rosto de Lydia foi tomado por uma expressão irritada. Seu olhar endureceu, seu bom humor evaporou.

— Desculpa, não estava prestando atenção... o que a gente fez nas últimas horas? Ah, é.

— Não foi o que quis dizer. Não hoje. Estou falando no geral. É assim que vai ser esse ano?

— Hum, não, cara. Mesma pergunta: é assim que vai ser esse ano? Você não entende e fica estranho quando preciso fazer as coisas que eu preciso fazer?

— Não.

— Bom, não começamos bem, então.

— Saquei. Você vai estar ocupada. Que seja.

— E você vai ficar quieto e emburrado por causa disso e às vezes ser meio mala.

— Tenho muita coisa na cabeça.

— Estou falando sério, Dill. Por favor, não seja grosso quando eu estiver ocupada.

— Não estou sendo grosso.

— Está, sim, um pouquinho.

— Desculpa.

Eles se encararam por um momento como se estivessem se

dando a oportunidade de expressar outras carências ou mágoas. A expressão de Lydia se suavizou.

— Mudando de assunto, não quero jantar o resto da minha salada do Panera.

— Estou de boa.

— Tem certeza?

— Sim.

— Certo. Preciso ir. Trégua? — Ela se inclinou e deu um abraço de despedida nele.

Dill inspirou o cheiro dela mais uma vez, enchendo suas roupas novas daquele aroma.

— Obrigado por hoje. Não quero ser mal-agradecido.

— Que bom, porque fiz um presente para você. — Ela tirou do painel do carro um CD com "Joy Division/ New Order" escrito com caneta permanente preta. — Foi o que a gente ouviu na ida pra Nashville. Sabia que você iria querer uma cópia.

Dill pegou o CD.

— Você estava certa. Obrigado.

— E você precisa saber que "Love Will Tear Us Apart" é minha música favorita de todos os tempos.

— Anotado.

— Amanhã, sete e quinze.

Ele fez um joinha.

— Estarei pronto.

Dill saiu do carro e caminhou até a casa. Subiu os degraus lascados e corroídos até a porta e estava com a mão na maçaneta quando pensou melhor. Não adiantava nada ficar numa casa sombria até escurecer. Ele deixou a sacola de roupas e o CD nos degraus, sentou e ficou observando a placa da igreja.

Sem paz, sem paz. Sem paz, sem paz.

4

Travis

O espírito de Raynar Northbrook se alegrava toda vez que ele voltava da caça para ver as muralhas de Casanorte. Ele só queria se sentar ao lado de uma fogueira crepitante e deixar sua exaustão se esvair com um jarro de hidromel estival, contando histórias sobre conquistas de terras e belas mulheres para seu capitão da guarda. Até ver de cima da muralha mais alta as fileiras do exército dos homens caídos e Amaldiçoados de Rand Allastair se aproximarem para montar cerco a suas muralhas, ele pretendia aproveitar a vida...

Travis entrou em casa e encontrou o pai terminando uma lata de Budweiser, os pés apoiados na mesa de centro da sala, assistindo a um jogo de basquete entre Braves e Cardinals. Um prato coberto de ossos frios de asinhas de frango estava em seu colo. Seus olhos estavam vermelhos e turvos.

Seu pai não tirou os olhos da TV.

— Onde você estava?

— Em Nashville, comprando roupas pra Lydia e pro Dill. Eu te avisei.

Seu pai arrotou, amassou a lata, a jogou numa pilha grande de latas, e pegou uma nova de uma pilha menor.

— Comprou algumas pra você? Pra não parecer o Drácula o tempo todo? — Ele abriu a cerveja.

— Não. Eu gosto das minhas roupas.

Seu pai riu.

— E como você não iria gostar, né? Lendo essa merda sobre feiticeiros e fadas.

— Clint, querido, não fala palavrão — a mãe de Travis, tímida e ruiva como ele, disse da cozinha. Como Travis tinha saído de uma mulher tão pequena era um mistério. Na verdade, como Travis tinha saído de seu pai também era um bom mistério.

— A casa é minha. Falo o que eu quiser — seu pai gritou em resposta.

— Prefiro que você não fale palavrão. Travis, quer jantar?

— Não, mãe. — Travis começou a se dirigir para o quarto.

— Espera. Ainda não terminei de falar com você.

Travis se virou.

— Primeiro dia de aula — seu pai disse.

— Pois é.

— Já te contei que fui quarterback no meu último ano da escola? Lancei o passe da vitória contra o Athens na semifinal. O Matt também era quarterback.

— Você já comentou. Algumas vezes. — Travis sentiu uma pontada com a menção do irmão morto. Matt costumava se sentar ao lado dele na véspera da volta às aulas para dar apoio moral. Ensinava Travis a como falar com as garotas. A se defender. A ser um líder, e não um seguidor. Travis já não ligava mais para esse novo tipo de apoio moral.

— Você planeja passar o último ano coçando o saco? — seu pai perguntou.

— Não, senhor. Sem ficar coçando nada, como é o normal.

— Você está sendo engraçadinho?

— Não, senhor. — Travis deu um passo em direção ao quarto.

Seu pai ainda não tinha acabado.

— O que planeja fazer?

— Aulas de marcenaria. Tentar tirar boas notas. Me formar. Aprender, acho.

Seu pai sorriu.

— Vai espancar algum mexicano de novo este ano?

— Não está nos planos — Travis disse. — Alex me deixou na mão.

No ano anterior, Alex Jimenez tinha encurralado Dill no refeitório e começara a brincar do "jogo do tapa" com ele. Era uma brincadeira simples: Alex estapeava Dill até que, com sorte, conseguisse que ele revidasse, para que tivesse uma desculpa para dar uma surra em Dill. Como era o único latino da turma, Alex não estava muito acima de Dill na hierarquia social, mas ganhar uma briga normalmente fazia a pessoa subir de patamar.

Travis se aproximara quando Dill tinha desviado de outro tapa e mandado Alex parar. Alex voltara a atenção para Travis. Ganhar uma briga contra alguém maior que você? Isso sim consolidava status. Travis não tinha feito muito para se defender até Alex acertar um tapa forte em seu olho.

Então Travis se descontrolara. Pegara Alex pela camisa de futebol e meio que tinha empurrado, meio que jogado o garoto a uns bons dois metros de altura. Quando finalmente chegara ao chão, Alex tinha torcido o tornozelo, o que o fizera cair no chão e bater a cabeça na beira de uma das mesas da lanchonete. Sangue espirrara para todo lado. O garoto tivera uma convulsão.

Aquele tinha sido o momento do tudo ou nada de Travis. Se tivesse dito "Quer mais?" e cuspisse na cara de Alex, teria subido na hierarquia. Em vez disso, tinha ido até Alex para o ajudar, mas a multidão o empurrara para longe. Ele tinha ficado andando de um lado para o outro e passando os dedos no cabelo, chorando e falando para todo mundo que estava arrependido. Chamaram uma ambulância. Seu arrependimento óbvio tinha sido o que lhe salvara de uma suspensão de vinte dias. A coordenação da escola sabia que, se alguém conseguia ganhar uma briga e ainda assim terminar como um perdedor, era sinal de que tinha um bom coração. O desprezo que ele recebera dos colegas já serviria de punição. E, quando o vídeo intitulado "GORDO DERRUBA VALENTÃO E DEPOIS CHORA QUE NEM UMA CRIANCINHA KKKKK" chegara ao YouTube, as suspeitas do conselho escolar foram confirmadas.

Mas o pai de Travis não tinha visto o vídeo (que a coordenação da escola conseguira tirar do ar no mesmo dia ameaçando expulsar o aluno que postara). Ele não tinha visto Travis implorando por perdão enquanto Alex tinha convulsões, os olhos revirados, uma poça de sangue no piso de linóleo branco. Ele não tinha visto quando Travis, assim que voltara da suspensão, tinha levado um pote de pavê de banana da sua mãe — seu doce favorito — e encontrara Alex sentado sozinho na lanchonete com um gesso no tornozelo apoiado em uma cadeira. Travis tinha oferecido pudim de banana para ele. Alex não dissera nada; nem olhara para Travis. Dera um tapa no pote quando Travis tentara dar o doce para ele.

O pai de Travis só sabia que seu filho tinha dado uma surra num mexicano e que os pais, que não falavam inglês, pareciam ter ficado com medo de ir à polícia ou mesmo de pedir para ele pagar as despesas médicas do filho. Tinha sido uma das poucas vezes em que Travis o tinha deixado orgulhoso.

— Por falar em usar seu tamanho pra fazer alguma coisa útil, encontrei o treinador no Walmart esses dias — o pai de Travis disse. — Ele falou que você nem precisa ter jogado durante os outros anos para entrar no time de futebol americano.

— Bom saber.

— Falei que você não é muito bom de correr nem de pegar a bola, mas que é grandalhão e que pode servir na linha de defesa. — Seu pai tomou um gole de cerveja e arrotou.

—Verdade. Sou grandalhão.

—Vai tentar entrar pro time? Deixar seu pai orgulhoso? Talvez até saia com uma menina diferente da filha sapatão do Denny Blankenship.

—Veremos.

Seu pai soltou uma risada com desprezo.

—Veremos. — Ele se inclinou para a frente e jogou o prato cheio de ossos de asinha de frango na mesa de centro. — E aí? Depois de se formar? Vai entrar pra Marinha, como o Matt?

Mais uma pontada, ainda mais dolorida. *Porque isso foi muito bom pro Matt.*

— Não pensei muito sobre isso. Acho que vou continuar trabalhando na madeireira.

— Devia pensar em se alistar. Virar homem. Podemos contratar qualquer um pra sua vaga.

—Vou pensar. — Houve um silêncio enquanto seu pai voltava a prestar atenção no jogo. Travis ficou parado, observando-o, a TV refletida em seus olhos. Tinha esperanças de que, se ficasse mais um ou dois segundos, seu pai diria algumas palavras animadoras ou de sabedoria sobre a volta às aulas; diria algo que demonstrasse que acreditava em Travis. Como Matt acreditava.

Só um arroto contido. Travis voltou a caminhar para o quarto.

— Vou te contar uma história — seu pai disse, sem tirar os olhos da TV. O coração de Travis palpitou de esperança.

Seu pai deu um gole da cerveja.

— Fui deixar um carregamento de tábuas onde estão reformando uma igreja. Enfim, a igreja tinha um laguinho na frente com uns patinhos pequenos e um peru enorme, todos passeando juntos, bem felizes.

Travis forçou um riso. Era melhor agradar o pai quando ele estava no clima de contar histórias.

— É, bem engraçado. — Não eram as palavras de encorajamento que ele esperava, mas eram melhor que nada. Talvez.

Seu pai fixou os olhos vítreos nele. Depois voltou à TV.

— Enfim, é isso que você me lembra, passeando com o filho do Pastor Pervertido e a amiga sapatão de vocês. Aquele peru enorme, achando que é um pato.

Travis ficou parado e deixou aquela farpa espetar, sentindo-se murchar. Ficou esperando que seu pai dissesse "Brincadeira!" ou que dissesse que achava os perus ótimos. Talvez ao menos desejasse boa sorte para ele na escola no dia seguinte. Nada. Só o reflexo da TV no olhar. Belas palavras de estímulo. Lá se foi um dia bom.

Travis entrou no quarto e fechou a porta, colocando o cajado atrás dela. Sentou à escrivaninha barata de madeira compensada do Walmart e ligou o notebook de nove anos — herança de Matt. O cooler chiava enquanto ele acessava os fóruns de Bloodfall. Digitou seu nome de usuário, Northbrook_Sulista, e entrou num debate animado sobre o próximo livro, *Tempestade mortal*, o sexto e último da série Bloodfall, que sairia em março do ano seguinte.

Ele se reclinou na cadeira e observou sua legião de amigos virtuais — nomes inventados, fotos de perfil de personagens de desenho ou de gatos carrancudos. Era bom ter aqueles amigos. Enquanto navegava pelos fóruns, clicando em diferentes tópicos, uma janelinha pop-up apareceu no alto da tela. Uma mensagem. Seu coração bateu mais rápido. Ele a abriu. Era exatamente de quem ele queria: *terrasoutonais*. Travis não sabia muito sobre terrasoutonais, só que ela tinha mais ou menos a mesma idade que ele e morava perto de Birmingham, Alabama. Os dois tinham começado a trocar mensagens uma semana antes, depois que Travis a havia defendido numa discussão acalorada sobre se os Amaldiçoados eram humanos mortos-vivos ou outra coisa completamente diferente.

terrasoutonais: Ei, e aí?

Northbrook_Sulista: Nenhuma novidade, só estou de boa. E vc?

terrasoutonais: Só estou de boa também. Adorei sua teoria sobre Norrell Bayne ser o verdadeiro filho de Torren Winterend.

Travis pulou na cadeira e digitou. **Eu queria ser o verdadeiro filho de Torren Winterend porque ele deve ser muito mais legal que o meu pai kkkk.**

terrasoutonais: Ai super te entendo. Meu pai é meio babaca às vezes. Vive implicando comigo por coisas nada a ver.

Northbrook_Sulista: É, meu pai estava falando agora que eu devia entrar pro time de futebol americano quando as aulas voltarem amanhã. Odeio futebol americano. Me comparou com meu irmão. Detesto quando ele faz isso.

terrasoutonais: Meus pais vivem me comparando com minha irmã mais nova perfeita. É péssimo. Suas aulas não voltaram ainda??? Não é justo!!! As minhas voltaram semana passada!

Northbrook_Sulista: Talvez vc devesse se mudar pra cá kkkkk.

Travis ficou vermelho assim que clicou em "enviar".

terrasoutonais: Tá eu vou mas vc precisa prometer que vai sentar comigo no intervalo.

Travis sentiu um calorzinho por dentro. Estava começando a escrever a resposta quando uma batida na porta o assustou. Ele torceu para que não fosse o pai. Não que seu pai batesse na porta antes de entrar em qualquer cômodo da casa.

— Pode entrar — ele gritou.

Sua mãe entrou, segurando um saco de papel marrom. Fechou a porta atrás de si.

— Oi, filho. Passei no mercado hoje e comprei uma coisinha pra você como presente de volta às aulas. — Ela entregou o saco para Travis. — Não é nada de mais.

Ele abriu o saco. Tinha um livro intitulado *O cavaleiro rebelde*. A capa trazia um homem escultural com uma expressão sombria no rosto e cabelo preto comprido, uma barba rala e uma túnica aberta revelando um peitoral bronzeado. Ele tinha uma espada numa mão e um escudo na outra. Travis já tinha uma ideia de que tipo de livro tinha em mãos.

— Ah, mãe, obrigado! — ele disse, o mais convincente possível. — Parece legal!

A mãe de Travis pareceu contente.

— Sei que você gosta de ler sobre cavaleiros e coisas assim. Pensei que talvez não tivesse lido esse.

— Não — ele disse em tom baixo, folheando o livro. — Esse eu não li.

— Seu pai não fez por mal — ela continuou.

Travis ficou olhando para o livro que pesava em suas mãos.

— Queria que ele demonstrasse isso melhor.

— Às vezes eu também. Enfim. Vou deixar você voltar ao que estava fazendo. — Ela se inclinou para a frente, o abraçou e deu um beijo na bochecha dele. — Tenha um ótimo primeiro dia de aula amanhã. Te amo.

— Também te amo, mãe.

Depois que ela saiu e fechou a porta, Travis balançou a cabeça e jogou o livro em cima da cama. Não era a primeira vez. Na verdade, Travis tinha uma coleção respeitável de romances medievais eróticos embaixo da cama. Mas ele não tinha coragem de explicar aquilo para ela.

Outra mensagem de terrasoutonais apareceu. Tá acho que não vai sentar comigo no almoço. Droga.

Northbrook_Sulista: Não não claro que sento com vc no almoço kkkkk. Desculpa minha mãe entrou aqui e fiquei conversando com ela.

terrasoutonais: Eba! Porque costumo almoçar sozinha. Não tenho muitos amigos naquela escola idiota. Ninguém gosta de Bloodfall.

Northbrook_Sulista: Sei bem como é. Tenho dois amigos incríveis mas eles não curtem Bloodfall.

terrasoutonais: Se a gente for sentar junto no almoço acho melhor vc saber meu nome de verdade. É Amelia.

Northbrook_Sulista: Que nome bonito. O meu é Travis.

terrasoutonais: Prazer em te conhecer Travis.

Northbrook_Sulista: Prazer em te conhecer Amelia.

Seu coração palpitou no ritmo das sílabas do nome dela. *A-me--lia*. Enquanto a garota escrevia a resposta, Travis se levantou, andou rápido de um lado para o outro, pegou seu cajado e o girou no alto o máximo que pôde no pequeno espaço do quarto, se olhando no espelho.

5

Dill

Dill odiava voltar para casa depois de passear com Lydia. Era como acordar de um sonho eufórico. Sua casa estava quieta e abafada quando ele abriu a porta. Dill deixou o CD na mesa da cozinha e considerou as opções para o jantar. Não eram muito promissoras. Improvisou um ensopado com algumas latas amassadas de feijão-verde, algumas latas amassadas de sopa de cogumelos e um pedaço de queijo vencido — brindes de seu trabalho colocando compras em sacolas e abastecendo prateleiras no Floyd's Foods.

Ele jogou a mistura triste no forno, ligou o ar-condicionado e começou a tocar violão, trabalhando numa música nova que ninguém ouviria. Sobre términos. Sobre pessoas o deixando para trás.

Por volta das 20h45, Dill ouviu sua mãe estacionar seu Chevy Cavalier de 1992 na garagem e entrar em casa. Ela exalava cansaço.

— Como foi o trabalho?

— Estou cansada. Tive que expulsar uns vinte adolescentes da sua idade tentando comprar cerveja.

Ela se atirou na poltrona velha com um gemido baixo e esfregou o rosto.

— Tomou o remédio pra dor nas costas? — Dill perguntou.

— Acabou. Só vou poder comprar depois de receber o pagamento.

Dill voltou à cozinha e deu uma olhada no ensopado.

— O jantar está pronto — ele gritou.

A mãe de Dill inspirou e se levantou da poltrona, com uma mão na lombar, parando para se alongar e gemendo de dor. Ela entrou na cozinha e sentou à mesa. Pegou o CD de Dill.

— O que é Joy Division e New Order?

Merda. Dill tinha um talento peculiar, aprimorado ao longo dos seus anos de amizade com Lydia, de transformar imediatamente o nome de qualquer banda num nome de banda gospel. Arcade Fire? É sobre os fogos do inferno que vão atormentar aqueles que trocam Cristo por video games. Fleet Foxes? Faz referência à história bíblica em que Sansão capturou raposas, amarrou tochas nos rabos delas e deixou que queimassem os campos dos filisteus. Radiohead? É sobre como a mente humana deve funcionar como conduto vivo do Espírito Santo, assim como antenas de rádio.

— Ah, New Order... é sobre a nova ordem que Cristo vai criar quando voltar à Terra para reinar... E Joy Division... tem a ver com a divisão da alegria entre as pessoas que foram salvas por Jesus e as que não foram. São bandas gospel.

Ou sua explicação foi satisfatória ou sua mãe estava muito cansada para questionar. Provavelmente a primeira opção, já que ela nunca parecia muito cansada para brigar com ele.

Dill tirou a assadeira do forno. O cheiro era o.k. e a comida estava quente e com muito queijo. Ninguém era exigente na casa da família Early. Ele pegou um pedaço de pão branco velho de cima da geladeira para comer com o ensopado. Depois de pegar dois pratos e colheres do escorredor ao lado da pia, colocou a mesa e serviu um pouco para cada.

Eles comeram em silêncio.

— Como foi em Nashville? — sua mãe finalmente perguntou.

— Tranquilo. A Lydia me ajudou a conseguir umas roupas boas bem em conta.

Sua mãe limpou a boca com o guardanapo.

— Queria que você tivesse mais amigos cristãos.

— Travis é da igreja.

— Não sei. Ele só se veste de preto e anda com aquele colar de demônio.

— Dragão.

— Dá no mesmo. Lê o Apocalipse de novo.

Dill levantou para encher dois copos com água.

— E Lydia não é da igreja — sua mãe disse.

— É, mas eu já te falei que ela é episcopal ou presbiteriana, coisa assim. Ela é cristã.

A mãe de Dill riu com escárnio.

— Adoraria ver um episcopal segurar uma serpente ou falar em línguas. Os sinais seguem os fiéis.

— Não posso escolher meus amigos de acordo com quem está disposto a segurar uma serpente-cabeça-de-cobre.

— É claro que pode. Você só não quer.

— Meio difícil agora, já que o único pastor que segura as cobras foi preso.

A mãe de Dill lançou um olhar cortante para ele.

— Não brinca com isso.

— Confie em mim, não estou brincando. Aproveitei pra fazer uma visita enquanto eu estava em Nashville.

A mãe de Dill lançou outro olhar para ele, mais penetrante.

— Você podia ter mencionado isso antes. Como ele estava?

Dill enfiou uma colherada de ensopado na boca e mastigou devagar enquanto pensava em como responder.

— Bem, eu acho. Sei lá. Bem pra quem está na prisão? Parece que ele fez amigos, porque fez umas tatuagens nos dedos.

A mãe de Dill franziu a testa.

— Sério? Tatuagens? Do quê?

— Marcos 16, 18. Nos dedos de cada mão.

A mãe de Dill ficou olhando para o prato.

— Ele sempre foi capaz de ouvir a voz de Deus. Não entendi tudo o que seu pai fez, mas confio que era a vontade de Deus. — Ela acabou de comer o resto do ensopado com uma ponta seca do pão.

Eu não teria tanta certeza de que Deus queria que meu pai fizesse tudo o que fez na vida. Meio que duvido disso. Dill levou os pratos à pia e os deixou de molho. Abriu uma gaveta com cuidado para ela não sair do trilho (ela era de lua) e tirou um pedaço de plástico--filme que tinham usado, lavado e reutilizado. Cobriu o ensopado e o guardou na geladeira.

— É melhor dormir um pouco se quiser ir pra aula amanhã — sua mãe disse.

— Por que "se"?

— Porque não vou te obrigar. Você sabe disso.

— Pensei que você não estava falando sério.

— Eu estava. Queria que você começasse a trabalhar no Floyd's em tempo integral. Eles gostam de você lá. Se virar gerente, vai ganhar trinta e cinco mil por ano. É dinheiro de verdade.

— E não vou me formar? — *Não acredito que estou defendendo a escola pra minha mãe.*

— Você sabe ler. Escrever. Somar. Subtrair. Tem tudo pra ter um trabalho bom. Por que precisa de um diploma? Pra mim só importa você estudar as escrituras.

Dill esfregou os pratos na pia.

— Lydia vai se candidatar a todas as melhores faculdades do país. Enquanto isso, minha mãe está me falando pra largar a escola.

— O pai da Lydia é dentista, e a mãe dela também trabalha. Eles não têm as dívidas que a gente tem. Não adianta nada se comparar a ela.

— Não adianta mesmo.

— Seu pai não se formou no ensino médio. E eu larguei a escola pra casar com ele.

Dill colocou o prato que estava lavando na pia, deu meia-volta e lançou um olhar incrédulo para a mãe.

—Você não pode acreditar que isso vai me convencer.

— Algum dia você vai aprender que não é melhor do que a sua família.

Algum dia?

— É, talvez eu aprenda isso na escola esse ano. Eles parecem bem determinados a me ensinar essas coisas. Boa noite.

Dill colocou o prato no escorredor de plástico branco rachado e foi para o quarto. Ergueu a porta pela maçaneta, por causa da dobradiça quebrada, e a fechou. Sentou na cama de solteiro, o único móvel além da cômoda de segunda-mão, e o colchão gemeu sob seu peso. Inseriu o CD novo no aparelho de som usado que Lydia dera para ele. Colocou os fones de ouvido e se recostou com as mãos atrás da cabeça.

Às vezes a música ajudava com a solidão. Outras, quando ele se sentia como se estivesse no fundo de um poço seco, olhando para o céu, não ajudava nem um pouco. Aquele dia era o começo do fim para ele, mas apenas o começo do começo para Lydia. Ele suspirou. Nenhuma música mudaria aquilo.

6

Lydia

Quando Lydia chegou em casa, seus pais estavam sentados no sofá, assistindo à TV. Sua mãe segurava uma taça de vinho tinto, sentada com os pés enfiados embaixo da perna do pai de Lydia. Uma caixa de pizza estava na mesa de centro de madeira recuperada. O pai de Lydia tinha um fetiche por antiguidades de aparência industrial. Ele tinha enchido a casa vitoriana meticulosamente reformada com essas coisas. Revistas de restauração de móveis eram a pornografia dele.

— Oi, filha — disse o pai. — Se divertiu em Nashville?

Lydia ergueu as sacolas.

— Aí está minha resposta. Como o Al Gore te tratou?

— O verdadeiro Al Gore, que mora em Nashville? Não encontramos com ele.

— Seu carro, Al Gore. Andou direitinho? — Lydia tinha herdado o Al Gore (o primeiro Prius de Forrestville) do pai.

— Me tratou bem. — Lydia tirou as botas, se jogou no sofá do outro lado do pai, e enfiou os pés embaixo da perna dele também.

— Está com fome? Sobrou um pouco da pizza da Garden — sua mãe ofereceu.

— Precisamos de uma pizzaria de verdade nesta cidade — Lydia disse.

— Mais um ano e você vai estar numa cidade grande maravilhosa com mais pizzarias do que vai ser capaz de experimentar — sua mãe disse.

— Verdade — Lydia disse —, mas um ano é tempo demais pra ficar comendo pizza meia-boca.

— Você é muito elitista — seu pai disse. — A pizzaria Garden é boa. Não existe pizza ruim.

— "Elitista" é sinônimo de "tenho gosto refinado", mas admito que a pizzaria Garden até que é mais ou menos, desde que se evite o presunto e o abacaxi.

— Mas isso vale pra qualquer pizzaria — seu pai disse. — Vai. Come um pouco.

— Melhor não.

— Melhor sim.

— Estou com muita preguiça pra levantar.

Seu pai se inclinou, pegou a caixa de pizza e passou para ela.

— Quer que eu dê na sua boca também, milady?

— Vai se ferrar. — Ela pegou uma fatia.

A mãe de Lydia fungou.

— Olha a boca, Lydia.

Lydia tirou os óculos e limpou uma mancha das lentes.

— Queria poder ficar aqui e comer e falar besteira com vocês, mas preciso trabalhar no meu blog hoje. Meu público espera um post de volta às aulas.

— Fique à vontade — seu pai disse. — Mas antes, por que não dá uma olhada no balcão da cozinha? A fada do último ano passou por aqui enquanto você estava fora. Tentamos falar pra ela que você se comportou mal e mandou seu pai se ferrar, mas ela não nos deu ouvidos.

Lydia revirou os olhos de brincadeira, se levantou e foi até a cozinha. Um Macbook novinho, enfeitado com um laço vermelho, estava no balcão. Ela levou as mãos à boca e soltou um gritinho. Qualquer mal-estar remanescente de sua briga com Dill desapareceu num piscar de olhos. Ela correu até a sala e abraçou os pais, quase fazendo a mãe derramar vinho no sofá.

— A última coisa que você precisa é que seu computador quebre enquanto está se inscrevendo para uma faculdade ou escrevendo sua redação de um exame de admissão — seu pai disse.

— Amo vocês. Apesar do mau gosto para pizza.

Lydia subiu a escada saltitante. Seu pai sempre ironizava que ela havia tomado conta do andar de cima. Os pais dela ocupavam um quarto. Ela ocupava outro. Os outros dois cômodos eram o quarto de vestir de Lydia — repleto de araras de roupas — e o quarto de costura e projetos.

Lydia sentou diante da escrivaninha moderna e despojada, trazida em um passeio à Ikea de Atlanta. Enquanto esperava o notebook novo ligar, olhou as fotos no celular, postando as melhores no Instagram e no Twitter.

Seu celular vibrou. Uma mensagem de Dahlia Winter. *Ai e o primeiro dia de aula?*

Dahlia era a melhor amiga virtual dela. Na verdade, ficaram muito próximas na vida real depois que Lydia passara duas semanas do último verão na casa de praia da família de Dahlia, em Nantucket. Não tinha sido fácil voltar para Forrestville depois. A experiência tinha confirmado para Lydia que elas seriam boas colegas de quarto na Universidade de Nova York, a que as duas tinham escolhido como primeira opção de faculdade. Lydia estava torcendo muito para entrar. Era óbvio que Dahlia entraria. A mãe de Dahlia, Vivian Winter, era a infame e seca editora-chefe da *Chic Magazine*. Dahlia poderia entrar em qualquer universidade, mas queria ficar perto do coração do mundo da moda e tinha um fetiche pela pobreza. Vide sua amizade com uma garota "pobre" do Tennessee.

Ai, pois é. Você nem imagina como minha escola é horrível, Lydia respondeu.

Sinto muito. Tem um pessoal esquisito na minha escola também.

Aposto que os esquisitos da Phillips Exeter são diferentes dos do colégio Forrestville. Quando suas aulas voltam?

É, devem ser. Setembro.

Te odeio. (Mas com carinho.)

Hahaha tenho que ir, amiga. Força aí no Colégio Caipira.

Lydia deixou o celular de lado e começou a digitar um post sobre a viagem para Nashville, as compras no Attic e alguns pensamentos sobre a volta às aulas. Ela travou uma hora e começou a procurar maneiras de procrastinar.

Enviou as fotos da viagem a Nashville para o computador novo e selecionou algumas. Travis apoiado no cajado, se esforçando para parecer ameaçador. Ela abriu uma aba nova e as anexou em um e-mail para ele.

Dá pra acreditar? Encontramos Rainer Northbrooke (sei lá como se escreve) em Nashville. Ele mandou um oi. Divirta-se.

Então começou a navegar pelas fotos de Dill, parecendo distante. Perdido. Atormentado.

Lydia sentiu aquela velha pontada de culpa e tristeza por não poder usar aquelas fotos no blog. Quando ela tinha ido à New York Fashion Week, tinha participado de um encontro de blogueiras de moda adolescentes. Um monte de garotas de treze a dezessete anos falando sobre conteúdo e preservação de marca.

"É uma *droga* quando seus amigos são superbregas e você não pode falar deles e nem mostrar no seu blog. É tão constrangedor de explicar. Você vai dizer o quê? 'Ei, desculpa, mas seu estilo é péssimo, então não posso contar pras pessoas que ando com você'? Mas é a verdade", uma menina de treze anos de Johanesburgo com uma cara entediada tinha dito, enquanto as outras assentiram, compreensivas.

Lydia tinha ficado em silêncio e ouvido. *Ah, eu sei bem como é ter amigos fora de moda.*

Travis era um caso perdido, e não estava nem aí para isso.

Dill? Era outra história. Além de ser alto, ele tinha aqueles olhos escuros e melancólicos e as maçãs do seu rosto bem definidas, o cabelo escuro farto e desgrenhado (que ela cortava para ele), traços magros e angulosos e lábios grossos e expressivos — um conjunto que o deixava fora dos padrões de beleza sem graça de Forrestville, mas fariam dele um ótimo modelo para a Prada ou a Rick Owens.

Ela fazia o possível por ele. E, embora o vestisse de acordo com o que ele era — um músico do Sul rural —, não era o visual que o tornava brega. Pelo contrário, ele provavelmente faria um grande sucesso com o público dela, mas ela não queria perder seu tempo lidando com as pessoas se apaixonando por Dill (não que fosse possessiva, só muito ocupada).

O problema dele era o sobrenome. Os leitores dela sabiam usar o Google. A última coisa de que ela precisava era que vissem uma foto de Dill, ficassem curiosos, descobrissem seu nome (Eles saberiam como descobrir. Ah, como saberiam.) e o procurassem no Google. Porque adivinha o que surgiria numa busca por "Dillard Early"? *Nada bom* para a marca Dollywould.

As pessoas, incluindo Dahlia, já tratavam Lydia com certa condescendência benevolente ("Você é tão inteligente e aberta para alguém do Sul! Tem um gosto tão sofisticado para morar onde mora!") Eles imaginavam que ela morasse numa casa... bem, parecida com a do Dill. *Minha casa deve ser melhor que a sua*, ela murmurava para si mesma enquanto lia esses comentários bem-intencionados. *Meus pais se conheceram no colégio Rhodes. Temos duas Prius e uma Lexus SUV híbrida na garagem. Tenho centenas de gigas de música no meu Macbook novo e Netflix e internet com alta velocidade. Não estou descalça correndo atrás de guaxinins num estacionamento de trailers, pessoal.*

Ela pulou as fotos de Travis, Dill e dos três juntos; escolheu as melhores dela sozinha e algumas dela com April (que não era nada brega); e as arrastou para a área de trabalho do computador. Ainda não estava a fim de mexer em seu post para o blog, então mandou uma mensagem para Dahlia. ***Ei. O que você está fazendo agora? Pode conversar?***

Desculpa, querida, agora não posso. Estou jantando com Peter Diamond. Depois a gente se fala.

Peter Diamond era o mais novo prodígio literário do Brooklyn. Tinha escrito dois romances de um ciclo proustiano de quatro livros semiautobiográficos, sobre as labutas e os enfados do dia a dia (às vezes hora a hora e minuto a minuto) de ser um cara criativo de vinte e poucos anos no Brooklyn. Cativante, sem dúvida.

É uma boa amostra do que vou encontrar em Nova York, Lydia pensou. Ela adorava Dahlia, mas.

Talvez o universo esteja me mandando parar de enrolar. Depois de alguns começos de mentira, ela começou seu post sobre a volta às aulas.

> Enquanto dirigia para Nashville hoje, estava pensando que este é meu último dia de férias de verão antes de começar o último ano do ensino médio. Nada dá uma sensação maior de tentar segurar um punhado de areia do que o primeiro dia de aula do ano. E com "areia", estou me referindo ao tempo.
>
> O primeiro dia de aula do último ano é quando você percebe que as férias de verão podem nunca mais ter o mesmo significado. Antes mesmo de entrar numa sala de aula, a gente aprende que a vida é composta por um número finito de férias de verão,

passando por nós numa névoa de sorvetes, pirilampos, cloro no cabelo e protetor solar com cheiro de coco. Vivemos uma série de momentos e estações e memórias sensoriais, amarradas uma a outra até formar uma história. Talvez os primeiros dias de aula sirvam como linhas de demarcação, para dar sentido a esses momentos da infância e ao ciclo da vida de amizades e...

Enquanto digitava, uma onda quente de euforia sobre sua nova vida iminente foi tomando conta dela.

7

Dill

Dill observou o estacionamento com uma resignação desanimada, assistindo seus colegas tomarem conta do lugar. *Mas, dessa vez, nem posso querer que o ano acabe logo, porque isso significa não ter mais a Lydia por perto.* O Al Gore estava parado no fundo do estacionamento, a vaga preferida de Lydia para escapadas rápidas depois da aula. Ela tinha até uma música rápida de banjo no iPod para essas fugidinhas. De alguma forma, chegaram com tempo de sobra antes de a aula começar. O porta-malas estava aberto, e Lydia e Dill estavam sentados no para-choque.

A srta. Alexander, treinadora das líderes de torcida, passou.

— Nunca a achei tão bonita como todo mundo — Lydia disse quando ela se afastou.

— Também não — Dill disse.

Lydia pareceu satisfeita, como se Dill tivesse passado em algum tipo de teste.

— Aposto vinte contos que ela vai acabar presa por transar com um aluno de treze anos.

Lydia balançava as pernas devagar. Ela estava usando meia-calça costurada num desenho intencionalmente caótico com rasgos propositais. Ficaria um desastre em qualquer outra pessoa. A panturrilha dela bateu no adesivo UM SORRISO SAUDÁVEL É UM SORRISO FELIZ colado no para-choque. O pai dela tinha se oferecido para tirar. "Por que você não deixou ele tirar?", Dill havia perguntado uma vez. "Porque continua sendo tão verdade como no tempo em que meu pai dirigia esse carro", Lydia havia respondido. "Além disso, é engraçado e assustador ao mesmo tempo."

— Que "desconto pra moça bonita" você daria para ela?

Dill pensou um pouco.

— Setenta e cinco por cento.

— Nossa, hein! É preço de um e noventa e nove.

— As pessoas da escola confundem bronzeado e dentes perfeitos com beleza.

— Mas você não.

— Eu não.

Lydia abriu aquele mesmo sorriso de você-passou-no-teste. Os dentes dela eram tão caóticos e imperfeitos como a meia-calça. E, assim como a meia-calça, Dill pensava que só ela os fazia parecer estilosos. Ela se recusava a deixar o pai arrumar, assim como com o adesivo. Ela explicara para Dill certa vez que era como os fabricantes de tapetes persas, que deixavam uma falha em sua obra de propósito, para lembrar que só Deus era perfeito.

Eles continuaram a comentar as pessoas que passavam até quase a hora de entrar.

Quando Dill estava prestes a perguntar a Lydia qual era a primeira aula dela, ele ouviu risos à esquerda. Viu Tyson Reed e a namorada, Madison Lucas, se aproximando. Seu coração se apertou. *Lá vamos nós.*

— E aí, Dildo? Último ano! — Tyson disse com animação falsa, erguendo a mão para um "toca aqui!". — Qual é, amigo! Toca aqui!

Dill entrou no modo defensivo. Se fechou e virou as costas, ignorando Tyson. Fez uma prece de coração. *Bendizei os que vos maldizem, bendizei os que vos maldizem, bendizei os que vos maldizem.*

Outro pensamento passava em paralelo: *Deus está me punindo por desonrar minha mãe e vir para a escola. Ele não vai me permitir nem uma hora de paz.*

Lydia soltou um riso sarcástico esganiçado.

— Espera um minuto... Nossa, que demais! Você disse "dildo"? Que nem o nome dele! Mas acrescentou um "do" no final! Esse cara é bom de piada. — Ela aplaudiu.

— Que bom que gostou, Lydia Clamídia — Tyson disse. Madison riu baixo atrás dele.

Lydia ficou boquiaberta.

— Espera... Lydia Cla... *Você fez de novo!* Fez uma piada hilária rimando meu nome com uma doença venérea engraçadíssima! Que graça enorme!

— Enorme é você — Tyson disse. Outro riso de Madison. Dessa vez mais alto e incisivo, como se ele finalmente estivesse entrando no assunto que ela queria.

Algo estourou dentro de Dill. Não era coragem, exatamente. Mais a percepção de que ele não tinha nada a perder se fosse expulso da escola. Talvez fosse isso que Deus quisesse pra ele. Ele conseguiria acertar um soco em Tyson antes que Tyson pudesse reagir. Ele não esperava que Dill fizesse alguma coisa. Até Jesus Cristo tinha expulsado os prestamistas do templo, e a amizade de Lydia era como um templo para ele.

Dill se levantou. Ele sentiu a mão quente de Lydia em seu braço. Sentou, a cabeça girando com a adrenalina, tentando não demonstrar que tremia.

— Isso, Dildo. Vem pra cima. Manda ver — Tyson provocou.

Lydia cruzou as pernas, segurando o joelho e balançando descontraidamente.

— Enorme, hein? Digamos que eu possa perder, hum, dez quilos. Isso eu consigo fácil, é só parar de comer torta de milho ou bacon ou qualquer outra coisa que faça a vida valer a pena. Mas você — ela apontou para Tyson com um gesto elaborado — é burro. E não tem nada que possa *parar de comer* para ficar mais inteligente. Vai morrer idiota.

— E você vai morrer por comer muita batata frita, Lydia Clamídia gordona.

— Quer mesmo fazer isso? — Ela balançou o dedo entre eles. — Uma batalha de xingamentos? Não tem nem graça acabar com você, porque você é burro demais para entender que está sendo zoado.

Madison avançou, o rosto parecendo um punho com bronzeamento artificial.

— Você é uma pessoa feia. Por dentro e por fora. Acha que é melhor do que todos daqui porque foi entrevistada pelo *New York Times* e é famosinha na internet.

Lydia olhou para Madison como olharia para uma privada entupida.

— Como eu sei que "mais inteligente" e "melhor" não são a mesma coisa pra você, vou ter de discordar.

— É por isso que ninguém aqui te suporta — Madison disse.

— Ótimo. Odiaria que fosse por causa de mau hálito ou algo assim.

— Bela meia-calça de bruxa, aliás — Madison disse, a voz tomada pelo escárnio. — Pegou no lixo, foi?

— Não, foi um presente das irmãs Rodarte. São da coleção passada, mas estava torcendo para ninguém do colégio Forrestville notar.

— Todos esses seus amigos chiques — Tyson disse. — Vai reclamar da gente no seu blog agora?

Lydia abriu um sorriso condescendente para Tyson, franzindo a testa.

— Ai. Que gracinha. Você acha que é tão importante que vou falar de você no blog. *Você é muito importante sim, menininho especial.*

Travis se aproximou, parecendo cansado.

— E aí?

— Tyson, faz uma das suas piadas com o nome do Travis — Lydia disse com um sorriso maldoso. A briga de Travis com Alex pode não ter aumentado seu status social, mas as pessoas ficaram com medo dele mesmo assim. Travis era pelo menos vinte centímetros mais alto e cinquenta quilos mais pesado que Tyson.

Tyson pegou a mão de Madison.

— Vão se foder. Já perdemos tempo demais com esses idiotas. — Eles saíram andando. Madison mostrou o dedo do meio para Lydia por sobre o ombro. Lydia, Dill e Travis apontaram o dedo do meio para as costas deles. O coração de Dill ainda batia rápido por causa do confronto, mas ele estava voltando a respirar normalmente de novo. Talvez Deus tivesse uma mensagem diferente para ele.

— Ainda não superaram aquela entrevista, né? — Lydia comentou.

— Você chamou o colégio Forrestville de "terreno baldio fashion" — Travis respondeu.

— Cheio de drones vestindo roupas de outlet que cheiram a sobreviventes de um acidente entre um caminhão-tanque de desodorante Axe com um ônibus escolar — completou Dill.

— Que fofo, vocês leram!

— Por que não solta todos os fãs do seu blog para cima das pessoas que te incomodam? — Travis perguntou.

— Primeiro, as pessoas que curtem meu blog não são muito boas em cyberbullying, o que é ótimo. Odiaria que pessoas boas nisso gostassem de mim.

Eles se levantaram e andaram até a escola, um prédio grande e insosso da década de 1970. Tinha todo o charme de um hospício público.

— Preciso ir por aqui, pessoal — Travis disse.

— Ei, por que essa cara de quem só dormiu quinze minutos à noite? Você está bem? — Lydia perguntou.

— Fiquei acordado até tarde falando com uns amigos dos fóruns de Bloodfall. Nada de mais. Encontro vocês depois do trabalho?

— Sim — Dill disse. Ele e Lydia continuaram andando. Lydia não falou nada. Estava com jeito de uma boxeadora que tinha ganhado uma luta: triunfante, mas machucada. Era como Dill se sentia. — Você não é feia nem gorda — Dill disse.

Ela riu.

— Você é um amor, mas estou bem. Eu me amo e não tem nada que Tyson diga que possa mudar isso. Mais um ano com esses bostas ambulantes. Depois nunca mais vou ver nenhum deles na vida. Quer dizer, a não ser que um deles me sirva batatas fritas daqui a dez anos. Aparentemente sou muito fã.

Dill achou que tinha conseguido esconder, mas ele também devia parecer machucado.

— Você não é um dildo, tá? — Lydia disse. — Não entendo como ainda não pensaram num apelido melhor. Mais engraçado ou mais criativo. Acho que eles não têm vocabulário pra isso.

— Nada do que eles disseram me incomodou.

— Eles? *Eu* falei alguma coisa?

Os dois chegaram à entrada e pararam enquanto as pessoas passavam apressadas por eles.

— Está tudo bem; estou bem. — Ele começou a entrar. Lydia o segurou.

— Na-na-ni-na-não, espera aí. O que foi?

— Quando você fala das pessoas que ainda vão estar aqui em dez anos...

Lydia revirou os olhos.

— Ai, cara. Vamos deixar claro desde já que não estou me referindo a você quando eu falo esse tipo de coisa.

— É só que... E se for eu quem estiver servindo batata frita pra você daqui a dez anos? Quer dizer que você me acha tão idiota quanto o Tyson?

— Sério, Dill?

— Foi você quem perguntou.

— Tá, tem razão. Eu perguntei. Não, não acho que eu seja melhor que você. Não, não acho que você vai me servir batatas daqui a dez anos. Nossa, dá pra parar com o drama? Depois que eu te defendi e tudo?

— E se? E se eu acabar na mesma que o Tyson?

— Não vou deixar isso acontecer, tá? Vou te contratar como mordomo antes.

— Não tem graça.

— Não, não tem, porque você seria um péssimo mordomo. Você viveria distraído tocando violão enquanto as pessoas bateriam na porta e aí, quando atendesse, diria: "Ei, não é estranho que a Terra está voando pelo espaço o tempo todo, e mesmo assim a gente não consiga voar?" — Lydia disse, imitando a voz de Dill —, e ficaria bravinho toda vez que um convidado te magoasse.

— E o que você falou para o Tyson de ele não ser importante o suficiente para você falar dele no blog? Você nunca falou de mim no blog.

Os dois pararam e se encararam.

— Quer mesmo que eu pare bem aqui na entrada do colégio Forrestville e diga o quanto você é importante pra mim? Qual é o problema de verdade, Dill? Tem alguma outra coisa te incomodando.

O sinal de cinco minutos tocou.

Dill desviou o olhar.

— É melhor a gente ir pra aula.

Lydia segurou o braço dele.

— Que foi?

Dill olhou de um lado para o outro.

— Ontem à noite, minha mãe tentou me convencer a largar a escola para trabalhar em período integral.

Lydia ficou boquiaberta, como tinha ficado com Tyson e Madison, mas dessa vez seu espanto e raiva eram sinceros.

— *Quê?* Que horror! Quem faz uma coisa dessas?

— Minha mãe, pelo visto.

O vice-diretor Blackburn passou no corredor.

— Sr. Early, srta. Blankenship, o sinal de cinco minutos tocou. Não é porque estão no último ano que podem chegar atrasados. Circulando.

— Sim, senhor — Dill disse, e ficou olhando até o vice-diretor sair de vista. — Minha mãe disse mais uma coisa.

— O quê?

— Que um dia vou descobrir que não sou melhor do que a minha família.

— Bom, ela está errada. E vamos conversar sobre isso e outras coisas quando tivermos uma oportunidade.

Eles se separaram. Enquanto corria para a classe, Dill sentiu um cheiro de produto de limpeza industrial adstringente.

De repente, ele tem doze anos de idade e está ajudando o pai a limpar a igreja numa manhã de sábado, para que tudo fique brilhando antes do culto da noite. Ele acabou de alimentar as cobras nas caixas de madeira, e agora está esfregando um dos bancos, quando seu pai olha para ele, sorri e diz que Deus está feliz com ele e que graças ao suor de seu rosto, ele comerá seu pão. E o coração de Dill se alegra, porque ele sente que agradou ao pai e a Deus.

A vida é mais simples quando ninguém te odeia por causa do seu sobrenome e nem passa pela sua cabeça sentir vergonha dele.

8

Travis

As tarefas do dia de Raynar Northbrook estavam quase acabando. Como lorde de Casanorte, ele não precisaria sujar as mãos com trabalho. Fazia aquilo porque adorava o cheiro doce e pungente da madeira recém-cortada e o aroma rico e terroso do solo úmido. Era um trabalho que mantinha as costas e os braços fortes para a guerra. E ele precisaria de toda a sua força nos dias que viriam…

— Travis! — seu pai gritou mais alto que o barulho da serra. Travis ergueu os olhos. Seu pai mostrou o relógio e fez um movimento circular com o dedo apontado no ar. — Hora de ir embora! Arruma as coisas.

Travis terminou sua tarefa e desligou a serra. Só tinha trabalhado algumas horas. Estava de licença do trabalho por causa da escola, então podia sair mais cedo. Olhou o celular. Duas mensagens de Amelia. Sentiu uma vibração de euforia.

Como foi o primeiro dia de aula?

Ops esqueci que você tá no trabalho agora.

Travis se apressou para responder a mensagem.

Sim, no trabalho. O primeiro dia não foi tão ruim. Estava um pouco cansado porque ficamos conversando até tarde kkkk. E o seu?

Hehe, cansada também. Ai todo dia de escola é ruim. Preferia passar um mês no Cerco do Porto do Rei a um dia na minha escola idiota.

Mas lembra que no Cerco do Porto do Rei tinham de comer ratos e couro cozido até o rei Targhaer quebrar o cerco. Eu adoro comida, Travis respondeu.

Hehe, verdade, eu também. Talvez até demais, por isso me zoam na escola.

Não liga pra essas pessoas. Aposto que você é linda. Travis corou enquanto digitava. Quase não clicou em "enviar". Mas acabou clicando.

Ficou parado por alguns minutos esperando a resposta. Seu coração se apertava mais e mais a cada momento em que não recebia nada. Ele sabia que não deveria ter clicado em "enviar". Guardou o celular no bolso e começou a andar para o escritório. Seu celular vibrou. Ele quase o derrubou enquanto o tirava do bolso. Amelia tinha mandado uma foto dela, tirada de um ângulo inclinado e com um monte de filtros. Ela tinha o cabelo pintado de vermelho-vivo, olhos cinza grandes com maquiagem pesada e fazia um biquinho no meio do rosto redondo. Segurava um papel que dizia "Oi, Travis".

Eu estava certo, Travis digitou, o coração batendo mais rápido. Ele foi até a galeria de fotos do celular e achou a melhor que Lydia tinha tirado dele com seu cajado. Ele a mandou para Amelia com a mensagem: **Esse sou eu. Desculpa, não tinha em que escrever.**

Que foto ótima. Belo cajado! Se a gente sair um dia, vc tem que levar.

Kkkkkk, meus amigos odeiam quando levo o cajado pros lugares. Blz! Tenho que ir, meu pai está me esperando.

Te vejo nos fóruns mais tarde?

Sim.

Tchauzinho!

Tchau!

Travis socou o ar em comemoração, secou o suor da testa e entrou no escritório, onde seu pai e Lamar estavam sentados perto do vento frio do ar-condicionado, batendo papo, mascando tabaco e cuspindo em latas vazias de coca zero.

Lamar jogou uma coca gelada para Travis.

— Tem um encontro hoje à noite, rapaz?

— Não, senhor. Vou sair com uns amigos mais tarde e fazer a lição de casa — Travis disse, gostando da sensação de estar mentindo um pouco. Ou só contando uma meia verdade.

— Percebeu que você disse "Travis" e "encontro" na mesma frase, Lamar? Até parece que você não conhece ele. — O pai de Travis disse.

Como se você me conhecesse.

— Tá, tá. Um rapaz alto, trabalhador. Deve ter umas garotas que ligam pra ele, sim — Lamar disse.

— Talvez tenha — Travis disse, abrindo a lata de refrigerante.

— Se tiver, ele não dá bola — disse seu pai, como se Travis não estivesse bem na frente dele. — Ocupado demais com os amigos. Ei, adivinha com quem ele anda!

Lamar balançou a cabeça.

— O neto do Rei das Serpentes — o pai do Travis disse.

Lamar alternou o olhar entre Travis e o pai de Travis.

— Puxa, olha só! O neto de Dillard Early?

— Não — Travis disse. — Você está pensando no pai de Dill, não no avô. O pai de Dill também chama Dillard Early. Ele é o que mexe com cobras.

O pai de Travis olhou para ele com espanto.

— Não estou falando do Pastor Pervertido. Estou falando do avô do Dill. Quer dizer que Dill não te contou sobre o vô, o Rei das Serpentes?

Travis fez que não, atônito.

— Não. Nem sabia que o Dill tem o mesmo nome que o vô. Ele não gosta de falar muito da família.

O pai de Travis bufou.

— Por que será? — Ele deu um tapinha no ombro de Lamar. — Conta pro Travis a história do Rei das Serpentes, meu velho. Você lembra melhor do que eu. Essa ele precisa ouvir.

Lamar gemeu e se recostou na cadeira, cruzando os braços sobre a barriga de chope.

— Deus do céu. Faz tempo que não penso no Rei das Serpentes. Muito tempo. — Ele coçou a barba branca e ajeitou o boné da Carhartt. — Bom, primeiro de tudo: existem três Dillard Early. Tem o Dillard Rei das Serpentes. Tem o Dillard Pastor, filho do Rei das Serpentes. E tem o seu amigo, filho do pastor. Então, ele seria Dillard III, mas depois que o vô morreu, o pai dele virou Dillard Pai e ele virou Dillard Jr. Só sei como isso funciona porque sou o terceiro Lamar Burn. Mas virei Lamar Jr. depois que meu vô morreu.

Travis puxou uma cadeira de metal dobrável e se sentou.

— Certo.

— Então o Dillard Rei das Serpentes tinha uma casa na estrada Cove. Eles tinham um pedacinho de terra e Dillard trabalhava na cidade como mecânico. O Dillard Rei das Serpentes teve dois filhos, o Dillard Pastor e uma menininha chamada... esqueci agora. Ruth. Rebecca. Algo assim.

— Ruth — o pai de Travis disse. — Acho que era Ruth Early.

Lamar cuspiu na lata.

— Enfim, o Dillard Rei das Serpentes amava a sua filhinha. Eu os via todo sábado vindo para a cidade; ela sempre usava um vestidinho branco e os dois iam tomar sorvete. Diz a lenda que um dia o Dillard Rei das Serpentes estava sentado na varanda, talhando lenha ou algo do tipo, quando ouviu um grito: "Papai, vem aqui!". Então ele foi correndo em direção ao grito e encontrou Ruth caída no chão. Uma serpente-cabeça-de-cobre velha e enorme tinha mordido o pescoço da menina.

Lamar fez um V com dois dedos e simulou um movimento de bote no pescoço.

— Então o Dillard Pai gritou pro Dillard Pastor chamar uma ambulância enquanto ficava com Ruth. E o Dillard Pastor obedeceu, mas já era tarde demais. O veneno da picada foi direto pro cérebro da menina e *pffffft*. Ela morreu. — Lamar passou o dedo diante da garganta.

Travis sentiu o vento frio do ar-condicionado em sua camiseta empapada de suor. Juntando a baixa da euforia de ver Amelia pela primeira vez e a cafeína fazendo efeito, ele se sentia grato por estar sentado.

Lamar continuou:

— Aí ele enterrou a menininha no terreno deles e ficou maluco. O povo diz por aí que ele começou a matar as cobras por vingança. Devia ter achado que era melhor acabar com todas, já que não sabia qual tinha matado a filhinha dele. Ele continuou trabalhando, mas, depois de um tempo, começou a ir para o trabalho com peles de cobra presas na roupa, e cabeças de cobra penduradas num barbante em volta do pescoço. Bom, era esquisito pra caramba, mas ninguém ia falar nada pro homem que tinha acabado de perder a filha. E só piorava. Quanto mais cobras ele matava, mais peles usava. Parou de tomar banho e se barbear e cortar o cabelo e fedia feito um bicho morto. Foi ficando cada vez mais magro. Ele próprio parecia uma serpente. No fim, demitiram o cara. Estava afugentando a clientela. Tinha um olhar estranho. Lembro de ver o velho quando tudo ficou ruim mesmo pra ele. Arrastando os pés na rua, peles de cobra nas roupas. Aquele cabelo e barba grandes e bagunçados.

Lamar ficou com o olhar perdido e desfocado, balançando a cabeça. Sua voz ficou baixa.

— Vou te contar... se encarasse os olhos dele, se via um homem morto. Me dá arrepios só de pensar. Já vi muita coisa na vida. Fui pro Vietnã. Nunca vi nada parecido com o jeito como o luto apodreceu aquele homem de dentro pra fora. Corroeu tudo. Foi aí que o povo começou a chamar o cara de Rei das Serpentes. Não estavam ofendendo ou fazendo graça. Só estavam tentando entender, acho. É o que o povo faz quando fica com medo. "Olha lá", diziam. "Lá vem o Rei das Serpentes." As pessoas têm medo do sofrimento. Acham que pega, como doença.

Travis esperou Lamar terminar a história.

— E o que aconteceu com ele?

Lamar se ajeitou incomodado na cadeira.

— Só sei o que ouvi falar. Numa manhã, o Rei das Serpentes foi até o túmulo da garotinha e deitou em cima dele com uma garrafa de coca cheia de veneno de rato. Tomou tudo e morreu ali. Dizem que foi o Dillard Pastor que encontrou o pai. Você imagina? Ver isso acontecendo? Dá pra entender por que o Dillard Pastor também ficou maluco da cabeça. Não que seja desculpa. Mas, né.

Ninguém falou nada. Lamar ficou olhando pela janela, uma expressão atormentada no rosto.

— Não gosto de contar essa parte da história. Não gosto de nada dessa história, pra falar a verdade. Mas seu pai pediu, e é ele quem paga meu salário.

— Deixa de ser boiola, Lamar. — O pai de Travis cuspiu na lata com um estalido. — Então, os Dillard Early são todos meio malucos da cabeça, parece. Mais cedo ou mais tarde. Assim que começam a mexer com serpentes.

Travis tinha começado a sentir como se tivesse uma cobra ou duas se contorcendo dentro da barriga. Sentiu um calafrio. Tentou entender como Dill tinha tantas histórias sombrias em sua família. Obviamente ele sabia sobre o pai de Dill. Mas aquela história era diferente.

— Uma pena. Para pra pensar — Lamar disse, erguendo um dedo. — Uma cobra fez tudo isso com uma família.

— Não vai chorar por causa disso, Lamar — o pai de Travis disse. — Nunca ouviu a história de Adão e Eva? Uma cobra já ferrou com a gente. Com toda a família da droga da humanidade.

— Parece que os dois primeiros Dillard Early tentaram ser o Rei das Serpentes à sua maneira. O primeiro, matando. O segundo, cuidando das cobras — Lamar disse, cuspindo na lata.

O pai de Travis cuspiu na lata de novo, se levantou e deu um tapa nas costas de Travis.

— Nem você que gosta dessas merdas de reis e príncipes vai querer estar por perto quando seu amiguinho ficar doido e tentar assumir o trono do vovô e do papai dele. Aquele não é um nome de sorte, não. Não mesmo.

9
Dill

Dill preferia estudar na biblioteca a estudar no Café da Boa Nova. Em primeiro lugar, odiava se sentir pressionado a comprar alguma coisa. Em segundo, o Boa Nova, um café com decoração cristã, trazia lembranças demais de um mundo sobre o qual ele não queria pensar, ainda mais quando estava com Lydia. Mas ela insistira.

—Vou querer um Latte Lucas no tamanho Grande da Boa Nova. Espera… Mocha Mateus… não, Latte Lucas mesmo. Dill? Eu pago.

— Não quero nada.

— Pede aí.

—Tá. Café puro no tamanho Venti Vitória.

A garota atrás do balcão entregou as bebidas com um sorriso animado e lhes desejou uma tarde abençoada. Dill e Lydia foram até uma mesa.

— Como ainda não temos um Starbucks? — Lydia perguntou. — Já vi até um Starbucks que tinha um Starbucks menor dentro do banheiro. E, de qualquer forma, como um café pode ser cristão?

— Isso sugere que os cafés normais são satânicos.

— E são mesmo. Tipo, posso só tomar um cafezinho sem ter de me ajoelhar diante de Lúcifer e oferecer minha alma?

— Aqui está o seu café com leite. Vai pagar em dinheiro, cartão ou com o sangue de uma virgem?

Eles riram, contentes por procrastinar a lição de casa.

— Na igreja a gente aprende que o logo do Starbucks é satânico — Dill disse.

— Claro que aprende, e claro que é. Qual é a "lógica"? — Ela fez aspas no ar em torno de "lógica".

— Demônio-sereia.

— Ah, sim. Mas sua igreja nova é um pouco menos doida, não é? Sem cobras?

— Sem cobras.

— Então, já que estamos aqui no templo do café cristão, ainda sabe de cor os versículos da cobra?

Era exatamente disso que Dill odiava falar, mas ele fez a vontade dela.

— Marcos 16, 18. "Pegarão em serpentes, e se beberem algum veneno mortífero, nada sofrerão; imporão as mãos sobre os enfermos, e estes ficarão curados."

— Bravo.

— Você nem sabe se eu falei certo.

— Ah, pareceu certo. Pareceu bíblico. Tenho um crédito por vir aqui com você.

— Não sou tão crente assim. Entrei pra banda gospel porque tinha medo das cobras.

Lydia tomou um gole do café.

— Bom, imagino que você também consiga tocar e cantar razoavelmente bem, não que eu já tenha ouvido você fazer as duas coisas ao mesmo tempo.

Dill deu de ombros.

— Acho que sim.

Lydia pareceu pensativa.

— De volta às cobras. Você acha que foi isso que Jesus queria dizer? Vai ver ele disse: "E, teoricamente, você talvez possa segurar cobras", e Marcos estava lá escrevendo e falou: "Você deve literalmente segurar cobras. Legal, Jesus, anotei!". E aí Jesus: "Calma aí com o lance das cobras. Não escreve essas bizarrices; seja uma pessoa normal. É mais uma metáfora, na verdade". E Marcos escreve: "Definitivamente segure em cobras de verdade e beba veneno de verdade como suco de uva podre ou outro veneno bíblico".

— Vai saber o que ele realmente quis dizer? — Dill tentou não soar impaciente com a conversa. Ele realmente gostava de Lydia demonstrando interesse pela vida dele.

— Desculpa, você odeia falar dessas coisas?

— Não, não tem problema. — *Só me deixe transformar o templo do café cristão num poço escuro de mentiras.*

— Eu vou pro inferno por fazer essas piadas?

— Não se a gente arranjar umas cobras pra você segurar. E coloquei um pouquinho de arsênico no seu café enquanto você não estava olhando. — Eles riram.

Dill suspirou, como fazia quando sabia que tinha adiado alguma coisa o máximo possível. Ele revirou a mochila em busca dos livros.

— Lição de casa no primeiro dia de aula — ele murmurou.

— Dill? Espera um pouco. — Lydia falou baixo, sem sarcasmo. — Tem uma coisa que eu queria falar com você.

O coração de Dill começou a bater mais rápido. Nos últimos anos, quando as pessoas anunciavam que estavam prestes a dizer alguma coisa com um "tem uma coisa que eu queria falar com você", era sempre algo que ele não queria escutar.

"Tem uma coisa que eu queria falar com você. Seu pai está com problemas."

"Tem uma coisa que eu queria falar com você. Precisamos depor."

"Tem uma coisa que eu queria falar com você. Sua mãe sofreu um acidente grave enquanto estava voltando de uma visita ao seu pai em Nashville. Talvez ela não sobreviva."

"Tem uma coisa que eu queria falar com você. Com a casa, a igreja, as despesas judiciais do seu pai e minhas contas do acidente, estamos devendo uns duzentos e setenta mil dólares."

"Tem uma coisa que eu queria falar com você. Vou deixar você pra trás e levar uma vida melhor e grandiosa, e nunca mais vou pensar ou falar com você de novo." Provavelmente.

— Tá — Dill disse.

— Quero sair pra fazer compras pra escola com você. Só que uma compra de escolas.

Dill olhou para ela, inexpressivo, sem entender do que ela estava falando.

— Faculdade. Quero que você vá pra faculdade.

— Por quê? — O coração de Dill continuou a bater mais rápido. O que Lydia dissera não era ruim no sentido que ele temia, mas também não era o que ele queria escutar.

— *Por quê?* — Lydia pareceu confusa, o que era raro. Como se não tivesse passado pela cabeça dela que talvez tivesse de se explicar. — Porque sim. Primeiro, faculdade é uma coisa boa. Você aprende a viver no mundo fora de Forrestville e se prepara para uma vida melhor. Pessoas com ensino superior ganham muito mais dinheiro. Milhões a mais, ao longo da vida.

— Então vou ficar em Forrestville e vou me virar bem. Não preciso de milhões de dólares. Só o suficiente pra sobreviver. — Dill estava evitando contato visual.

— Dill, quem você está querendo enganar? Você não é feliz aqui. Todos os cochichos e olhares. Poxa. Além disso, eu adoraria se você tivesse um pouco de instrução para que *não ficasse bravo comigo* a cada cinco minutos por eu saber um pouco mais que você.

Dill cruzou os braços.

— Estava me perguntando quando essa conversa se tornaria sobre você.

Lydia inspirou alto e fundo e pelo nariz.

— *Argh.* Não é sobre mim. É sobre você melhorar de vida e, por acaso, eu ganho um pouco com isso, ou seja, você não vai ficar na defensiva quando digo que me recuso o passar o resto da vida presa aqui. Estou tentando te animar.

Um grupo alegre de jovens da igreja alguns anos mais novos do que Dill e Lydia entrou e pediu bolinhos e sucos. *Eu era como eles.* Dill esperou que eles passassem por sua mesa antes de responder.

— Você está me transformando num projeto — ele disse, baixando a voz. — Não basta me vestir. Agora precisa planejar a minha vida por mim.

— Você está me zoando? Acha que vejo você como um projeto?

— É como está fazendo eu me sentir. Como um projeto de artesanato. Uma sessão de fotos pro seu blog. Só que não pro seu blog de verdade, óbvio, porque eu nunca apareceria no seu blog.

— Tá. Beleza. Estou fazendo um projeto pra melhorar sua vida. — A voz dela começou a ficar mais alta. Lydia só tinha um sotaque sulista perceptível quando ficava brava. — Desculpa por me importar e tentar deixar sua vida melhor.

— É isso ou você tem medo de que a minha vida triste contamine a sua? Assim você tem que me melhorar para eu ser digno de você?

— Não, cara. Você está viajando e sendo grosso. Você está com medo da ideia de sair daqui e está projetando esse medo em mim. É *você* quem está tentando fazer essa conversa ser sobre mim. Acha que, se conseguir se convencer que tenho motivos totalmente impuros para querer que você vá pra faculdade, não vai ter de enfrentar esse medo.

Alguns dos adolescentes do grupo de jovens estavam olhando. Lydia os encarou de volta como se dissesse "cuidem da sua vida". Eles fecharam a cara. Um sussurrou alguma coisa para o outro, como se para provar o argumento anterior de Lydia sobre cochichos e encaradas. Dill conseguiu distinguir as palavras "pastor" e "cadeia". Considerou seriamente a possibilidade de que Lydia os tivesse contratado como figurantes. Ele não ficaria surpreso.

— Olha — ele disse, quase sussurrando —, eu adoraria ir para a faculdade também. Mas não posso.

— Por que não?

— Minhas notas.

— São boas. Não espetaculares, mas tem faculdades que aceitam qualquer um. Mais importante que isso, você é extremamente inteligente. Eu não andaria com você se não fosse. Próximo.

— Não tenho como pagar. Mesmo se minhas notas forem boas o suficiente para entrar, não tenho como conseguir uma bolsa.

— Pede uma assistência financeira e arranja um trabalho de meio período. Próximo.

— Continuo sem ter como pagar porque preciso começar a trabalhar em tempo integral pra ajudar minha família quitar as dívidas. Preciso trabalhar mais do que em tempo integral, na verdade.

—Você vai conseguir ajudar mais sua família com um diploma da faculdade. Próximo.

— Nunca planejei isso. Entrar na faculdade não é algo que a família Early faz. Ninguém nunca entrou.

Lydia balançou para trás na cadeira com uma expressão presunçosa.

— Finalmente, o verdadeiro motivo. E é o mais bobo de todos.

— Obrigado, mas todos são verdadeiros. Especialmente a parte sobre precisar ajudar minha mãe. Sou tudo que ela tem. Meus avós morreram. Não temos nenhum outro parente por perto que queira associar sua imagem à nossa.

— Não estou tentando convencer você a ir pra Sorbonne ou Harvard, Dill. Vai pra UT. Pra MTSU. Pra ETSU. Pra TSU. São todas perto daqui.

O grupo de jovens deu as mãos em um círculo, orando em volta dos bolinhos e sucos. Dill esperou até terminarem.

— Por que você não está enchendo o saco do Travis também?

— Em primeiro lugar, não pense que sou incapaz de encher mais de um saco ao mesmo tempo. Consigo encher… — O grupo de jovens lançou olhares feios para ela. Ela baixou a voz até virar um sussurro rouco. — Consigo encher vários sacos ao mesmo tempo. Inúmeros sacos. Causo fendas no contínuo espaço-temporal com tantos sacos que sou capaz de encher simultaneamente. Stephen Hawking teve de inventar a teoria dos universos paralelos para explicar minha onipresença de encheção de sacos.

— Então você está enchendo o saco do Travis?

— Não.

Dill bateu as duas mãos na cara.

— Escuta — Lydia disse —, não estou pentelhando o Travis porque ele está bem aqui. E isso porque ele não mora de verdade em Forrestville, Tennessee. Ele mora na terra de Bloodfall. Trav vai ficar feliz empilhando lenha durante o dia e lendo os livrinhos dele à noite até morrer. É o jeito dele. Mas você? Dá pra ver que você não quer essa vida. Tudo em você mostra que quer uma vida diferente. É assim que vai conseguir.

— E se eu me mudasse para outra cidade e arranjasse um emprego em tempo integral?

— Não faça as coisas pela metade. Ou vá pra faculdade, aprenda algo e mude sua vida, ou fique aqui sendo infeliz. Não vá ser infeliz na cidade vizinha. Você vai estar perdendo tempo.

— É superfácil pra você falar isso. Você tem pais amorosos que te apoiam e querem que você tenha sucesso nas suas coisas. Têm dinheiro pra pagar a faculdade.

— E daí se é fácil pra mim falar isso? Não posso falar coisas importantes porque é fácil pra mim? Não faz sentido.

— Eu não posso. Só não posso. E você só está fazendo eu me sentir pior em relação à minha vida. É como falar pra uma pessoa numa cadeira de rodas: "Andar é ótimo! Você deveria levantar e andar". Não é tão fácil assim.

— Estou falando isso para alguém que está numa cadeira de rodas porque o pai e a mãe estavam numa cadeira de rodas e ele acha que não merece andar, ou não está andando para não ferir os sentimentos dos pais.

— Quem te deu acesso aos meus pensamentos e sentimentos mais profundos? Nunca disse que queria sair de Forrestville.

A voz de Lydia começou a ficar mais alta de novo.

— Ah, faça-me o favor! Pergunta pra qualquer pessoa gay no mundo — mais olhares de reprovação da mesa do grupo de jovens ao lado — se não expressar um desejo torna esse desejo menos real. Como eu sei que você quer sair daqui? Porque você morreu de rir durante todos os filmes do Wes Anderson a que assistimos juntos. Porque você adorou todas as playlists que fiz pra você. Você leu todos os livros que recomendei. E porque é meu melhor amigo e *eu* quero dar o fora daqui. Você é curioso e tem sede de novas experiências, e isso está na sua cara. — Os olhos dela estavam em chamas.

— Tenho que fazer a lição de casa.

Eles ficaram se encarando.

A expressão no rosto de Lydia se abrandou.

— Por favor, só pensa a respeito.

Dill bebeu um gole do café.

— Este foi meu pior primeiro dia de aula. E os outros já foram bem ruins. Isso quer dizer alguma coisa.

O pavor incômodo que havia acompanhado Dill a Nashville voltou a se materializar. Não só porque ele perderia Lydia ao fim daquele ano, mas também porque ele a desapontaria. E, para piorar, em algum lugar, rodeando esse pavor, estava outro sentimento terrível: nada faz você se sentir mais exposto do que alguém identificando um desejo que você nem sabia que tinha.

10

Lydia

Ela está no nono ano, sentada numa fileira a algumas cadeiras de Dillard Early na aula de inglês. Ele quase nunca fala. Falta bastante. Ela ouviu seu pai comentar que o pai de Dillard foi preso por ter pornografias bem bizarras no computador e talvez não parasse por aí. A combinação de sexualidade perversa e religião estranha está agitando as coisas na cidadezinha. Bom, está em toda parte, na verdade. Chegou aos noticiários nacionais. É o assunto do momento dos comediantes de programas noturnos, que não conseguem resistir a piadas fáceis sobre segurar cobras. Há boatos de que a pornografia era de Dillard, o que tornaria isso tudo um pouco menos bizarro, já que o próprio Dillard é menor de idade. Mesmo assim, as pessoas se mantêm longe dele — até os amigos da igreja que ele tinha.

Mas ela também não é a pessoa mais popular do mundo. Na maioria das vezes, sempre preferiu os livros às pessoas da sua idade. Sua única amiga, Heidi, se mudou para Memphis no ano passado.

Eles leram *Senhor das moscas* e a professora está perguntando para os alunos o que entenderam do livro e, geralmente, os professores não fazem perguntas para Dillard, ou porque imaginam que ele não vai saber a resposta ou porque não querem colocá-lo no centro das atenções. Mas a srta. Lambert, bendita seja, decide arriscar.

— Dillard, qual mensagem você acha que esse livro quer passar? — ela pergunta.

Ele ergue a cabeça da carteira. Está sempre dormindo nas aulas. Encara a professora com os olhos pentecostais intensos e desanimados, que ultimamente andam circundados por olheiras escuras. Espera alguns segundos antes de responder. Não como se estivesse refletindo sobre a resposta, mas sim considerando se a professora está pronta para ouvir a opinião dele.

— Acho que passa a mensagem de que todos nascemos com sementes em nós. E, se deixarmos a luz do sol e o ar entrar, elas vão crescer e nos partir ao meio. Como uma árvore crescendo no chão da calçada.

Alguns risos sufocados da turma, mas um silêncio constrangedor prevalece.

A sra. Lambert fala baixo.

— Sim, Dillard. Acho que isso é basicamente sobre o que o livro fala.

Logan Walker ergue a mão e não espera para ser chamado.

— Minha mãe diz que, se você comer sementes de melancia, vai crescer um pé de melancia dentro do seu estômago. — A classe ri baixo. Dillard volta a apoiar a cabeça na carteira.

— Silêncio! — grita a sra. Lambert.

Mas Lydia não está prestando atenção nessa parte porque Dillard acabou de conquistar uma paixão instantânea. Mas não como as outras. Dentro da taxonomia das quedinhas e paixões existem várias subespécies, cuja maioria não contém nenhum elemento romântico. Ela já listou um monte delas em um post no seu blog novo. Paixão por menina hippie-chique da Costa Oeste usando faixa de cabelo. Paixão por cantora britânica gótica e meio bruxa usando roupas rasgadas e descalça. Paixão por jovem comediante judeu sarcástico que só é bonito de um ângulo e com quem ela quer almoçar mas não beijar na boca. E assim por diante.

E quem diria que ela teria uma queda por um menino rural cuidador de cobras rejeitado e estranho com tendência a comentários existenciais apocalípticos durante a aula. Mas ela tinha. Lydia desconfia que há grandes chances de se arrepender disso depois e, em vez de ser triste e solitário e com uma genialidade bela como ela imagina, Dillard não passe de um esquisitão louco por Jesus/pornografia. Mas, se for esse o caso, ela pode dispensá-lo sem nenhuma repercussão social.

Ela o encontra no refeitório depois da aula, onde ele come seu almoço sozinho ou, às vezes, com Travis Bohannon, outro patinho feio com uma história triste. Hoje Dillard está sozinho, escrevendo num caderno. Ela pergunta se pode se sentar com ele. Ele a olha com desconfiança, como se estivesse se perguntando como ela pretende magoá-lo.

— Fica à vontade — ele diz.

Ela se senta com suas cenourinhas e seus chips de pão pita e homus, tudo trazido de uma ida recente ao Trader Joe's de Nashville. A SUV da sua mãe rangia sob o peso de todas as compras. Eles tinham comprado uma "geladeira da Trader Joe's" para deixar na garagem, só para esse tipo de passeio.

— O que está escrevendo? — ela pergunta.

— Nada.

Hora de cortar o papo furado.

— Não vim pra rir de você, aliás. Você pode não ter percebido, mas ninguém vai muito com a minha cara aqui também. Gostei do que você falou na aula sobre o livro.

Ele continua olhando para ela com desconfiança.

— Músicas. Tenho umas ideias na cabeça e escrevo. Palavras ou melodias.

— Você é músico?

— Sim. Aprendi a tocar violão e cantar quando era bem pequeno, pra tocar na igreja do meu pai.

— Então você está compondo, tipo, músicas sobre Jesus?

— Não.

— Você gosta de cinema?

— Sim. Quer dizer, não vi muita coisa.

— Toda sexta tem noite de filmes lá em casa. Quer vir na desta?

— Minha mãe é controladora.

Lydia dá de ombros.

— Tá bom. Talvez outro dia.

Dillard hesita.

— Mas ela vai trabalhar na sexta à noite. Ela trabalha quase todo dia e toda noite. Então desde que eu chegue antes das dez...

— Não vou dedurar. Dedurar é feio.

E, pela primeira vez que consegue se lembrar, ela vê o sorriso de Dillard Early.

Lydia se recompôs do devaneio na hora em que Travis entrou no Boa Nova, seu cabelo ainda molhado depois do banho.

— Desculpa, fiquei preso no trabalho. Contação de histórias.

Ele se sentou perto de Dill e tirou uma cópia gasta de um livro de Bloodfall da bolsa.

Lydia ergueu os olhos da página em branco que estava encarando na tela de seu notebook enquanto lembrava do passado.

— Você já deve ter lido esse livro umas sete vezes.

— Oito.

— Então por quê...

— Porque *Tempestade mortal*, o último livro, sai em março. E estou relendo a série inteira para não perder nenhum detalhe quando for comentar sobre ele nos fóruns. O pessoal é cruel lá. Não quero parecer um novato. Estou relendo junto com uma amiga minha lá dos fóruns. Esses livros são bons. Você deveria dar uma chance.

Lydia revirou os olhos.

— É, não. Eu não leria cinco mil páginas de nada, nem se explicasse detalhadamente como perder dez quilos comendo donuts e tendo orgasmos. Você não tem lição de casa, não?

— Caramba, Lydia, você virou a mãe de todo mundo hoje — Dill disse. Travis arqueou a sobrancelha para ele.

Lydia ergueu as mãos em rendição, ainda olhando para a tela do computador.

— Não. Chega. Pra mim, já deu. Façam o que quiserem. É isso que ganho tentando ajudar. — *É isso que ganho tentando não ver sua vida definhar e morrer na videira dessa cidadezinha idiota.*

O celular dela vibrou.

AI MEU DEUS, acabei de dar uma olhada no preview da coleção de outono da Vivienne Westwood. É de enlouquecer, Dahlia escreveu.

INVEJINHA.

Várias coisas legais sobre subverter noções tradicionais sobre feminilidade etc.

JÁ FALEI INVEJINHA.

Sua vez vai chegar, amiga. Aliás falei com a Chloe hoje. Interesse claro em dividir apartamento com a gente em NY.

Chloe Savignon era uma jovem atriz e estilista. Lydia nunca a tinha conhecido pessoalmente, mas tinha trocado mensagens com ela pela internet e assistido aos filmes dela. Ela era fã do Dollywould.

Eu topo, ela enviou.

Ela mal conseguia processar como sua vida seria diferente dali a um ano. Uma mudança que havia criado com sua própria força de vontade e ambição. De uma ninguém de lugar nenhum na ponta do Planalto de Cumberland para alguém que dividiria apartamento com atrizes e herdeiras da indústria da moda na cidade mais glamorosa do mundo, frequentando uma das melhores universidades do mundo. As possibilidades eram infinitas. Seus amigos novos se vestiriam e falariam de maneira diferente. Viriam de cidades grandes e escolas de elite. Teriam casas na praia, onde passariam os finais de semana. Conversariam noite adentro sobre Chomsky e Sartre e Kraftwerk e Kurosawa e a coleção de primavera da Givenchy. Amigos que apresentariam coisas novas para ela em vez do contrário. Aquilo entraria no lugar disso. Não que isso não fosse legal. Não que Dill e Travis não fossem bons amigos. Não que ela não fosse sentir saudade deles. Não que ela não se sentisse culpada de deixá-los para trás. Mas...

Dali a um ano, ela não estaria sentada num café cristão com amigos que tinham raiva da ambição dela, com certeza.

Era um bom estado mental para começar a rascunhar sua redação do exame de admissão para a faculdade. Ela começou a digitar.

> Nasci e cresci em Forrestville, no Tennessee, uma cidade com uma população de 4237 pessoas, segundo o último censo. Como não é de surpreender, startups de tecnologia, empresas de software, conglomerados da mídia e outros empreendimentos relutam em se instalar numa cidade batizada em homenagem a Nathan Bedford Forrest, general confederado e fundador da Ku Klux Klan. Oportunidade e possibilidade não batem à sua porta em Forrestville. É preciso criar essas coisas com as próprias mãos.

A vista do café dava para a praça da cidade. Seus colegas de classe estavam reunidos no coreto e usavam a praça como um desvio quando atravessavam a rua principal, terminando no estacionamento do Walmart. Ela podia ver que eles estavam começando a se aglomerar.

Mais uma mensagem de Dahlia. *Vou encontrar minha mãe pra jantar daqui a uma hora. Me deseje sorte.*

Por falar nisso, qual a chance da sua mãe escrever uma carta de recomendação pra mim pra faculdade? Vou precisar de algumas, Lydia mandou.

O que estou fazendo?, pensou Lydia. *Acabei de praticamente pedir casualmente uma carta de recomendação de uma das mulheres mais poderosas da mídia.* Lydia tinha encontrado Vivian Winter só uma vez, na Fashion Week (tinha sido o pai de Dahlia, corretor da bolsa de valores, que as havia acompanhado em Nantucket). Felizmente, Dahlia adorava oportunidades de exibir sua influência.

Ah, minha mãe te adora. Vamos dar um jeito.

Com essa pequena vitória, Lydia retomou o trabalho em sua redação.

Quando eu tinha treze anos, decidi que não havia motivo para só os adultos de cidades grandes terem voz na conversa nacional sobre moda, cultura pop e artes – as três coisas que mais amo. Por isso, comecei um blog intitulado Dollywould. Eu me inspirei em uma frase de uma das minhas ídolas, outra mulher forte do Tennessee: Dolly Parton. Ela disse: "Se você não gosta da estrada em que está caminhando, comece a pavimentar uma outra". E foi o que eu fiz. Pavimentei uma estrada nova. Escrevi com o coração sobre as coisas que amava, e as pessoas começaram a prestar atenção.

Recebo dezenas, às vezes centenas de milhares de visitantes por mês. Tenho mais de cem mil seguidores tanto no Twitter como no Instagram. Dollywould já foi mencionado nas revistas *Teen Chic*, *Cosmopolitan*, *Elle*, *Seventeen* e *Garden & Gun*. Fui convidada para ir à New York Fashion Week nos dois últimos anos e fui entrevistada pelo *New York Times*. Fui jurada convidada do reality show *Project Design*, da Bravo Network. Recebo caixas semanais com roupas de estilistas que querem que eu apresente suas peças no blog.

Meu objetivo com o Dollywould era criar um espaço que proporcionasse voz aos jovens – especialmente às jovens mulheres – com gostos fora dos padrões que se sentiam sozinhos, como se ninguém os entendesse. Sei bem como é essa sensação. Tenho apenas dois amigos na minha escola. Um é filho de um ex-pastor cuidador de cobras que está cumprindo pena na prisão. O outro trabalha em uma madeireira para ter dinheiro para comprar livros.

Um pouco de fetichismo sulista nunca matou ninguém. Dill e Travis podiam não se encaixar no blog dela, mas eram perfeitos para o pontapé inicial de sua redação para os exames de admissão.

11

Dill

Dill estava de bom humor enquanto batia o ponto no trabalho, tirava o avental verde, o dobrava e o guardava na mochila. Todo ano desde que ele conhecia Lydia, o dr. Blankenship dava um jantar de volta às aulas na primeira sexta-feira depois que as aulas começavam, antes da noite de filmes. Ele sempre caprichava, com copa-lombo defumado, broa de milho, couve, macarrão com queijo, chá gelado e a torta de milho da sra. Blankenship de sobremesa. Normalmente era a melhor refeição que Dill comia o ano todo. Para aproveitar melhor, ele tinha se permitido o luxo de esquecer que aquele seria o último jantar desses da sua vida.

Ele cantarolou uma música nova em que estava trabalhando enquanto caminhava do Floyd's até a casa de Lydia. Conseguia sentir o cheiro de fluido de isqueiro e carvão em brasa de uma das casas perto do centro.

Passou na frente da oficina de reparos de eletrodomésticos que estava prestes a fechar. A porta se abriu e uma mulher com um vestido simples, que parecia feito em casa, e um casal de filhos, saiu.

Dill parou de repente.

— Irmã McKinnon? — Ele não encontrava os membros de sua antiga igreja com frequência. A maioria morava fora de Forrestville. Eles não eram muito de ir à cidade.

A mulher teve um sobressalto ao ouvir seu nome e encarou Dill por um momento antes de reconhecê-lo.

— Irmão Early? Meu Deus, quase não te reconheci! Você está uns trinta centímetros mais alto que da última vez que eu te vi. Quando foi, aliás?

— Deve ter sido logo depois que o meu pai... enfim, acho que uns três anos atrás, mais ou menos.

— E como vai seu pai?

— Parece bem. Eu o visitei na semana passada.

— Que santo homem, aquele. Rezo pela proteção e pela saúde dele todos os dias.

— Eu também — Dill mentiu.

— Sempre fui fiel, mas ver como os sinais se manifestavam nele... se algum dia tive alguma dúvida, ele as desfez.

— Vamos, mamãe — o menino disse, puxando a mãe pelo braço.

— Jacó, espera. O papai está pagando o moço que consertou a máquina de lavar e depois precisamos colocá-la no furgão.

Dill se ajoelhou para cumprimentar Jacó.

— Esse é o Jacó? Nossa. A última vez que o vi, ele tinha metade desse tamanho.

— Eles crescem muito rápido. Então você e sua mãe estão indo ao culto em outro lugar agora?

— Nós dois estamos trabalhando muito, mas vamos ao culto na Igreja Original de Deus, quando podemos.

A irmã McKinnon assentiu educadamente.

— Ah, sim. Vocês praticam o evangelho de sinais lá?

— Não, não muito. Só a cura e a fala em línguas.

Ela assentiu com educação de novo.

— Ah, bom, a palavra de Deus é a palavra de Deus, não importa onde a gente a ouça.

— Mamãããe. — Jacó puxou a mãe pelo braço de novo.

— Entra lá e fala com o papai. Vai. Leva sua irmã. — As duas crianças correram para dentro. A irmã McKinnon se voltou para Dill. — Nós vamos ao culto numa igreja dos sinais em Flat Rock, no Alabama.

— Nossa, isso deve levar...

— São duas horas pra ir e duas pra voltar. Uns cento e cinquenta quilômetros. — Ela apontou para o furgão branco e velho com capacidade para quinze passageiros. — Compramos esse carro e damos carona para os Harwell e os Breeding. Eles ajudam a pagar a gasolina. Vocês ainda encontram Joshua Harwell?

— Não. Nós... nos afastamos, acho. — Um longo silêncio. — Você é a líder do grupo de jovens, que nem na nossa igreja? — Dill perguntou. — Você era minha líder favorita.

Ela abriu um sorriso melancólico.

— Não. Não podemos nos inscrever porque moramos muito longe. E você? Toca na banda de louvor na igreja nova?

— Não.

— Que pena. Você tinha um dom muito poderoso pra música.

A porta da loja se abriu com o som de um sino, e o irmão McKinnon e seus filhos saíram empurrando a máquina de lavar num carrinho. Dill correu e segurou a porta. O irmão McKinnon agradeceu sem erguer os olhos, levou a máquina até a traseira do furgão e parou, ofegante, secando a testa com um lenço. Quando olhou para Dill, ficou com uma expressão azeda.

— Oi, irmão McKinnon — Dill disse, estendendo a mão, na esperança de quebrar o gelo. Para falar a verdade, era a reação que o garoto esperava dos membros de sua antiga igreja.

O irmão McKinnon não queria nem saber.

— Olha só! Eu achei que você estaria muito ocupado gastando suas trinta moedas de prata para a gente te encontrar.

Dill ficou vermelho e tentou formular uma resposta, mas as palavras não vinham.

A irmã McKinnon tocou o braço do marido.

— Dan, por favor...

Ele ergueu a mão.

— Não, não. Estou com vontade de falar umas verdades para o Júnior aqui. Faz tempo que queria fazer isso.

Ah, não. Isso vai ser divertido. Dill começou a se virar para sair.

— Irmã McKinnon, foi bom ver você. Eu...

O irmão McKinnon segurou o braço de Dill com força, erguendo a voz, cuspindo gotas de saliva.

— Não a chame de "irmã". Você sabe muito bem o que você fez. E, se não quer ouvir mais, bom, problema da sua consciência. Mas você dificultou muito as coisas pra minha família. Passo quase o dia inteiro no domingo só dirigindo até a igreja. Centenas de dólares de gasolina. Espero que esteja feliz.

Dill soltou o braço e baixou os olhos.

— Não estou feliz. Sinto muito. — Curiosos do outro lado da rua tinham parado para olhar a violência entre os pegadores de cobras que estava acontecendo.

O irmão McKinnon soltou um riso sarcástico.

— Ah, você *sente muito*. Com suas desculpas e mais quatrocentos por mês, consigo pagar gasolina para poder criar meus filhos na verdadeira fé. Você sente muito. — Ele cuspiu aos pés de Dill.

Dill encarou o olhar cáustico do irmão McKinnon, sua vergonha se transformando em raiva.

— Pois é. Sinto muito que a sua situação seja ruim. Mas o que meu pai fez não foi culpa minha. Foi ele quem cometeu um crime.

A voz do irmão McKinnon se transformou num sussurro ameaçador enquanto cutucava Dill no peito com o polegar, pontuando suas palavras.

— Pode dizer isso a si mesmo, Judas. Mas diga isso em outro lugar, porque ver você está me dando vontade de fazer algo de que vou me arrepender.

Dill não respondeu, mas se virou e saiu andando às pressas, a adrenalina correndo através de seu corpo, deixando suas pernas amolecidas, o fazendo se sentir enjoado. Ele subiu a rua correndo, se sentindo uma barata que alguém tinha espantado de seu esconderijo. Enquanto andava, abandonou o compromisso de se permitir esquecer que aquele seria seu último jantar de volta às aulas. *É isso que vou ter quando ela for embora. Discussões na frente da oficina de reparos de eletrodomésticos com ex-membros da igreja do meu pai que pensam que o vendi aos romanos.* Ele manteve a cabeça baixa e ficou olhando de um lado para o outro, mas as ruas já estavam quase vazias agora, sob a luz cor de ferrugem.

O jantar foi maravilhoso como sempre. Boa comida e amizade levaram embora a sensação ruim do encontro com os McKinnon. Mas, mesmo depois do amargor do confronto ter passado, o desamparo continuava crescendo dentro dele. Claro, ele sempre sentia certa aflição quando estava com a família de Lydia na casa deles, por causa do contraste com sua própria família e sua própria casa. A casa iluminada, arejada e espaçosa, cheia de coisas bonitas e eletrodomésticos novos, sempre perfumada com flores brancas e aromas cítricos... comparada com a casa dele, minúscula e escura, repleta de decadência, fedendo a mofo, carpete velho e à cola que segurava tudo. A família unida e amorosa de Lydia, conversando calorosamente — Lydia, filha única por escolha dos pais... comparada com a família fragmentada dele, sua mãe o tratando como uma criança, embora ela fosse só dezoito anos mais velha que ele — Dill, um filho único porque Deus não dera mais filhos a seus pais (nas palavras deles).

Dessa vez, estar lá era como estar numa praia aproveitando o sol enquanto a maré subia fria em torno de seus tornozelos. *Isso não vai mais existir daqui a um ano.*

Também era como estar ao lado de uma cama de hospital de alguém que estava tendo um dia bom, mas que estava morrendo. Ele sabia porque já tinha passado por isso antes.

12

Travis

A colheita tinha sido boa naquele ano nas terras de Raynar Northbrook, e comiam banquetes com frequência à mesa de carvalho pesado, que ficava no salão. Ele pediu pão e carne até ficar saciado e jogou os restos para os cães que dormiam perto do fogo crepitante da lareira. Ele estava contente.

— Esqueci de comentar, dr. Blankenship, mas adorei a sua mesa. —Travis passou a mão sobre a superfície de madeira restaurada que estava ajudando o dr. Blankenship a limpar.

— Obrigado, Travis. Você é um homem de ótimo gosto.

Travis sorriu. Ele não costumava receber elogios sobre seu bom gosto — uma das consequências de usar colares com pingente de dragão.

Enquanto Travis ajudava o dr. Blankenship a limpar, seu celular vibrou. Estou entediada. Brincando com meu cachorro. O que você está fazendo?, Amelia escreveu.

Travis colocou um prato na lava-louças. **Acabei de jantar na casa de uma amiga. Ajudando a limpar a mesa. Como seu cachorro chama?**

Que divertido! Ele chama Picles.

Não brinca! Eu adoro picles!!!

kkkk SÉRIO??? Um dia a gente devia se encontrar pra comer picles.

Com certeza.

— Ando numa fase meio Werner Herzog ultimamente — Lydia anunciou. — E é a minha vez de escolher. Então o filme de hoje vai ser *A caverna dos sonhos esquecidos*.

Os pais de Lydia se recolheram nas cadeiras de balanço da varanda da entrada com taças de vinho e livros enquanto Travis seguia Lydia e Dill até a sala de TV.

Enquanto assistiam ao documentário sobre as pinturas rupestres de trinta e dois mil anos atrás na caverna de Chauvet, na França, combinadas com as reflexões existenciais no sotaque forte de Herzog, Travis não pôde deixar de pensar no que seu pai diria se estivesse ali. *Do que essa bicha está falando? Não entendo porra nenhuma que sai da boca dele.* Travis, porém, adorou, como adorava tudo que tivesse um ar antigo e misterioso, iluminado por tochas.

— Então, estou pensando sobre permanência ultimamente, e como levamos nossas vidas sem que o mundo nem note que passamos por aqui — Lydia disse, enquanto os créditos do filme passavam na tela.

— Muitos cristãos acreditam que o mundo só tem seis mil anos — Dill disse. — Então pensa só. Essas pinturas existem há quase cinco vezes mais tempo.

— Meio que faz a gente questionar o que a gente vai deixar — Travis disse. — Eu queria deixar alguma coisa pras pessoas se lembrarem de mim. Como os reis faziam. Ou o povo das pinturas rupestres. — Ele descobriu aquilo sobre si mesmo quando as palavras saíram de sua boca.

Eles ficaram em silêncio por um momento, refletindo.

— A gente devia deixar alguma coisa — Travis disse. — Pras pessoas se lembrarem de nós. Nossa própria versão das pinturas rupestres.

Lydia não respondeu com nenhuma piada pronta, o que significava que tinha gostado da ideia.

— Mas não numa caverna. Não quero entrar numa caverna.

— A Coluna — Travis disse, depois de pensar um pouco. — Nenhum de nós sabe desenhar, mas podemos escrever coisas que sejam importantes pra nós.

— É uma boa ideia. Sinto cheiro de um post aí — Lydia disse. — Mas antes, todo mundo tem sobre o que escrever? Dill?

— Posso escrever alguns versos das minhas músicas.

— Trav?

— Decorei o que Raynar Northbrook mandou gravar na lápide do melhor amigo dele. É minha parte favorita da série.

— Tá. Então sou a única que precisa pensar em alguma coisa. Vou pensar enquanto me troco. — Lydia subiu a escada correndo e voltou alguns minutos depois, com uma roupa mais apropriada para andar pelo bosque.

— Certo — ela disse. — Canetas permanentes. Das grandes.

— Walmart — Travis disse. Era raro ele ser o idealizador de uma das atividades do grupo, e ele estava se sentindo orgulhoso.

— Walmart numa sexta à noite? Vamos encontrar todos os nossos amigos da escola! — Dill ironizou.

— Aaah, sim — Lydia disse. — A gente está *perdendo* as aventuras do Walmart na sexta-feira enquanto assiste a documentários do Herzog. Vamos lá reafirmar nossa posição social.

A luz das estrelas era filtrada pela cobertura verde dos carvalhos e das magnólias enormes na rua de Lydia. O suor começou a escorrer pelas costas de Travis no instante em que saiu para o ar abafado, mas ele não se importou. Melhor noite de sexta, impossível.

Eles entraram no estacionamento do Walmart enquanto a lua subia, prateada e brilhante, no céu azul-safira. Gritos, risos e música vinham de um grupo de carros reunidos num canto do estacionamento enquanto os três pararam o carro e entraram.

— Diiiildooooo! Clamídiaaaaa! — alguém gritou.

Lydia balançou a cabeça.

— Essa é a minha vida. Ouvir gritos de alguém fazendo uma péssima imitação de um comediante de filme pastelão no estacionamento do Walmart numa noite de sexta.

— A gente acabou de assistir a um documentário inteligente, então esta não é a sua vida — Travis disse.

— Estou começando a pensar que a gente não estava perdendo muita coisa dos acontecimentos do estacionamento do Walmart — Dill disse.

— Tem biscoito aí, escoteira? — outra pessoa gritou.

Lydia nunca ia a nenhum lugar sem a roupa perfeita. Ela estava usando uma camiseta de acampamento de verão vintage e uma calça de trilhas cáqui e botas dos anos 1970.

— Acho que eu mereci essa — Lydia disse.

Todos os babacas da sua escola se reúnem no Walmart sexta à noite?, Travis escreveu para Amelia.

Sem falta, ela respondeu. Parece até que a gente vive na mesma cidade.

Bem que eu queria. Amo meus amigos, mas seria legal poder conversar com você sobre Bloodfall pessoalmente.

Eles compraram as canetas permanentes e foram de carro até a estrada de cascalho sem nome que dava para as árvores perto do rio Steerkiller, que cortava Forrestville. O ar cheirava à planta kudzu, lama, cascalho frio e peixe morto.

Aquele cheiro. De repente Travis tem catorze anos. Está com a mãe no culto de sábado à noite na Igreja Original de Deus de Forrestville. Uma família nova está entrando para a pequena congregação deles. Crystal e Dillard Early Jr., a mulher e o filho de Dillard Early, o Pastor Pervertido cuidador de cobras. A congregação minúscula dos Early se desfez na ausência do pastor, e a Igreja Original é a melhor que encontraram em Forrestville para passar a frequentar. Eles vão poder falar em línguas e sobre o Espírito Santo e impor as mãos para curar os doentes. Quanto a mexer em cobras e a tomar veneno, vão ter de fazer isso em casa, se quiserem.

Eles se sentam no fundo, ao lado de Travis e da mãe dele. Estão com cara de quem não dorme há meses, e é provável que não durmam mesmo. Dillard não faz contato visual com ninguém. Parece encontrar pouco consolo por estar na casa de Deus. Tem uma cara de abandonado e sem amigos. Travis sabe bem como é. Recebe muitos olhares desconfiados por causa de suas roupas e de seu gosto por livros pagãos.

Também entende bastante sobre perda e noites insones. Seu irmão mais velho, Matt, morreu num bombardeio na estrada no Afeganistão no ano passado. Seu pai nunca era especialmente gentil, mas fica pior quando bebe. Ele começou a beber ainda mais depois que Matt morreu. Muito mais. E Travis também mudou. Antes, adorava livros e jogos sobre soldados modernos, mas agora só o fazem lembrar de Matt. O fazem lembrar que Matt mandava fotos dele com os companheiros sentados em seu Humvee, abraçados às armas. O que significa que seus livros e jogos antigos o lembram da dor e da perda e de não estar à altura do legado de Matt. Por isso, recebe sua dose de heroísmo e combate dos livros de fantasia. Dessa forma, consegue escapar de um mundo em que irmãos mais velhos morrem em lugares distantes. Assim que sua mãe entendeu como ele estava conseguindo se consolar, trouxe para casa o primeiro livro da série Bloodfall depois de uma viagem de compras a Nashville, uma recomendação de um livreiro.

Travis encontra os olhos de Dillard, sorri e acena. Dillard, inexpressivo, retribui o aceno. Algo diz a Travis para falar com ele. Travis sempre foi ensinado que a vontade de fazer o bem é o Espírito

Santo falando e, quando você sente essa vontade, é melhor atender. Além disso, ele também se sente meio solitário. Uma das consequências de seu escape para o mundo da fantasia foi deixar seu pequeno grupo de amigos — quase todos da igreja — para trás.

Ele escorrega para o lado de Dillard e oferece a mão. Dillard a aperta.

Quando se encontram pela segunda vez no grupo de jovens, Travis pergunta se Dillard quer conhecer um lugar legal que seu irmão mostrou para ele antes de ir para o acampamento da Marinha. É um bom lugar para sentar e ficar pensando sobre a vida. E Travis não comenta, mas é um bom lugar para fugir do seu pai quando ele bebe e assiste a futebol americano, e fica falando de como seu irmão morto era um ótimo jogador, e pergunta se ele gostaria do trabalho de treinar um bando de milionários afro-americanos (mas ele usa uma palavra diferente) e não vai deixar ele em paz até — para acalmá-lo, porque todos sabem que ele tira o cinto — Travis mentir e dizer que não gostaria do trabalho. E aí Travis se odeia por ser covarde e não dizer o que realmente pensa. Ele se odeia por não ser bom em esportes como seu irmão morto. Se odeia por não ser tão corajoso como as pessoas sobre quem adora ler. E só quer estar em algum lugar onde ninguém faça ele se sentir desse jeito.

— Travis, pode levar o cajado dessa vez — Lydia disse, o trazendo de volta ao presente. — Este lugar sempre me dá um pouco de medo à noite.

— E se um gambá ou um guaxinim vir você comigo? Não seria uma vergonha para você?

— Leva o cajado antes que eu mude de ideia.

13
Dill

— Estou com meu *taser* e meu spray de pimenta também — Lydia disse. — Minha mãe me armou bem.

— Pra que tudo isso? — Dill perguntou. — Pretende encontrar uns vinte assassinos?

— Sou uma mulher expressiva na vida pública. Tomo precauções.

— Talvez eu e o Trav devêssemos começar a usar ternos e óculos escuros quando saímos com você.

— Já acabou?

— Já.

Eles atravessaram o arbusto na entrada da ponte ferroviária. À beira do rio, um coro de sapos sibilantes se juntava ao clamor dos insetos. Dill guiou o caminho com uma lanterna que estava no carro de Lydia.

Lydia iluminava o chão usando a lanterna do celular.

— Tenho medo de cobras.

— Se tiver problema com cobras, o Dill vai dar um jeito — Travis disse. — Sacou?

Dill matou um mosquito.

— É. Saquei.

O solo foi ficando mais pantanoso sob seus pés. Lydia tentou tirar algumas fotos com flash.

— É legal, até — ela disse. — Tem uma vibe meio Ryan McGinley. Algum de vocês quer tirar a roupa e sair correndo no escuro enquanto tiro uma foto?

Dill chegou por trás de Lydia e espiou as fotos.

— Não muito.

— Eu quebraria a lente da sua câmera — Travis disse.

— Ah, por favor, Travis. Você tem um corpo bonito. Dill, fala pro Travis que ele tem um corpo bonito.

Essa frase de *Freaks and Geeks*, um dos vícios de Lydia, era uma piada recorrente entre eles desde que Lydia tinha feito Travis e Dill assistirem a todos os episódios em um único dia. Eles sempre riam com a piada.

Os três chegaram à coluna de sustentação da ponte que subia do chão antes do rio. Avançaram até a lateral de onde pendia uma escadinha de metal coberta por tinta verde lascada, a lama sugando suas botas. Para chegar à Coluna — localizada no meio do rio —, tinham de subir a escada de mão na coluna da margem, andar por cima do rio na passarela sob a ponte, e descer a outra escada para a Coluna.

— Estou em dúvida se invoco o privilégio de "primeiro, as damas" para não subir depois nos degraus nojentos que vocês vão sujar de lama, ou se quero que um de vocês vá na frente para garantir que não tenha nenhuma teia de aranha gigante lá em cima.

— Uma aranha gigante como Sha'alar, a Rainha Aranha — Travis murmurou alto o bastante para qualquer um que estivesse interessado em perguntar quem era Sha'alar. Mas ninguém perguntou.

— Pronto. — Dill se segurou na escada, ergueu um pé e limpou a bota na coluna antes de pisar no primeiro degrau. Fez o mesmo com a outra bota. — O melhor dos dois mundos. Agora você não vai passar suas mãos lamacentas no que sobrar do meu corpo quando Shalimar ou sei lá o que me matar.

Eles subiram pela escada e se apertaram pelo buraco estreito no alto de uma passarela. Travis teve de prender a respiração.

— Precisamos lembrar de trazer um pouco de manteiga da próxima vez, para lubrificar o caminho pro Travis — Dill disse.

Travis riu, tentando segurar a barriga.

— Vem, gente. Me ajuda aqui.

— Não antes de você me pagar um jantar — Lydia disse em sua melhor voz sedutora dos anos 1940, batendo cinzas de um cigarro imaginário.

— Se ao menos você entrasse tão fácil nos buracos como entra no personagem... — Dill disse.

Eles finalmente conseguiram tirar Travis e seguiram pela passarela estreita até a Coluna. Travis tinha de andar agachado para não bater a cabeça. Chegaram a outro buraco com uma escada e escorregaram por ele.

— É mais fácil descer pelos buracos do que subir — Travis disse.

— Nesse buraquinho você nem vai tocar — Lydia disse com a voz dos anos 1940.

— Estamos arrombando essa pobre ponte — Dill disse. — Não quis dizer nesse sentido. Meu Deus, gente.

Eles finalmente chegaram à Coluna, onde havia espaço para se esticar. Dill chutou discretamente uma embalagem de camisinha para a água.

— Toda vez que venho aqui, tento entender por que essa escada existe — Dill disse.

Lydia revirou a mochila em busca de seu livro e das canetas.

— Não é? É tipo: "Ei, Butch, desce lá e vê se a Coluna não saiu do lugar!". "Sim, chefe. Pode crer! A Coluna ainda está aqui!"

— Alguém tem que descer para limpar e pintar as partes de metal e verificar se os rebites e as soldas e tal estão seguros — Travis disse, batendo na Coluna. Ela emitiu um som oco de metal.

Lydia examinou um ponto largo e plano e limpou a sujeira dali.

— Por que, toda vez que estamos falando do mundo real, você consegue falar de fantasia e, toda vez que estamos falando de fantasia, você consegue falar do mundo real?

Travis deu de ombros.

— Minhas fantasias são mais interessantes do que o mundo real, e máquinas e ferramentas são mais interessantes do que as fantasias de vocês.

Lydia tirou uma foto do ponto vazio.

— Claro. Vamos lá. Me passa uma caneta.

Lydia começou a escrever, usando a luz do celular para enxergar. Dill e Travis deram a volta para o outro lado com a lanterna e se revezaram.

A caneta de Travis rangeu.

— Tomem muito, mas muito cuidado pra não cair, gente. Segurança em primeiro lugar.

— Deve ter jeitos muito piores de morrer do que cair num rio, se divertindo com os amigos até o fim — Dill disse.

— Qual seria o jeito ideal de vocês de morrer? Se pudessem escolher? — Travis perguntou.

— Nossa, Trav, que macabro, você — Lydia disse. — Mas, ei, sinto mais cheiro de post aí. Dill? Você tem cara de quem já pensou nisso. Manda aí. O assunto na roda, claro. Não literalmente mandar a gente pra fora da Coluna.

Dill pensou por um segundo. Olhou para o rio, seus redemoinhos e turbilhões, os desenhos se formando e desaparecendo na superfície da água. Ouviu o caos ordenado dos sons. A lua no céu, Vênus ao lado dela. No horizonte lá embaixo, uma torre de rádio se erguia até o céu azul-índigo, suas luzes vermelhas piscando, preguiçosas. Um vento noturno quente trazia o cheiro de madressilva e tília das margens. Um trem apitou ao longe; logo passaria retumbante em cima deles fazendo um barulho que lembrava o começo de uma tempestade. Ele era um diapasão, feito para ressoar na frequência desse lugar, desse tempo.

— Aqui — Dill disse. — Poderia ser aqui. Lydia?

— Cercada por empregados rasgando a roupa e chorando, implorando para irem comigo para a vida após a morte, para poderem continuar a me servir.

— Não faço ideia se você está brincando — Dill disse.

— Certo, então. — Ela pensou por um momento. — Sou fascinada pela vida e pela morte de Martha Gellhorn. Era uma jornalista, e é uma heroína pra mim. Fez um monte de coisas incríveis. Disse que queria morrer quando ficasse muito velha pra conseguir pensar direito ou ser interessante. Então tomou uma cápsula de cianeto quando tinha noventa e poucos anos. Se tivesse um jeito de explodir em cores e luzes bonitas, como fogos de artifício, queria que fosse assim. Queria que as pessoas falassem de mim e lembrassem de mim quando eu morrer. Quero deixar meu nome gravado no mundo.

Eles ouviram o trem se aproximando.

— Falo depois do trem — Travis gritou enquanto o veículo ribombava no alto.

Depois que o trem passou, ele falou baixo, olhando para o rio.

— Queria morrer com honra. Num campo verde de batalha, como um velho guerreiro, cercado por meus amigos. — Ele parou para pensar. — Eu poderia entrar pra Marinha como o Matt se só quisesse morrer na guerra, como ele. Mas não é isso que eu quero. Não quero morrer no Afeganistão ou em outro país. Quero morrer lutando pelo meu lar. Por uma causa que seja importante pra mim. É por isso que escrevi o que escrevi.

Dill passou a lanterna pra ele.

— Deixa a gente ver.

Travis apontou a lanterna para o que tinha escrito.

Descansa, ó cavaleiro. Orgulhoso na vitória, orgulhoso na morte. Que teu nome seja para sempre uma luz àqueles que te amavam. Que flores brancas cresçam sobre este lugar em que repousas. Tua vida foi uma vida bem vivida, e agora jantas seu banquete eterno nos salões dos Anciões.

— Não fazia ideia que esses livros significavam *tanto* pra você, Travis — Lydia murmurou. — Agora me sinto meio mal por fazer todas aquelas piadas sobre Bloodfall.

— Quer dizer que vai ler os livros?

— Não.

— São ótimos. Esqueço de tudo em que não sou bom e tudo que não sou quando leio. Fazem eu me sentir corajoso.

— Nós que sabemos como curtir uma sexta à noite — Lydia disse.

— Ei, Lydia. Talvez, depois que se mudar, quando vier visitar a gente, podemos vir aqui e acrescentar coisas à Coluna — Dill disse. — Se não for bobo demais pra você.

— Claro. Não é nada bobo. — Lydia tirou uma foto do que Travis tinha escrito. — Certo, Dill. Mostra o seu.

Eles deram a volta para a lateral da Coluna.

Dill apontou a lanterna para sua letra.

— Eu falei que escreveria uns versos de uma música minha, mas mudei de ideia e escrevi algumas das minhas coisas preferidas.

Luar. Calmaria depois da tempestade. Espantalhos. Bíblias empoeiradas. Casas abandonadas. Vaga-lumes. Luz do sol na poeira. Folhas caídas. Cemitério atrás da igreja. Céu cinza de outono. Dique fluvial. Estrada de cascalho. Mensageiros do vento. Fumaça de lenha. Apito de trem numa noite de inverno. A plan-

ta kudzu nos postes. Hinário caindo aos pedaços. Cruzes brancas na estrada. Zumbido de cigarras. Sombras. Corvos. Ferrugem. Semáforo de ferrovia através da névoa. Grilos. Dança das folhas ao vento. Celeiro decadente. Campo depois da colheita. Nuvens cobrindo a lua. Pôr do sol silencioso. Raio. Batidas do coração.

Lydia tirou uma foto.

— Também adoro essas coisas, e não fazia a menor ideia, até ler isso.

— Não acho que vão durar trinta e dois mil anos — Travis disse —, mas talvez vivam mais do que a gente, certo?

Lydia mostrou para eles as falas de Dolly Parton que ela tinha escrito na Coluna.

Descubra quem você é e seja isso de propósito.
Não podemos controlar o vento, mas podemos ajustar as velas.
Se você não gosta da estrada em que está caminhando, comece a pavimentar uma outra.

— As gerações futuras precisam dos conselhos dessa profetisa — ela explicou.

Então os três ficaram deitados por um tempo, olhando para o céu estrelado através dos trilhos da ferrovia, escutando o rio escuro lá embaixo. *Talvez seja este*, Dill pensou. *Talvez seja este o melhor que sua vida pode vir a ser. Este momento. Bem agora.*

— Li em algum lugar que muitas das estrelas que vemos não existem mais. Já morreram e demora milhões de anos para a luz delas chegar à Terra — Dill disse.

— Esse não seria um jeito ruim de morrer — Lydia respondeu. — Emitir luz por milhões de anos depois da morte.

14
Lydia

A mãe dela já tinha ido dormir quando Lydia chegou em casa. Seu pai estava de roupão, sentado no sofá, comendo um pote grande de pipoca e assistindo à TV.

— Oi, princesa — ele disse, quando ela entrou na sala depois de lavar as mãos no lavabo. — Muita farra hoje?

— Farreamos em Forrestville. Dá até uma aliteração. — Ela tirou as botas de trilha, sentou no sofá e se aconchegou junto ao pai, apoiando a cabeça no ombro dele.

Ele pousou a cabeça em cima da dela.

— Você está com cheiro de noite de verão.

Ela puxou um pouco do cabelo para perto do nariz.

— As velas aromáticas que supostamente têm cheiro de noite de verão nunca têm esse cheiro. Sempre têm cheiro de colônia de algum cara bizarro. — Ela colocou a mão no pote e pegou um punhado de pipoca.

— Eu gosto dos seus amigos. São bons garotos. Você fez boas escolhas.

— Eles são. E sempre faço boas escolhas.

— Você tem sorte de ter esses dois. É difícil achar amigos no ensino médio.

— É, ainda mais por aqui.

— Em qualquer lugar. Não foi tão ruim crescer nesta cidade, foi?

Lydia tirou a cabeça do ombro do pai e o encarou de maneira solene.

— Você não está me perguntando isso de verdade.

— Como assim? É claro que sim. Esta é uma cidade legal. É tranquila, segura. A região é bem bonita. Eu cresci aqui e sua mãe cresceu por perto também. Assumir o consultório do vovô reduziu o estresse que nossa família teria passado se eu tivesse de começar o meu consultório do zero.

— Esta cidade é horrível. As pessoas são idiotas e racistas e homofóbicas. Não tenho uma única amiga menina na escola desde que Heidi foi embora.

O pai pegou o controle remoto e colocou a TV no mudo.

— Calma aí. Você nunca teria se tornado amiga de Dill e Travis se não morássemos aqui. Deixa eu te perguntar uma coisa: você gosta de quem você é?

— Sim.

— Você não acha que morar aqui foi importante para transformar você em quem você é? Acha que sentiria o mesmo impulso de criar o Dollywould se tivéssemos deixado o mundo a seus pés?

— Você está mesmo me dizendo que morar nessa cidade de merda foi parte de uma grande estratégia pra me tornar uma guerreira?

— De certa forma, sim.

Lydia estendeu a mão e deu um tapa na testa do pai, como se matasse uma mosca.

Ele estremeceu e recuou.

— Escuta, você acha que existe algum outro lugar, qualquer cidade ou escola, em que alguém tão inteligente e talentosa como você pode entrar e fazer o que gosta, sem ninguém tentar acabar com isso porque se sente inferior?

— Não sei. — Ela voltou a encostar a cabeça no ombro do pai.

— Eu passei pela mesma coisa que você quando estava no ensino médio.

— Ah, até parece! A minha mãe me contou que você era representante de classe na escola.

— Isso não quer dizer que eu tinha amigos próximos ou que eu me entrosasse. Significa que eu era simpático com todo mundo e que me recompensaram por isso. Eu ainda me sentia solitário.

— Então por que voltar aqui para criar sua filha? Me olha nos olhos e diz que não foi porque tinha medo de morar numa cidade grande.

— Não acho que seja medo, talvez mais a inércia de continuar a morar num lugar conhecido e com que a gente sinta um tipo de ligação. Nenhum lugar é perfeito.

— E eu aqui achando que Forrestville não tinha como melhorar.

Seu pai pegou mais um punhado da pipoca, que já estava acabando.

— Ei, eu acho que aqui é uma boa cidade e, quando estava no ensino médio, eu nem tinha dois amigos tão próximos e leais quanto Dill e Travis. Vejo isso no rosto deles. Eles defenderiam você de uma manada de leões.

— *Alcateia* de leões. — Ela pegou mais um punhado de pipoca.

— Tanto faz. Eles não deixariam os leões te comerem. Não pense que não vai sentir falta deles quando partir para coisas maiores e melhores. Parte de você vai sentir falta desta vida.

— Vou estar ocupada demais pra conseguir sentir falta das coisas.

— Não, não vai. Escuta, filha, esses amigos que você tem são verdadeiros. Amigos sinceros. E são dois. É mais do que muita gente que mora em cidades maiores e fazem coisas mais chiques têm.

A voz dela ficou fraca, como ficava quando sabia que tinha de admitir uma ideia mas achava que podia evitar que o universo escutasse.

— Eu sei.

— Então para de sentir raiva dos seus pais por termos feito a escolha que fizemos sobre onde criar você. Se tivéssemos te criado na cidade grande, você poderia ter levado uma bala perdida num tiroteio ou coisa parecida.

Ela ergueu a cabeça do ombro do pai e revirou os olhos depois de ter certeza de que ele estava olhando.

— Estou *tão* arrependida de ter feito você assistir a *The Wire*. Eu deveria ter imaginado que você ficaria todo bobalhão por causa dessa série.

— Quais são os planos de Dill e Travis depois que se formarem?

Ela suspirou.

— Assim, acho que o Dill vai trabalhar em tempo integral no Floyd's e o Travis vai trabalhar em tempo integral na madeireira. E vão viver a vida deles e comer na Waffle House ou sei lá o quê e envelhecer e morrer.

— Ei — seu pai disse, mais ríspido do que de costume. — Para.

Lydia lançou um olhar magoado e repreensivo para o pai, franzindo a testa.

— Desculpa. Nossa, não é pra tanto.

— Meu docinho, é pra tanto sim. Você está sendo arrogante e maldosa com a vida deles. As pessoas podem levar vidas tranquilas e não há mal nenhum nisso. Também são vidas dignas, não importa o que você ache.

— Queria que eles quisessem mais da vida, porque me preocupo com eles. Odeio pensar em Dill e Travis presos aqui, vivendo essas vidas patéticas. Isso me destrói por dentro. Queria especialmente que o Dill fosse pra faculdade e fizesse alguma coisa da vida dele.

— Não acho que eles estejam tentando te incomodar. As circunstâncias deles são muito diferentes das suas.

— Dã, eu sei.

— Sabe mesmo? Pode guardar um segredo?

Ela respondeu com um olhar que significava "É claro que posso! Como ousa duvidar?".

— Você não pode mesmo contar pra ninguém porque eu levaria um processo por revelar informações confidenciais sobre um paciente. Mas acho que você deveria saber. Alguns anos atrás, troquei os dois dentes da frente de Travis. Disseram que foi um acidente na madeireira, que ele estava empilhando lenha e que uma empilhadeira bateu na pilha e jogou uma tora de madeira na cara dele. O estranho é que me ligaram na manhã seguinte. A madeireira fecha às cinco da tarde, assim como meu consultório. Então por que não ligaram antes? Esse acidente aconteceu às 16h59? Duvido. Você não ligaria pro dentista na hora?

— Meu Deus — Lydia murmurou. — Deve ter acontecido à noite…

— Em casa. E é claro que não tenho como provar nada e Travis insistiu que tinha acontecido na madeireira. Mas primeiro ele falou que estava puxando uma madeira de uma estante e ela caiu em cima dele e quebrou seus dentes; depois disse que foi uma empilhadeira.

— O pai de Trav super parece o tipo.

— Ah, Clint Bohannon é *sim* o tipo. Ele estava dois anos na minha frente na escola. O cara mais filho da puta que já conheci. Valentão. Andava pela escola como se ninguém pudesse encostar nele. Quarterback principal. Você não sabia mesmo o que o Travis passa na casa dele?

Lydia se sentiu magoada e insensível — nenhuma delas era uma sensação agradável.

— Não. Ele… ele não fala muito do que acontece em casa. Eu sabia que o pai dele era um babaca, mas não sabia o quanto. Como Travis pode ser filho desse cara? Ele é tão meigo.

— Anne Marie, a mãe dele, estava no meu ano. Meiga, bonita. Líder de torcida. Simpática com todo mundo. Todo mundo achava que ela conseguiria deixar o Clint um pouco mais bonzinho depois que se casassem. Acho que não foi o que aconteceu.

Lydia absorveu tudo em silêncio.

Seu pai a abraçou mais forte.

— E nem preciso te contar sobre os problemas do Dill. A questão é que você teve uma vida muito diferente, e é importante ser compreensiva.

— Tá — Lydia disse, abalada. *Como eu não sabia sobre o Travis? Como pude ser tão cega? Sou uma péssima amiga. Deveria ter percebido. Deveria ter feito Travis se sentir à vontade para me contar.*

— Você está destinada a coisas grandiosas, Lydia. Mas isso tem um preço. Todo mundo quer ficar perto da grandeza e ganhar um pouquinho com isso. Vai chegar o dia em que vai precisar de discernimento para saber quando alguém ama você pelo que você é e quando alguém só quer estar perto da sua luz. Você tem dois amigos que podem não ser muito glamorosos, mas amam você por quem você é.

— Você tem razão — ela murmurou.

O pai dela fingiu surpresa, se atrapalhando para pegar o celular.

— Espera! Pode repetir isso para eu filmar?

— Você é tão besta que eu não aguento. Preciso trabalhar um pouco no meu blog. — Ela se levantou.

— Não fica acordada até tarde.

— Te amo, papai. — Ela deu um beijo na bochecha dele.

— Ah, aliás, chegaram algumas coisas pra você hoje. Estão no balcão da cozinha.

Lydia entrou na cozinha. Um pacote da Owl, uma loja on-line, de roupas baratas, em ascensão. Um vestido leve e alguns sapatos com salto plataforma. Nada mal. Entrariam no blog. Uma embalagem menor da Miu Miu. Um presente de volta às aulas — um colar. Definitivamente digno do blog.

E um envelope. Ela o abriu. Uma carta, no papel mais caro que ela já havia segurado. O cheiro era como se cientistas tivessem desenvolvido um aroma para dar a sensação de passar por uma livraria de obras raras de alta qualidade em Paris ou em Londres. Escrito com uma caligrafia forte, ondulada e feminina:

Adoro o blog. É claro que faço uma carta de recomendação para você. Escreva uma carta para eu assinar e peça para Dahlia entregar à minha assistente. Cuide para que a gramática e a ortografia estejam impecáveis. Acima de tudo, seja generosa consigo mesma, e faça que assinar isso valha meu tempo.

Abraços,

Vivian Winter

A animação dissipou parte da melancolia da conversa sobre Dill e Travis.

Acabei de receber a carta da sua mãe. Ela disse que escreve a carta de recomendação pra mim!!! OBRIGADA, Lydia mandou para Dahlia.

Seu celular vibrou. *Falei que ela aceitaria*, Dahlia respondeu. *Pode me recompensar me colocando no Dollywould.*

Pode deixar. Vamos fazer um perfil com entrevista. Obrigada de verdade.

Por nada. A Chloe topou, aliás. Três fashionistas fabulosas em NY. Vamos precisar de um lugar com muito espaço pra roupa.

Agora só preciso entrar na NYU, Lydia escreveu.

Vai ser fácil graças à minha mãe e ao seu talento.

Lydia começou a escrever seu post enquanto olhava as fotos

das coisas que ela e seus dois amigos queriam deixar para o mundo, depois que estivessem mortos por milhares de anos, e tentou pensar no que poderia dizer que fosse digno deles.

15
Dill

O sr. Burson, proprietário da livraria Riverbank, sempre lembrava a Dill um texugo humanoide caquético. Ele usava óculos pequenos de aro fino na ponta do nariz e, durante todos os meses, exceto os mais quentes, vestia cardigãs cobertos de pelo de gato, abotoados diante da barriga redonda, normalmente sobre uma camiseta de algum cantor country como Merle Haggard ou Waylon Jennings. Dill sempre gostou do sr. Burson. Como era um velho solteirão que amava gatos e livros, ele era motivo de muitas fofocas e preconceitos, por isso não era do tipo que descontava em Dill.

Dill, Lydia e Travis entraram faltando cerca de meia hora para a livraria fechar (ou o mais próximo disso — o sr. Burson deixava a loja aberta pelo tempo que tivesse vontade), fazendo três ou quatro dos gatos da loja saírem correndo. O sr. Burson ergueu os olhos de trás do balcão, onde estava lendo um romance de ficção científica barato dos anos 1960, acariciando outro gato distraidamente. Vários violões estavam pendurados na parede atrás do balcão. Uma floresta composta de pilhas de livros usados se erguia ao redor dele, e o aroma típico de baunilha picante de tabaco de cachimbo e livros velhos se espalhava no ar. O rosto flácido do sr. Burson ficou radiante ao ver Travis, um de seus clientes mais fiéis.

— Jovem mestre Bohannon! — ele disse com sua voz chiada, ajustando os óculos. — A que terras fantásticas e misteriosas posso lhe guiar hoje?

Travis se apoiou no balcão de vidro, que abrigava o pequeno museu do sr. Burson de primeiras edições de Faulkner, O'Connor, Welty e McCarthy.

— Na verdade, viemos para comprar um presente de aniversário pra mãe de Dill, mas, já que estou aqui, posso já encomendar o *Tempestade de morte*?

O estoque da livraria Riverbank era em sua maioria de livros usados. O sr. Burson viajava por aí em sua picape Toyota velha e enferrujada dos anos 1980 coberta por adesivos com piadas nerds (MEU OUTRO CARRO É A MILLENIUM FALCON), a favor da leitura (PREFERIA ESTAR LENDO) e vagamente políticos (COEXISTIR), adquirindo caixas de livros em sebos, vendas de garagem e bibliotecas. Mas ele mantinha um pequeno estoque de livros novos e fazia encomendas especiais para pessoas que não compravam na Amazon e/ou preferiam apoiar a livraria da cidade.

— Ah, sim, *Tempestade de morte*. A nova obra do sr. G. M. Pennington. Sorte a sua que não vendo livros por peso! — ele riu, pegou um caderno de registro caindo aos pedaços, e anotou um lembrete para si mesmo. — Então, Travis, o que achamos que será da casa Northbrook na batalha final contra as forças sombrias da casa Allastair e seus Amaldiçoados? A rainha das Terras Outonais vai intervir com seu Bando de Corvos? O bastardo de Rand Allastair vai atrapalhar os planos de Allastair guiando seus Cavaleiros do Leste numa armadilha para capturar o Trono de Ouro?

Os olhos de Travis brilharam. Não era sempre que ele podia falar sobre Bloodfall com seres humanos de carne e osso, no mundo real. Ele abriu a boca para responder.

Lydia os interrompeu erguendo as mãos.

— Ei, espera aí, oh, belos cavaleiros do reino! Antes que venhais com as nerdices, nós humildes servos imploramos vossa ajuda para encontrar um livro para a mulher que não gosta de nada.

— Assim, não é que ela não goste de *nada*. Só precisa ser cristão. Cristão de verdade — Dill disse.

— Tipo a Bíblia, que quase ficou de fora da categoria porque Cristo só aparece na segunda metade — Lydia disse.

O sr. Burson estalou os dedos e desceu do seu banquinho com um grunhido involuntário, deixando o gato saltar para o chão. Ele saiu de trás do balcão, fazendo sinal para que eles o seguissem.

— Por aqui, jovens amigos. — Ele os guiou por entre estantes que iam até o teto, organizadas de qualquer jeito com pilhas de livros no chão diante delas.

Eles chegaram à seção indicada como CRISTÃOS/AUTOAJUDA. O livreiro se agachou com muito esforço, gemendo e bufando, as costuras de sua calça rangendo como os cordames de um navio. Tirou um livro intitulado *O artefato templário* — um livro novo que ele havia guardado com os usados, sua prática costumeira.

Ele ajustou os óculos e o entregou para Dill.

— É um romance de aventura cristã que foi muito popular uns anos atrás. É sobre um arqueólogo que desenterra a tumba de um dos cavaleiros templários e descobre uma profecia sobre o Anticristo inscrita no escudo do cavaleiro. Ele então cai em um mundo de intrigas e fraudes internacionais, enquanto tenta reunir as outras partes da profecia. Mas — ele coloca as mãos em concha perto da boca e sussurra — cuidado com o spoiler: o Anticristo somos todos nós, que não aceitamos Jesus.

Lydia faz um gesto de quem fecha a boca com um zíper, depois a tranca com uma chave imaginária.

— Não sei se a ideia de aventura é muito cristã — Dill disse enquanto folheava o livro. — O verdadeiro fiel tem fé de que tudo vai ficar bem e ele vai ser salvo e vai pro Paraíso, o que meio que diminui o valor da aventura. Mas vou arriscar.

Eles ficaram e folhearam livros por um tempo. Travis e o sr. Burson trocaram teorias sobre *Tempestade de morte*. Dill observou Lydia passar pelas estantes, passando a mão de leve pelas lombadas dos livros, tocando cada um, como se lesse os títulos com os dedos.

Lydia encontrou uma cópia de *Só garotos*, da Patti Smith, seu livro favorito.

—Vou comprar para fingir que vou ler pela primeira vez. Além disso, tento ajudar a Riverbank. É praticamente a única loja quase sofis... — Ela perdeu a fala quando Travis e o sr. Burson começaram a lutar com espadas de mentira. Ela suspirou. — Enfim, tento ajudar a Riverbank.

Eles compraram seus livros e saíram para o começo de noite de fim de agosto. Setembro estava quase chegando, mas o verão continuava com força total.

—Vamos ficar olhando os trens — Dill disse.

Travis deu de ombros.

— Eu topo.

— Lydia?

— Preciso preencher umas inscrições de bolsa e me preparar para minha entrevista com Laydee.

—Você vai entrevistar Laydee, a cantora? — Dill perguntou.

—Vou.

— Nossa. Que incrível. Ela tem mais ou menos a nossa idade e as músicas dela estão em todas as rádios.

— Pois é. Enfim. Trens. — Lydia conferiu a hora no celular. — Posso ficar um pouquinho. Mas se não virmos um trem logo, vou precisar correr.

—Toca aqui.

— Quando foi a vez em que "toquei aqui" com alguém e não foi algo completamente constrangedor?

Havia vários lugares em Forrestville que eram ótimos para observar os trens, mas Dill preferia o parque Bertram. Era um pouco acima da ponte com a Coluna. Os trilhos ferroviários cortavam o lugar, o que talvez o deixasse distante de uma concepção ideal de parque. Felizmente, o parque negligenciado não atraía muito os jovens. Tinha uma quadra de beisebol abandonada e alguns brinquedos enferrujados no parquinho. Alguns bonecos de mola que pareciam cópias baratas e desbotadas de personagens da Disney ficavam enfiadas na areia.

Eles se sentaram em volta de uma mesa de piquenique perto o bastante dos trilhos do trem para que, quando ouvissem um trem chegando, pudessem se aproximar.

Lydia olhou o celular.

— Observar trens. A versão de Dill do YouTube. Você sabe que essa é uma coisa bem estranha de se fazer, não?

— Falou a garota que está vestindo roupas de cinco décadas diferentes ao mesmo tempo.

— Touché.

— Será que deveríamos perguntar a opinião do cara com colar de dragão e descobrir se ele acha estranho? — Dill perguntou.

— Não acho estranho — Travis disse. — Trens e máquinas grandes são legais.

— Por que você curte *tanto* isso? — Lydia questionou.

Dill refletiu.

— Estou pensando no jeito menos estranho de explicar.

— Lá vem — Lydia disse.

— Certo. Então, quando observo os trens, penso em quanta

movimentação tem no mundo. Como cada trem tem dezenas de vagões e cada vagão tem dezenas de peças, e como todas essas peças e vagões funcionam, dia após dia. E aí tem todos os outros movimentos. As pessoas nascem e morrem. As estações mudam. Os rios correm para o mar. A Terra gira em torno do Sol e a Lua gira em torno da Terra. Tudo zumbindo e rodando em direção a alguma coisa. E consigo fazer parte disso por um tempo, quando observo um trem por um ou dois minutos, e depois ele passa. — *Da mesma forma que posso fazer parte da sua vida antes de você ir embora, e vou continuar aqui, vendo os trens passando por mim.*

Seu rosto corou e ele baixou os olhos, se preparando para qualquer que fosse a coisa engraçadinha que Lydia ia dizer.

— Enfim. Desculpa. É estranho. — Ele olhou para ela. Ela estava fitando os trilhos.

— Não — Lydia disse, sem ironia nenhuma na voz. — Não é estranho. Quer dizer, é óbvio que é estranho no geral, não vamos exagerar, mas não é estranho.

Na mesma hora, o apito de um trem soou ao longe.

Enquanto o trem se aproximava, eles se levantaram da mesa de piquenique e pararam perto dos trilhos, próximos o bastante para sentir o vento do trem. Dill sentiu a velha mistura inebriante de comoção e adrenalina quando o trem se aproximou e o apito começou a tocar. Aquela ascensão orgástica com o aumento do clamor e da energia do veículo, que ameaçava sobrecarregar seus sentidos, até estar bem diante dele. Ele fechou os olhos e ouviu as várias peças. As rodas rangendo sobre os trilhos. O ruído alto e repetitivo de um dos vagões. Absorveu a violência e a força do trem que passava deslizando, uma serpente enorme de aço. Aquele barulho latejante e pulsante agitou algo dentro dele.

Ele tem treze anos e está na frente da igreja do pai, junto com toda a banda de louvor. Está usando sua guitarra grande demais, tocando o mais alto e rápido possível enquanto a bateria e o baixo fazem tremer as paredes finas e o forro baixo de aglomerado de madeira da igreja minúscula. Ele erra a toda hora, mas ninguém percebe porque estão todos contagiados pelo Espírito Santo, e as paredes também vibram pela glossolalia exaltada e caótica do dom de línguas. Botas e sapatos batem no chão e fazem o piso tremer, enlameados por causa do estacionamento de terra. Vários congregantes, incluindo a mãe de Dill, tocam tamborins.

O pai de Dill está na frente da congregação e ergue um pote de estricnina pela metade antes de dar um longo gole, seus olhos virando para trás. Ele chacoalha a cabeça, abre a boca, e grita:

— Aleluia! — Ele o passa para a mãe de Dill, que toma um gole como se fosse limonada, passa para a frente e volta a bater seu tamborim.

O pai de Dill tira a camisa social branca, ficando apenas com a regata de baixo. Ele para e estica os braços. Os suplicantes se aproximam e colocam as mãos em seus braços cheios de veias e em seus ombros esqueléticos, buscando a cura de doenças reais ou imaginárias.

Um chamado percorre a congregação e dois dos irmãos fazem uma dança pelo corredor central, segurando em cada uma das mãos uma caixa de madeira contendo uma cobra. Eles param e as deixam no chão, e o pai de Dill vai dançando até eles, batendo palmas. Eles erguem as tampas de arame e colocam varas com ganchos dentro das caixas para tirar duas cascavéis e duas serpentes-cabeça-de-cobre. Os irmãos começam a passá-las em volta do pescoço dos congregantes. O irmão McKinnon segura um guizo a poucos centímetros do rosto, cuspindo saliva enquanto ora, desafiando a serpente a dar o bote e testar a sua fé.

Dill toca mais rápido, seu coração acelerado, suando sob a umidade sufocante de tantos seres vivos reunidos num só lugar. Seu pai começa a vir na direção dele, com uma serpente-cabeça-de-cobre enrolada no pescoço. Ele para na frente de Dill e desenrola a serpente de si. O coração de Dill palpita em seus ouvidos. Ele para de tocar. O baixista e o baterista continuam sem ele, tocando de maneira ainda mais fervorosa. Ele sempre teve medo das cobras. Nunca as segurou antes e ora a Deus para limpar sua alma e lhe dar fé, se esse tiver de ser seu momento. *Estes são os sinais que acompanharão os que tiverem acreditado. Estes são os sinais que acompanharão os que tiverem acreditado. Estes são os sinais que acompanharão os que tiverem acreditado. Pegarão em serpentes. Estes são os sinais que acompanharão os que tiverem acreditado. Pegarão em serpentes.* Ele perde o ar.

Seu pai oferece para ele a serpente-cabeça-de-cobre grossa e fibrosa, e Dill estica os braços. Imagina como vai ser a sensação da cobra em suas mãos. Fria. Seca. Escorregadia. Pulsando com uma vitalidade malévola. Ele encara os olhos do pai. Seu pai abre um sorriso fraco e triste, e vira as costas, erguendo a cobra sobre a cabeça, triunfante, antes de entregá-la para uma irmã mais velha da congregação. Dill volta a respirar. Ele tenta recuperar o ritmo, mas está tremendo demais. Está aliviado, mas desapontado que sua falta de fé transpareça pela sua pele.

Uma semana depois, a polícia prende seu pai.

16

Travis

— Ei, Travis — Dill chamou enquanto saíam do parque Bertram. — Acha que sua mãe poderia me ajudar e fazer um bolo de aniversário pra minha amanhã? Eu... não tenho muitos dos ingredientes.

— Claro, sem problema. Ainda mais pra alguém da igreja.

— Posso ajudar depois do trabalho.

— Não precisa. Às vezes meu pai fica estranho com visitas. Sabe como é.

Dill entregou um pacote amassado de mistura barata para bolo branco que provavelmente tinha ganhado no trabalho.

— Valeu. Desculpa por avisar tão tarde.

A mãe de Travis teve o maior prazer em fazer o bolo. Mas, como ele não queria jogar o trabalho todo em cima dela, Travis transformou a situação em uma noite de mãe e filho, com ele intervindo para ajudar. Foi uma noite perfeita, porque o pai dele estava jogando baralho na casa de um amigo.

— Minha nossa, essa cozinha está um verdadeiro chiqueiro... — Travis disse com um péssimo sotaque britânico, imitando o apresentador do programa culinário favorito da sua mãe.

Ela riu baixo.

— Ah, Trav. Você é muito engraçado.

A risada da mãe dele era um de seus sons favoritos. Ele quase nunca a escutava. Não desde a morte de Matt. Ele continuou fazendo palhaçadas. Encheu o rosto de farinha e colocou um dos aventais floridos da mãe. Estava tentando fazer malabarismo com algumas colheres de pau quando escutaram o pai de Travis entrar pela porta da frente.

Os dois ficaram em silêncio no mesmo instante, torcendo para que ele fosse dormir ou pelo menos ligasse a TV e desmaiasse na frente dela. Qualquer coisa menos entrar na cozinha e estragar a noite deles. A chance deles era boa — o pai de Travis considerava a cozinha um território exclusivo da esposa.

Mas não tiveram sorte. Ele entrou cambaleando, com um cheiro forte de bourbon. No minuto em que viu Travis de avental com farinha no rosto, riu com escárnio.

— Olha que belezinha! — ele disse, com a língua enrolada, desmunhecando o punho. — Minhas duas meninas se divertindo! — Ele fingiu um andar afeminado.

Travis sorriu, constrangido, torcendo para que fosse uma tentativa de piada do seu pai. O único problema era que seu pai nunca sabia direito o instante em que uma piada perdia a graça (ou começava a ter graça) quando estava bêbado.

A mãe de Travis limpou um pouco da farinha da bancada.

— Se divertiu no jogo, amor?

— Ah, com certeza! Mas não tanto quanto se estivesse cozinhando um bolinho de aventalzinho. — Ele cambaleou até Travis e puxou os fios do avental com força, os desamarrando. Travis se virou, evitando contato visual. Ele tirou o avental e o dobrou em silêncio.

— Clint — a mãe de Travis falou baixo. Ele a ignorou e entrou na frente de Travis.

— Falei com o Kenny Parham hoje. Ele comentou sobre o baile de volta às aulas. Já que você não vai jogar no time de futebol, pelo menos vai levar alguma garota para o baile? — O tom de brincadeira sumiu da sua voz.

Travis ficou olhando para o chão.

— Não sei.

— Não sabe. Não sabe o quê? Se vai pro baile ou se gosta de meninas? Vai levar seu namorado, Dillard Early, o Príncipe das Serpentes, pro baile?

— Não, senhor. Eu gosto de meninas. Só não gosto de bailes.

— Você é bicha?

O hálito de seu pai fez seus olhos lacrimejarem.

— Não, senhor. — Ele teve um impulso súbito de mostrar a foto de Amelia no celular para o pai. Mas sabia que seu pai o faria se arrepender daquilo. Diria algo sobre o corpo ou o rosto de Amelia. E Travis sabia que isso o levaria a fazer algo de que se arrependeria depois.

— Você consegue se divertir enchendo a cara de farinha e vestindo avental e assando bolos com a mamãezinha, mas não indo a bailes?

— Não, senhor. — *Por favor, vá embora. Por favor, vá embora.*

Seu pai se aproximou e disse, com um tom ainda mais ameaçador:

— Se você for bicha, vou te ensinar a não ser, por Deus. É melhor virar homem. — Ele deu um empurrão em Travis. Não um especialmente forte, mas pegou Travis de surpresa e ele cambaleou alguns passos para trás. Quase encarou os olhos do pai, mas pensou melhor. Continuou de cabeça baixa. *Só fica encolhido que ele vai cansar e vai embora. Finja que é pequeno. É o que ele quer, que você seja pequeno.*

— Clint, querido — a mãe de Travis disse com uma voz doce, como se estivesse falando com um animal perigoso ou uma criança teimosa (ou uma combinação dos dois). — Travis é cristão. Não se preocupe. Quer que eu prepare alguma coisinha pra você comer?

O pai de Travis arrotou e foi até a tigela de massa.

— Não, não quero nada. — Ele enfiou três dedos na mistura para bolo e, sem tirar os olhos da mãe de Travis, os lambeu, depois enfiou os dedos de volta na tigela para repetir.

— Ah, Clint. Você não deveria ter feito isso. Esse bolo não era pra gente.

O pai de Travis foi até a mãe dele.

— Eu. Não. Ligo — ele disse, cutucando o peito dela, pontuando cada palavra. Ela desviou os olhos. Ele ficou diante dela por um segundo. O medo de Travis começou a se transformar em raiva. Ele sentiu o que havia sentido com Alex Jimenez. *Por favor, vá embora. E não encoste na minha mãe de novo.*

— Mal posso esperar pra experimentar o bolo — seu pai disse com um sorriso maldoso. — Ele apontou para Travis. — É melhor não ser viado. — Foi para a sala de estar, onde se afundou no sofá e ligou a TV.

Travis voltou a respirar. *Obrigado, Jesus. Obrigado.* Sua mãe também. Eles fizeram contato visual. Travis fez menção de falar alguma coisa. Sua mãe levou um dedo aos lábios dele como se dissesse "Não. Toma cuidado.".

— Vou me adiantar e assar este pro seu pai. E depois faço outro pra Crystal. Tenho outra mistura de bolo na despensa. Na verdade, é melhor do que a que Dillard te deu.

— Quer ajuda?

Ela entreabriu um sorriso triste para ele.

— Não, querido. Eu assumo sozinha daqui — ela sussurrou.

— O pai nem sempre foi tão ruim assim — Travis sussurrou.

— Eu sei. — Ela pegou um pano úmido e limpou com carinho a farinha do rosto de Travis. Da sala, ouviram o pai de Travis gargalhar.

A mãe de Travis virou a massa do pote numa assadeira, se agachou e pegou outra assadeira de baixo do fogão. Colocou a tigela na pia e começou a lavá-la com as mãos trêmulas.

Travis foi até a mãe e colocou os braços em volta do pescoço dela, a abraçando por trás. Ela pousou a mão nos braços dele.

— Te amo, mãe — ele sussurrou.

Ele conseguiu ser mais silencioso do que de costume e passou discretamente pelo pai, que estava absorto por alguma reprise de comédia. Na segurança de seu quarto, ligou o notebook caindo aos pedaços. O aparelho ganhou vida com um zumbido. Enquanto esperava o computador carregar, pensou em situações hipotéticas em sua cabeça, situações em que enfrentava o pai. Em que não passava às escondidas e se encolhia de medo. Em que não deixava que seu pai o fizesse se sentir pequeno e imprestável. Seu ódio pelo pai sempre se transformava em ódio por si mesmo. *Por que você não é mais corajoso? Pelo menos pela sua mãe? Você não é nada parecido com Raynar Northbrook. Ele enfrentaria um tirano. Claro, mesmo se você o enfrentasse, provavelmente só estragaria tudo e se sentiria ainda pior, como aconteceu com Alex.*

Ele sentiu vontade de mandar uma mensagem para Amelia. Mas ao mesmo tempo não. Não queria parecer fraco aos olhos dela. Mas também não queria ficar sozinho neste momento. Não achava que Lydia fosse entender porque a família dela era maravilhosa demais. E não achava que Dill fosse entender porque a família dele era horrível demais.

Travis ficou pensando em círculos até finalmente se decidir.

Ei, ele enviou.

Olá senhor, Amelia respondeu logo em seguida. Como você está?

Tenso. Acabei de brigar com meu pai.

MDDC. Vc tá bem?

Mais ou menos. Acho que só preciso de um pouco de animação.

Se eu estivesse aí te daria um abraço enorme e lembraria que Tempestade de morte tá pra sair.

Está funcionando!

Seu celular vibrou de novo. Era a foto de um filhotinho de elefante brincando com uma bola de praia.

Isso!

Um meme engraçado de Bloodfall. E depois outro. E outro. Travis quase riu alto, mas se segurou.

Obrigado!

Quando a gente se conhecer pessoalmente, vou te dar um milhão de abraços e dizer que não é sua culpa que seu pai é um babaca.

Enquanto as palavras de incentivo desencarnadas de Amelia continuavam a chegar, o cheiro quente de açúcar e manteiga do bolo no forno foi enchendo a casa.

17
Dill

Ele acendeu as velas no momento em que a viu chegar. Só havia cinco velas.

— Dillard, está em casa? — ela gritou ao entrar na casa escura.

— Estou aqui, mãe.

Ela entrou na cozinha, onde Dill estava atrás do bolo, a luz das velas iluminando o seu rosto.

— Feliz aniversário!

Ela balançou a cabeça e deixou as coisas na mesa.

— Dillard Wayne Early, o que você aprontou?

Dill sorriu.

— Aprontei esse bolo. Quer dizer, arranjei as coisas e a mãe do Travis preparou. Ficou muito melhor do que se eu tivesse feito, juro.

Ela sorriu.

— Eu nem…

— Bom, o que você está esperando? Assopra as velinhas! Vamos comer uns pedaços.

Ela se sentou e assoprou as velas. Os dois ficaram sentados no escuro por um segundo, enquanto Dill tateava a parede procurando o interruptor.

— Você fez um desejo?

— É claro. Desejei que…

— Não, você não pode contar. Assim o desejo não se realiza. Além disso, acho que consigo adivinhar qual é.

— Desejos não importam, de qualquer forma. O que importa é a oração.

Dill se levantou e pegou uma faca, dois garfos e dois pratos. Tirou as velinhas e cortou dois pedaços grandes do bolo amarelo com cobertura de baunilha.

— Fizeram alguma coisa especial para o seu aniversário no trabalho?

— As meninas da limpeza fizeram uma vaquinha e me deram um cartão de presente de vinte dólares do Walgreens. Acho que vou comprar uma coisinha e ver se trocam o resto em dinheiro. Precisamos de selos para escrever pro seu pai.

— Acho que você deveria gastar com você — Dill disse.

— Não tem nada que eu queira.

— Pega seu doce preferido ou um hidratante ou algo assim.

Ela pensou por um segundo.

— A gente podia tomar um sorvete.

— Queria mesmo que você gastasse com você. É o seu presente.

— Vamos ver. — Eles ficaram sentados em silêncio e comeram o bolo. Dill terminou primeiro. Estava uma delícia. E, enquanto estavam ali sentados, algo passou pela cabeça dele. Parecia um bom momento para comentar.

— Já que estamos falando de dinheiro, e se tivesse um jeito de eu ganhar muito mais dinheiro do que ganharia no Floyd's, mesmo se fosse gerente? O que você acharia disso?

Ela soltou um riso triste com a boca cheia.

— Ah, seria ótimo. Desde que não esteja propondo vender drogas.

— Não. Mas para o que eu quero propor, a gente teria de passar mais alguns anos comigo sem ganhar tanto dinheiro quanto eu ganharia trabalhando em tempo integral no Floyd's.

Ela deu outra mordida do bolo.

— Não estou entendendo — ela disse, mas seu olhar dizia "Tomara que não seja o que estou pensando...".

— Estou falando do que poderia acontecer se eu fosse pra faculdade. Pessoas que...

Ela balançou a cabeça e levantou a mão.

— Não.

— Mas, mãe, me escuta. Você não me deixou terminar.

— Não. Não precisa. Eu sei o que você vai dizer e qual vai ser minha resposta.

— Mãe, eu conversei com a Lydia e ela me contou que pessoas com ensino superior ganham mais do que pessoas sem e...

— Ah, a Lydia, claro. É óbvio que ela diz as coisas que são fáceis pra ela dizer, não é?

— Mas ela está certa. Se sacrificarmos alguns anos pra eu poder ir pra faculdade, posso arranjar um emprego melhor e ajudar mais você. Seria como... — Dill quebrou a cabeça atrás de alguma analogia bíblica que abrangesse a ideia de perda a curto prazo a favor de ganho a longo prazo — Como sacrificamos a oportunidade de fazer certas coisas pecaminosas pra podermos viver no Paraíso com Jesus.

— O pecado não é uma oportunidade. Seguir Jesus não é um sacrifício. Ele fez todo o sacrifício por nós.

— Estava tentando pensar em alguma comparação.

— Pensa em outra.

— Pensa em tudo o que eu aprenderia na faculdade.

— Você aprenderia que é bom demais pra ser cristão. Que viemos dos macacos. Aprenderia muita coisa.

— A faculdade me daria mais opções na vida.

— Você não precisa de opções na vida. Precisa de Jesus. Opções são boas pra quem tem, mas nós não temos. Não temos nem dinheiro.

— Posso conseguir uma ajuda financeira.

— Ah, ótimo, mais dívidas! É tudo de que a gente precisa. Adoraria mais uns buracos na cabeça, já que você está oferecendo.

— Você sempre diz "nossa dívida". Eu não fiz essa dívida. Quem fez foram vocês. Por que o peso dela tem que cair em cima de mim?

— Porque somos uma família. E famílias passam juntas pelos momentos difíceis, é por isso. As pessoas não saem por aí e largam os outros para se virarem sozinhos. Eu larguei o colégio para casar com seu pai e ter você. Te dei banho e te amamentei. Trabalhei seis dias por semana limpando quartos de hotéis à beira da estrada e seis noites por semana num posto de gasolina pra dar a melhor vida que podia dar a você. E não é muita coisa. Mas temos um ao outro, e temos Jesus.

— Eu quero mais.

— Isso são a ganância e o orgulho falando.

— Estou cansado dessa cidade. Você sabe como é? Ter o nome dele? Carregar esse fardo? Os olhares e os cochichos? O peso de ter o mesmo sangue que ele?

Os olhos delas arderam. Ela cravou o garfo no último pedaço do seu bolo.

— Se *eu* sei como é? É claro que sei! Você acha que as pessoas não cochicham sobre mim? Elas cochicham sobre mim mais do que tudo, ficam se perguntando onde eu errei. Por que eu não sabia. Por que não era boa o suficiente. O que mais eu deveria ter feito. Deus nos dá provações. Esse é o lugar para passar por elas. Você acha que vou deixar os fofoqueiros nos arrancarem da nossa casa e falhar na provação divina? Pois pense direito.

A culpa tomou conta de Dill. Ele sentia que estava reprovando mais uma vez em um teste de fé. Como se estivesse com medo de segurar mais uma serpente. Ele não pretendia falar da faculdade. Muito menos no aniversário da mãe. Na verdade, nem tinha percebido que estava pensando sobre o assunto.

— Mãe, me...

Ela não ergueu os olhos.

— Esta é a última vez que quero ouvir sobre esse assunto. Nunca falei muito sobre você viver andando pra cima e pra baixo com a Lydia e o Travis. Mas, a partir de agora, quero que você me respeite.

Dill baixou a cabeça.

— Tá. Tudo bem. Desculpa. — Ele queria dizer para ela como sentiria falta de Lydia quando ela fosse embora, que aquilo era parte do motivo por que ele queria ir. Para que a vida dele não acabasse justo quando a de Lydia começava. Mas a mãe dele definitivamente seria ainda menos compreensiva em relação a isso.

Um longo silêncio caiu entre os dois. Eles ficaram escutando o retinir da geladeira decrépita e o tique-taque do relógio na parede.

— Eu estraguei seu aniversário? — Dill perguntou.

— Nunca liguei muito pra essas datas — sua mãe disse, se levantando para levar os pratos para a pia. — Você fica um ano mais velho. Só isso. — *Mas ela não disse que não.*

O livro. Talvez fosse sua redenção.

— Ei, quase esqueci. Espera aí. Comprei uma coisa pra você. — Dill se levantou com um salto e correu até o quarto. Ele não tinha se dado ao trabalho de embrulhar *O artefato templário*. Não tinham nenhum papel de embrulho em casa, e ele era péssimo em embrulhar presentes, de qualquer forma.

Ele voltou à cozinha com o livro escondido atrás das costas.

— Dillard. Não precisava — sua mãe disse. Claro, ela não disse no sentido de "não precisava... me fazer esperar tanto tempo", como a maioria das pessoas dizia. Ela falava a sério.

Ele entregou o livro para ela.

— O sr. Burson da livraria Riverbank achou que você poderia gostar. Feliz aniversário.

Ela olhou para ele.

— É...

— É claro que é cristão.

Ela folheou o livro. Era verdade. Jesus. Ela se inclinou para a frente e deu um beijo na testa dele.

— Obrigado, Dillard. Você é um bom garoto. Juntando isso com o telefonema do seu pai mais cedo, me sinto muito abençoada.

— Vou limpar aqui, mãe. Vai ler seu livro ou tomar um banho quente ou algo do tipo. Vai fazer bem pras suas costas.

Dill foi até pia e lavou os pratos. Em pouco tempo, sua culpa por comentar o assunto da faculdade e a euforia por ter dado um presente para sua mãe que ela não odiou de cara haviam passado. No lugar, veio uma dor cega misturada com raiva. Raiva de Lydia, acima de tudo. Era injusto direcionar sua frustração contra ela, ainda que em segredo. Era injusto culpá-la da equação fictícia em que os sucessos dela equivaliam aos fracassos dele. E, mesmo assim, ele nutriu esse sentimento. Não seria justo ficar com raiva da mãe no aniversário dela.

18

Lydia

Em primeiro lugar, preciso agradecer a todos que leram, compartilharam e fizeram comentários gentis sobre minha entrevista com Laydee. Já virou o post mais visualizado aqui no blog (graças a todos que o retuitaram). Fiquei muito, mas muito nervosa, mas ela foi muito, mas muito incrível e simpática, então comprem a música dela, por favor, obrigada.

Aqui vai uma foto de mim muito feliz de verdade pensando nessa história toda. Estou usando uma blusa da Missoni por cima de um vestido que achei no Attic, no leste de Nashville. Minha bolsa é da Goodwill. Os sapatos da Owl, e o colar da Miu Miu.

Estamos no fim de setembro. "E daí?", você pergunta. E daí que, se considerarmos o outono como o sábado do ano — e deveríamos, porque o outono é a parte mais incrível do ano, assim como o sábado é a parte mais incrível da semana —, faz sentido que setembro seja a sexta-feira dos meses. O que significa que também é incrível. O que significa que estou oficialmente em busca de bons filmes outonais. Pornografia outonal, por assim dizer. Me deem sugestões nos comentários. Adoro vestir as cores do outono. Adoro quando fica frio o suficiente para eu começar a fazer combinações interessantes com sobreposição. Sou viciada em jaquetas (grande surpresa, Caro Leitor). O outono basicamente me transforma em uma mulher de cinquenta anos. Vou ao Cracker Barrel e compro minha vela Autumn Harvest Yankee (a única coisa com a palavra "Yankee" que passa pela porta da maioria das casas sulistas). Esse é apenas um dos componentes da minha sede insaciável por aconchego. Canela, noz-moscada, gengibre e cravo são os outros. Eu comeria ovos mexidos com esses temperos no meio de outubro. Comeria um filé com esses temperos. Comeria [insira aqui seu alimento favorito que ficaria nojento com esses temperos].

Eu adoro aqueles dias escuros, tristes e sombrios de outono, quando chove da hora em que você acorda até a hora em que você vai dormir. E você pode ouvir Leonard Cohen e se aconchegar em um cobertor quentinho na mais refinada melancolia.

Vou dizer uma coisa sobre o Tennessee: o outono aqui é bom. Nós arrasamos nas guirlandas, nas espigas de milho, nos fardos de feno, na fumaça de lenha e nos espantalhos. As folhas são lindas. Nem acredito que este provavelmente é o meu último outono no Tennessee por um bom tempo. Vou sentir falta disso. Espero que aonde quer que eu vá parar seja bom no outono também.

Estou em um daqueles períodos em que toda a minha energia mental está sendo direcionada a outros lugares (coisas relacionadas à universidade etc. e assim por diante), ao ponto de que não acho que tenha algo especialmente importante ou interessante a dizer. São nesses momentos em que às vezes respondo a perguntas frequentes porque EI, CONTEÚDO DE GRAÇA NA INTERNET. Enfim, vamos começar.

P.: Por que você sempre escreve "Forestville" e não "Forrestville"?

R.: Porque Forrestville é batizada em homenagem a Nathan

Bedford Forrest, o fundador da Ku Klux Klan, o que torna o nome da minha cidade quase tão incrível quanto se ela se chamasse Hitlerlândia. Ah! E bônus! Fica no condado de White (que não foi batizado em homenagem a pessoas brancas, até onde eu saiba). A questão é: isso é péssimo. E, como sempre digo, florestas são muito melhores do que racistas. Por isso, sempre escrevo Forestville, com um R só, como "forest", de floresta, porque VOCÊ DEVE SER A MUDANÇA QUE QUER VER NO MUNDO. Enfim, o R tirado de Forrestville é de "racista".

P.: Em que ano você está na escola e em que faculdade quer estudar? Quer estudar o quê?

R.: Último ano e ainda não sei. Aqui vai minha lista, começando pela minha primeira opção e, depois, seguindo sem nenhuma ordem específica: NYU, Oberlin, Smith, Brown, Sarah Lawrence, Princeton, Harvard, Yale, Columbia, Cornell, Vanderbilt, Vassar, Wellesley. Quero estudar jornalismo.

P.: Quais são seus ícones/ inspirações de estilo?

R.: Tanto reais como fictícios (fiquem à vontade para pesquisar bastante no Google): DOLLY PARTON (óbvio), Margot Tenenbaum, Zadie Smith, Debbie Harry, Natasha Khan, Angela Chase, Veronica Mars, Jenny Lewis, Patti Smith, Dee Dee Penny, KatieJane Garside, Meg White, Donna Tartt, Florence Welch, PJ Harvey, Beyoncé, Stevie Nicks, Joan Didion, Frida Kahlo, Martha Gellhorn, Anaïs Nin, Flannery O'Connor.

P.: Quem são seus estilistas/ suas marcas favoritos?

R.: Rodarte, Rick Owens, Vivienne Westwood, Prada, Billy Reid (não deixo de ser sulista).

P.: Você é lésbica?

R.: A resposta a essa pergunta depende muito de quem a fez. Se você for alguma das mulheres mencionadas acima, a resposta é um sim enfático. Nick Cave na época de The Birthday Party? Não. Willem de Kooning jovem? Não. David Bowie na época do Labirinto — A magia do tempo? Não. Luke Wilson na época de Bottle Rocket? Não. Luke Wilson na época de *Os excêntricos Tenenbaums*? Também não.

Se quem fez a pergunta for um troll aleatório da internet que literalmente acredita, nos dias de hoje, que é um insulto chamar alguém de gay — de forma passivo-agressiva, ainda mais —, a resposta é a que mais deixar você sem jeito, ameaçar sua autoestima e fizer seu cérebro minúsculo entrar em parafuso. Ou seja, provavelmente sim, sou uma lésbica feroz. Para todos os demais, respondo caso a caso.

Certo, por hoje chega. Depois tem mais. Por enquanto, fiquem com essas fotos das minhas compras no último sábado na loja de antiguidades na rua da minha casa. Esta é outra coisa em que o Sul manda bem, aliás: lojas de antiguidades.

Enquanto publicava seu post, ela observou Travis no outro lado da mesa da biblioteca. Ele estava digitando compulsivamente no celular com uma expressão distante no rosto. Não parecia exatamente descontraído. Mas o mais próximo disso que Lydia já o tinha visto. Travis leu uma mensagem e começou a rir baixo. Encostou a testa na mesa e balançou com uma gargalhada abafada.

O riso dele era tão contagiante e feliz que ela não conseguiu deixar de rir também.

— Tá, cara. Que foi? Com quem você está conversando?

Ele secou os olhos.

— Ninguém. Nada não.

Ela o observou com uma desconfiança bem-humorada.

— Você é o pior mentiroso do mundo.

19
Dill

Dill acabou de colocar as compras da sra. Relliford no carro dela.

Ela estendeu uma mão trêmula com uma nota de um dólar.

— Toma, rapazinho. Muito obrigada pela ajuda. Deus te abençoe.

Dill aceitou o dólar e o guardou no bolso da camisa.

— Obrigado, senhora. Deus te abençoe também.

Ele não teve pressa enquanto empurrava o carrinho de volta à loja, aproveitando o breve momento ao ar livre, antes de voltar ao frio do ar-condicionado e ao cheiro tênue de carne podre e verduras estragadas do Floyd's.

Dill adorava o trabalho de carregar sacolas nessas tardezinhas de fim de setembro. O sol ainda estava forte, mas não tinha mais a força do sol de verão. Parecia desbotado. Ele sentia um aroma suave de grama cortada vindo de algum lugar. *Como é possível que o amor e o ódio por um lugar existam tão tranquilamente lado a lado?*

Enquanto se aproximava do mercado, se atrapalhando com o carrinho (*Por que todos os carrinhos sempre têm uma rodinha bamba?*), uma garotinha cavalgava no pônei de plástico lascado que funcionava em troca de moedas na entrada.

Dill sorriu para ela.

Ela ria.

— Estou cavalgando o pônei!

— Está sim! Bom trabalho, garotinha!

A cavalgada acabou e a menininha passou a perna por sobre o pônei para desmontar. Na pressa, ela prendeu a sandália num cacho da crina do pônei, e caiu de cara no concreto duro. Ela ralou o queixo. Olhou para Dill por um segundo com os olhos azuis enormes se enchendo de lágrimas.

Ah, não.

Ela começou a gritar, como uma sirene de tornado.

Dill correu e se ajoelhou ao lado dela, acariciando suas costas.

— Ah, não! Fofinha! Ei, ei, não chora! Está tudo bem. Está tudo bem. Shhh. Cadê sua mamãe?

Ela estava inconsolável.

Dill a pegou no colo, murmurando em seu ouvido.

— Ei, vamos achar sua mamãe, tá? Vamos achar sua mamãe.

Então, do canto do estacionamento, gritos frenéticos:

— *Ei! O que você está fazendo?! Solta a minha filha!*

Dill ergueu o rosto e encontrou uma mulher de olhos febris correndo na direção dele. Ele deixou a menininha, que ainda estava gritando, no chão.

— Moça, esta é a sua…

— *O que você fez com ela? Por que ela está chorando?* — a mulher berrou. Ela se ajoelhou e chacoalhou a filha pelos ombros. — Daisy. Daisy, querida, o que foi?

Uma multidão tinha começado a se reunir.

— Vai buscar o gerente da loja — alguém disse.

— Allison, está tudo bem? — perguntou outra pessoa.

O rosto de Dill ficou vermelho.

— Moça, eu só estava passando e ela estava no pônei e aí ela ca…

A mulher se levantou e ficou na frente de Dill, irradiando uma fúria selvagem.

— Você fique longe dela. Fique longe. Eu sei quem você é. Você é filho do Dillard Early. Não encoste na minha filha. Deu pra entender?

— Allison, acho que a Daisy... — alguém chamou.

— *Não quero saber! Não quero saber! Ele não pode encostar nem chegar perto da minha filha!*

O sr. McGowan, o gerente da loja, atravessou a multidão.

— Certo, certo, está tudo bem por aqui? Moça?

A voz dela ainda tinha um tom cortante.

— Fui colocar as compras no carro. Deixei Daisy no cavalinho. Me virei e ele... — Ela apontou para Dill, uma curva de desprezo nos lábios — estava bem ali e Daisy estava chorando. — Daisy continuava a gritar, como se houvesse dúvidas de que sua mãe estava falando a verdade.

— Ela caiu — Dill disse. — Eu estava tentando...

O sr. McGowan ergueu a mão, interrompendo Dill.

— Dill, por que não volta pra dentro? Moça, sinto muito que isso tenha acontecido. Tenho certeza de que Dill não pretendia fazer mal.

Agora já chega. Não aguento mais. A voz de Dill se ergueu, inflamada:

— Espera aí! Eu não fiz *nada* de errado. Acho que ela só se sente culpada porque deu as costas e deixou a filha se machucar.

— *Como você se atreve?* Você não pode falar comigo desse jeito! Você não tem o direito! Eu sou uma boa mãe.

— Dill? — O sr. McGowan disse, cortante. — Deixa que eu cuido disso. Por favor, entra.

Dill e a mulher trocaram um último olhar de reprovação mútua, e ele se virou para entrar. Foi direto para a mal iluminada sala de descanso dos funcionários, onde uma reprise de comédia passava na TV velha. Ele se sentou à mesa e passou as mãos no cabelo.

Depois de alguns minutos, o sr. McGowan entrou. Dill começou a falar. O sr. McGowan o interrompeu.

— Pelo amor de Deus, Dill! O que deu na sua cabeça, garoto? Você não pode falar daquele jeito com os clientes.

Bela maneira de defender os funcionários, Floyd's.

— Sr. McGowan, eu não fiz nada de errado. Estava ajudando a garotinha. O que eu deveria ter feito? Deixado a menina chorar?

— Bom, você poderia ter vindo me buscar...

— O senhor sabe por que aquela mulher agiu daquele jeito.

— Sim — ele disse baixo. — Eu sei. O marido de Allison, Chip, é pastor da Igreja de Cristo. Então ela já não devia ir muito com a cara do seu pai antes mesmo de toda aquela confusão. As pessoas não gostam quando as outras dizem que elas precisam segurar cobras para ficar bem com Deus.

— Pois é. — Dill não disse nada. Ficou olhando fixamente para a frente. — Bom, é melhor eu voltar pro trabalho.

— Faltam o quê? Quinze minutos para terminar seu turno? Pode ir já, se quiser. Eu bato o ponto para você na hora certa — o sr. McGowan falou em tom de desculpas.

— Está bem. — Dill se levantou da mesa sem encarar os olhos do sr. McGowan, tirou o avental verde e foi andando devagar para a biblioteca, onde tinha marcado de encontrar Lydia e Travis. Ele se sentia completamente derrotado.

Quando Dill chegou à biblioteca, viu Lydia e Travis sentados na mesa mais distante do olhar sempre atento da bibliotecária, a sra. White, que não perdia uma oportunidade de pedir silêncio.

Lydia tentou pegar o celular de Travis. Ele riu baixo e o ergueu fora do alcance dela. Ela se levantou e se debruçou em cima da mesa, tentando pegar outra vez, quase derrubando a mesa enquanto

Travis se recostava na cadeira, colocando o celular ainda mais longe. Ela deu a volta na mesa, se sentou perto de Travis e começou a fazer cócegas nele. Ele se contorceu, rindo, enquanto ela tentava pegar o celular. A sra. White lançou um olhar furioso na direção deles e pediu silêncio.

— Dill, me ajuda — Lydia disse num sussurro alto enquanto Dill se aproximava e deixava a mochila em cima da mesa.

— Não, Dill, *me* ajuda — Travis sussurrou. — A gente é amigo há mais tempo.

— É, mas eu impeço o Dill de se vestir como um caipira. Me ajuda, Dill. Acho que o Travis está mandando mensagem pra uma namorada secreta. Precisamos descobrir a verdade.

Dill tentou parecer feliz e participar da brincadeira, mas não conseguia. E ver Lydia e Travis completamente despreocupados, fazendo palhaçadas enquanto ele praticamente tinha sido acusado de pedofilia, era mais do que conseguia aguentar.

— Não, estou de boa. Preciso usar a internet quando tenho a oportunidade.

Ele deu seu cartão da biblioteca para a sra. White e escolheu um computador. Ele não *precisava* usar a internet, mas precisava ficar longe de gente feliz.

Ele disse a si mesmo que não estava procurando conscientemente uma desculpa para estragar o bom humor de Lydia. Disse a si mesmo que era uma má ideia ler o blog de Lydia agora. Por isso, foi exatamente o que ele fez.

O rancor cresceu dentro dele enquanto ele lia uma publicação após a outra.

> Estou tão ansiosa para a faculdade. Estou tão ansiosa para deixar tudo isso para trás. Não tenho amigos, então passo todo o meu tempo sozinha, escrevendo posts legais para o blog e

comprando roupas em brechós e tirando fotos bonitas. Não, não tenho nenhum amigo. Pelo menos nenhum que valha a pena mencionar. Ninguém que eu não tenha vergonha de mencionar.

Quando ele saiu do computador e voltou para onde Lydia e Travis estavam sentados, Lydia tinha voltado a mexer no notebook dela, e Travis tinha voltado a mandar mensagens no celular.

— Dill! Peguei o celular dele. Ele está conversando com uma garota chamada Amelia. Travis arranjou uma namorada, cara.

Travis corou e meio que sorriu, meio que fez uma careta.

— Não arranjei. Ela é uma amiga dos fóruns de Bloodfall.

Lydia se voltou para Dill.

— Acho que o Travis tem uma Bloodfall por essa menina. Sacou? Uma queda enorme?

Travis começou a reclamar. Dill tentou rir, mas a montanha de raiva escura que inchava em seu peito e em seus pulmões o conteve.

— É.

Lydia ficou parada por um segundo, a boca entreaberta, as mãos estendidas diante dela.

— *Cara. O que foi?* Temos a chance zoar o Travis por causa de uma garota e você está desperdiçando!

Então a montanha escura de raiva estourou e a lava jorrou através dele.

— Posso te fazer uma pergunta?

— Claro.

— Só por curiosidade. Por que você *nunca* mencionou nenhum de nós dois no seu blog? Somos tão vergonhosos assim pra você?

O bom humor de Lydia se desfez num instante. Ela ficou encarando Dill com uma expressão ácida.

— Desculpa, te devo alguma explicação sobre o que escrevo ou não no *meu* blog?

Dill tentou fingir um tom casual de quem não se importava, mas sem sucesso.

— Não. Só acho triste você ter amigos de quem tem vergonha. Só isso.

Travis, que obviamente estava fingindo estar concentrado em suas mensagens, se ajeitou incomodado na cadeira.

— Poxa, Dill. Me deixa fora dessa. Eu não ligo.

Dill encarou Travis.

— Claro, cara. Fica do lado dela trinta segundos depois que ela estava tentando te fazer passar vergonha.

— Só acho que você está sendo grosso. Eu...

Lydia interrompeu a resposta de Travis.

— Qual é o problema, Dill? Por que escolheu exatamente agora para falar sobre isso? Depois de anos de amizade?

— Ah, nós somos amigos? Desculpa, só leio seu blog, então pensei que você não tivesse nenhum. Já disse. Só por curiosidade.

— Até parece. — Ela não estava mais sussurrando.

— Certo, vocês três — a sra. White chamou. — Já avisei uma vez. Vocês precisam levar a discussão lá pra fora.

Lydia revirou os olhos, fechou o notebook com força, arrancou o fio do carregador da tomada e começou a guardar as coisas na mochila.

— Obrigada, Dill.

— Não tem de quê.

Eles saíram de cabeça baixa, evitando contato visual com todo mundo. Chegaram ao estacionamento e formaram um círculo atrás do carro de Lydia.

— Você ainda não respondeu minha pergunta — Dill disse. — Por que nunca mencionou nenhum de nós?

— Eu respondi a sua pergunta com outra. O que faz você pensar que tenho a obrigação de mencionar você?

— Não acho que você tenha a obrigação de me mencionar. Só acho que tem a obrigação de me tratar como um amigo de verdade do qual não se envergonha.

Ela abriu o porta-malas e colocou a mochila dentro. Ficou parada com a mão no quadril e gesticulou para Dill fazer o mesmo.

— Entra para eu poder acabar com você de uma vez por todas.

— Estou aqui. Parem de brigar — Travis disse. — Não vale a pena.

Dill e Lydia encararam Travis.

A voz de Travis assumiu um tom raivoso que Dill nunca tinha ouvido antes.

— Vocês estão estragando meu dia bom. Já cansei de gente estragando meus dias bons. Não preciso que vocês façam isso também. Só *parem*.

Com seu um metro e cinquenta e sete, Lydia encarou Travis e seus quase dois metros.

— Olha, Travis, a gente vai resolver isso. Até lá, por favor, cai fora, beleza?

Travis ergueu as mãos no ar.

— Beleza. Tanto faz. — Ele saiu andando.

Dill e Lydia entraram no carro. Ficaram sentados ali por um momento, sem se mexer. Sem dizer nada.

— Tipo, o que você quer? — Lydia perguntou depois de um tempo. — Eu sei que você não liga tanto assim pra moda. Quer um monte de fotos suas lá ou algo do tipo?

— Não.

Lydia puxou o cabelo com as duas mãos.

— *Argh*. Então o que você *quer*?

— Quero que você entenda que você se aproveita do fato de que moramos numa cidade pequena e que não temos muitos amigos como se isso fosse um acessório de moda. Você pode vestir e tirar isso como bem quiser. Mas essa é a merda da minha realidade.

Lydia ergueu a voz.

— Um acessório de moda? Minha nossa. Lá vamos nós. — Ela deu partida no carro, mudou de marcha e saiu do estacionamento da biblioteca.

— É. Eu leio seu blog. Você adora fazer o papel de uma pessoa que não se encaixa e que é incompreendida, sem amigos, numa cidadezinha sulista no cu do mundo. Muito romântico. Mas você tem uma passagem para fora daqui. Você está superbem, na verdade. Mas seus amigos, que você tem, aliás, mas nunca menciona, estão presos aqui.

— Certo, parece que acabamos de mudar de assunto. Mas vamos lá. Você não está preso aqui. Está escolhendo ficar. Tentei convencer você a sair. Respondi a todos os seus argumentos. Mas você acha que precisa ficar. Então, beleza. A vida é sua e prefiro viver sem essa inveja idiota que vem do seu ódio pelas suas próprias escolhas.

Dill ergueu a voz na altura da dela.

— Minhas escolhas? Não foi minha escolha mandar meu pai pra prisão e deixar minha família com um monte de dívidas. Você adora falar sobre escolhas, né? Bem fácil pra quem teve tudo de bandeja.

— Em primeiro lugar, não finja que sabe tudo sobre a minha vida ou que a minha vida é um mar de rosas. *Agora*, olha só quem está se colocando no papel de "menino no lado pobre da cidade incompreendido pela menina rica e vazia"!

— Não ligo que sua família tenha mais dinheiro do que a minha. Estou tentando fazer você entender que me machuca de verdade quando você finge que eu não existo, quando age como se mal pudesse esperar pra estar longe de mim. Me dá a sensação de que não sirvo pra nada. Muita gente já faz isso comigo. Não queria isso vindo de você.

— Qual é o seu problema em ver tudo o que eu faço do ponto

de vista mais injusto possível? Como se eu estivesse tentando magoar você intencionalmente de alguma forma? Como se eu escrevesse no blog pra te magoar? Como se estivesse indo pra faculdade pra te magoar?

— Não é isso que estou fazendo.

— É sim.

— Não é.

— Talvez, em vez de insistir em tudo que eu *não* faço por você, você deveria pensar no que eu *faço* por você. Se não fosse por mim, você ficaria sozinho várias noites na sua casa, tocando violão.

Dill fez um gesto irônico de gratidão.

— Ah, obrigada, minha salvadora! Obrigada por salvar minha vida! Ficar sozinho tocando violão é melhor do que sair com alguém que tem vergonha de mim e nem me enxerga, de tão louca que está pra ir embora.

Eles pararam na frente da casa de Dill.

— Podemos providenciar isso pra você com mais frequência — Lydia disse, a voz fria.

Dill de repente sentiu como se tivesse tentado engolir um cubo enorme de gelo, que tinha ficado entalado na garganta. Ele conhecia o cheiro da perda iminente, a sensação de ter partes de sua vida erodindo sob ele e sendo levadas embora. O pânico tomou conta dele. Como se ele devesse tirar uma fotografia mental de Lydia e de tudo em volta dela, para caso nunca mais voltasse a vê-la.

A maneira como ela se sentava perto demais do volante, olhando fixamente para a frente, um braço na janela aberta, a cabeça apoiada naquela mão. A outra mão — o esmalte lascado no tom azul de um carro antigo — pousada no volante. A linha onde o pescoço dela encontrava o ombro. O pedaço de fita preta que cobria a luz eternamente acesa de "verificar motor" começando a descolar do painel do carro. Os cinco ou seis purificadores de ar de baunilha pendurados no retrovisor. Os ornamentos que enfeitavam seus punhos e dedos.

Por favor, meu Deus. Abençoe minha língua. Me dê o dom da fala. Por favor, não me permita ser orgulhoso agora. Me permita dizer exatamente a coisa certa que preciso dizer para não perder mais uma parte de mim.

— Beleza — Dill disse. *Não era exatamente o que eu tinha em mente, Deus. Acho que você foi dormir e deixou um dos anjos inferiores no posto de serviço.* Então ele se lembrou da placa da igreja. Uma última chance para Deus falar com ele. Ele olhou para o outro lado da rua. SE DEUS LHE PARECE DISTANTE, ADIVINHA QUEM SE AFASTOU.

Boa, Deus. Uma mensagem sobre distanciamento. Bem útil neste momento. Ele saiu. Lydia nem olhou para ele. Nem se despediu. Ele mal teve tempo de fechar a porta quando ela saiu cantando pneu.

Os faróis traseiros dela foram se afastando na escuridão até desaparecerem.

20
Travis

Raynar Northbrook se sentou à mesa, com a última missiva de Lady Amelia das Terras do Sul em suas mãos ansiosas. Ele leu atentamente a escrita floreada em que ela narrava os acontecimentos de sua vida. O coração dele cantava toda vez em que ouvia notícias dela.

E aí o que vai fazer hj?, Travis mandou.

Vou levar o Picles para visitar meu vô e minha vó. Você vai sair com seus amigos?, Amelia respondeu.

Não sei. Lydia está em Nova York visitando faculdades. Não tenho falado muito com o Dill. Eles andam meio estranhos.

Ai

Pois é. Eu amo meus amigos e longe de mim falar mal deles, mas às vezes parece que eles não me entendem.

Eu te entendo.

Eu sei. Por isso gosto de vc.

Mas vc tem sorte de ter dois bons amigos na escola. Eu não tenho nenhum.

Ah, sim, eu sei, só queria

O celular de Travis tocou enquanto ele escrevia a resposta para Amelia.

Por falar no diabo...

— Oi, Dill, e aí?

— E aí, Travis, vai trabalhar hoje?

— Não, o depósito fecha de domingo. Por quê?

— Preciso da sua ajuda. O carro da minha mãe não está funcionando e precisamos consertar antes de segunda para ela poder ir trabalhar. Mas não entendo nada de carros e não temos dinheiro pro mecânico. Você acha que pode me ajudar a dar um jeito?

— Ah, claro, sem problema. Só me deixar tomar café rapidinho e arrumar o cabelo que passo aí.

— Ei, Travis? Desculpa por aquele dia. Por ter sido escroto.

Travis riu.

— Não se preocupa, cara. Já passo aí.

A maioria das pessoas não ficaria animada em receber uma ligação pedindo ajuda para consertar um carro em uma manhã tranquila de domingo. Mas Travis adorava ajudar as pessoas a fazer coisas; ser amigo de seus amigos; ficar longe do seu pai; arrancar a peça adoecida de um carro, segurá-la nas mãos e depois substituí-la por uma nova, que ressuscitasse o carro. Dill estava dando a chance de ele fazer todas essas coisas. Além disso, queria conversar com Dill. Achava que era hora de contar para ele sobre Amelia. Dill não era tão rápido com as piadas como Lydia, então Travis se sentia mais seguro conversando com ele.

Travis entrou na cozinha, onde sua mãe havia preparado biscoitinhos quentes com molho, bacon e ovos. Ele a abraçou e falou aonde iria, depois mandou uma mensagem de despedida para Amelia. Devorou um pouco da comida, pegou a caixa de ferramentas — desconfiava que Dill não tivesse muito mais do que uma chave de fenda e um par de alicates — e foi para a casa do amigo. Como bônus, nem precisou ver seu pai, que tinha saído para caçar.

Travis estacionou sua picape vermelha atrás do Chevy Cavalier da mãe de Dill. Dill tinha erguido o capô e estava examinando o motor.

— Está procurando o botão de liga e desliga? — Travis brincou, sorrindo, enquanto saía da caminhonete.

Dill sorriu, deu um passo para o lado e passou a mão no cabelo.

— Tomara que você consiga me ajudar a resolver.

— Vamos ver o que está acontecendo. — Travis pegou as chaves, entrou e tentou dar partida. — As luzes estão funcionando, então não é a bateria — ele murmurou. Ele girou a chave. Nada. Nenhum estalo, nenhum som de qualquer tipo. Ele girou a chave de novo. Nada.

Ele pensou por um segundo, avaliando algumas possibilidades. Se fosse o alternador, a bateria estaria morta e as luzes não acenderiam. Se fosse o sistema de combustível, o motor ligaria e engasgaria, mas não daria partida.

Ele saiu do carro e fechou o capô.

— Acho que seu motor de arranque quebrou.

— Tem certeza? — perguntou Dill.

Travis ajeitou o boné de beisebol.

— Não. Mas é meu melhor palpite.

— É difícil trocar o motor de arranque?

— Não.

— É caro?

— Deve ser uns cinquenta ou sessenta contos pra esse carro.

A cara de Dill mostrou que até aquele valor era caro, mas que precisavam dar um jeito.

Eles entraram na picape de Travis e partiram para a loja de autopeças. Travis tinha mais um motivo para ficar contente em ajudar Dill. Havia outra coisa que estava pesando sobre ele.

— Então, sei que ela passou a maior parte da semana vendo as universidades com a mãe, mas você conversou com a Lydia depois de sexta passada?

Dill inspirou fundo e expirou pelo nariz.

— Não.

— Nem uma palavra?

— Nem uma palavra.

— Você não acha que deveria dizer alguma coisa?

— O que eu diria?

Travis mexeu no aquecedor e esticou o pescoço para ver se tinha algum carro vindo antes de virar à esquerda.

— Sei lá. Desculpa?

— Não estou arrependido.

— Mas deveria.

Dill bufou.

— Por quê?

— Você teve um chilique com ela.

— Ah, é? Eu estava tendo um dia ruim.

— Mesmo se eu estivesse num dia ruim, não descontaria isso em você ou na Lydia.

— Você não acha que a Lydia está agindo diferente este ano? — Dill perguntou. — Desde que percebeu que vai sair daqui? Mais esnobe ou algo do tipo?

— Não acho. Deve ser coisa da sua cabeça.

— Juro que não é, cara. Juro que ela está diferente.

— Cara, acho que você está pegando muito pesado com ela. Assim, é bom que ela vai sair daqui pra ir pra uma cidade maior com muita moda, não? Fica feliz por ela.

Dill franziu a testa.

— Por falar nisso, você lê o blog dela?

— Sim, às vezes. Não todo dia.

— Não incomoda que, de todas as fotos que ela tira da gente, e de todas as coisas que fazemos juntos, nenhum de nós dois nunca tenha sido mencionado lá? Tipo, ela até postou fotos da dona daquela loja em Nashville. Elas ficaram amigas por quinze minutos. Não parece que ela tem vergonha da gente?

Travis deu de ombros.

— Mas aquela moça era muito bonita e usava roupas legais. Eu e você não somos muito da moda. Por que a gente estaria lá?

— Pode ser. Mas me incomoda mesmo assim. Me faz sentir que ela acha que somos inferiores ou coisa assim.

Eles estacionaram na frente da loja de autopeças e entraram. Um homem mais velho e um mais novo, ambos usando coletes verdes e bonés de beisebol, estavam atrás do balcão, batendo papo.

— Posso ajudar, amigo? — o mais novo perguntou.

— Preciso de um motor de arranque pra um Chevy Cavalier de 92. Quatro cilindros — Travis disse.

— Vou ver no sistema. — Ele olhou para a tela. — Consta que temos um no estoque. Espera aí, vou buscar pra vocês. — O homem escreveu algo num papel e foi para os fundos.

O mais velho acenou para Dill.

— Com licença, rapaz, se importa se eu perguntar, você não é neto do Dillard Early, é?

O rosto de Dill ficou apreensivo.

— Sou, sim, senhor — ele disse em tom baixo. Ele parecia torcer para o velho tomar cuidado com o que ia dizer. Travis nunca havia mencionado para Dill que sabia sobre o Rei das Serpentes. Estava claro que Dill preferia assim.

— Meu Deus — o homem disse. — Eu trabalhei com seu avô. Na oficina do velho Gulf, em North Church. É da Conoco agora.

— Sim, senhor — Dill disse, com a cabeça baixa.

— Ele era um ótimo mecânico, meu Deus — o homem disse com um sorriso nostálgico. — Consertava de tudo. Conseguia sentir o que tinha de errado no carro. Era bom com as mãos. E cantava bem. Cantava as músicas de antigamente enquanto trabalhava. Meu Deus, como ele cantava! Você puxou a ele, rapaz?

— Em que sentido?

— Qualquer um.

— Eu até que canto.

— Aposto que consegue consertar um carro também, se tentar. Essas coisas correm no sangue.

— Sim, senhor. Muitas coisas correm.

— Você se parece com ele.

— As pessoas me falam isso. Eu só o conheci por foto. Ele morreu antes de eu nascer.

— Pois é — o velho disse em voz baixa, assentindo, o olhar distante. Depois ele encarou os olhos de Dill. — Filho? Ele era um homem *bom*. Quero que você saiba disso.

Travis conhecia o olhar no rosto do velho. Era o mesmo no rosto de Lamar quando tinha contado a história do Rei das Serpentes. Era o olhar de um homem que tinha vivido tempo suficiente para entender a chama devoradora do luto. O olhar de um velho que temia uma morte ruim.

O homem mais novo voltou com uma caixa suja de papelão e a colocou em cima do balcão.

— Certo, garotos. Vai ser setenta, setenta e cinco com o imposto e mais uma caução de catorze dólares.

Dill entregou algumas notas amassadas. Enquanto saíam, Travis lançou um olhar para trás. Ele viu o velho se aproximar do jovem e apontar para fora. O mais novo estava prestes a ouvir a história do Rei das Serpentes. Travis poderia apostar muito dinheiro nisso.

— Então não te incomoda que a Lydia vá embora? — Dill perguntou.

— Incomoda, claro. Vou sentir saudades, mas sempre soubemos que esse dia ia chegar. Ela vive falando que quer dar o fora daqui pra sempre. Pensa em como ela ficaria mal se ficasse na cidade.

— Você já pensou em sair daqui?

— Pra onde eu iria? Minha casa é aqui.

— Faculdade?

— Não. Minhas notas são um lixo. Enfim, só gosto de ler as coisas que eu leio. Não as que os professores mandam ler.

— Vamos continuar saindo juntos depois que a Lydia for embora? — Dill perguntou.

Travis riu.

— Claro. Quer dizer, não posso prometer que tenhamos coisas tão criativas pra fazer. E talvez você perca a votação sobre eu levar ou não meu cajado pros lugares. Ainda mais porque acho que sou eu quem vai dirigir pra todos os lugares.

— O cajado nunca me incomodou como incomoda a Lydia.

— Você está dizendo que sempre foram dois a um a favor do cajado?

— Não foi *isso* que eu disse.

Travis viu sua oportunidade de confissão.

— Então... lembra que a Lydia estava tentando pegar meu celular na biblioteca?

— Sim.

— Estou conversando com uma garota chamada Amelia Cooper, que conheci nos fóruns de Bloodfall. Ela mora no Alabama. As coisas estão indo bem entre a gente.

Dill ficou encarando Travis por alguns segundos, depois sorriu e deu um soquinho no braço dele.

— Cara, olha só você! Mandando bem com as garotas.

Travis riu em tom baixo e ajeitou o boné.

— Enfim, eu gosto dela de verdade. Acho que podemos virar mais do que só amigos algum dia. Espero que sim. É certeza que a gente vai se encontrar no Festival da Renascença do Tennessee em maio. Talvez até antes. Ela curte meu cajado.

— Ela curte seu cajado, hein? — Dill cantarolou, com um tom de voz malandro.

Levou alguns segundos, mas Travis entendeu. Ele riu de novo e deu um soquinho no braço de Dill.

— Não, cara, não nesse sentido. Não foi isso que eu quis dizer. Caramba. — Ele abriu um sorriso malandro. — Enfim, você deveria ficar feliz em saber que amigos podem virar algo mais.

Dill ficou boquiaberto.

— Ei, espera aí.

Travis lançou um olhar de "Vai, admite!" para Dill.

Dill balançou a cabeça e desviou o olhar.

— Você está viajando, cara.

Travis lançou o mesmo olhar.

— Fala isso na minha cara.

— Não. Porque você está dirigindo.

Travis riu e deu outro soquinho no braço de Dill.

— Eu sabia! Por que nunca...

— Porque não.

— Por quê?

— Não quero estragar tudo. Eu estragaria tudo.

— Às vezes não. — *Quer dizer, na verdade, sim, Dill, são grandes as chances de você estragar tudo.*

Dill lançou um olhar de "Vai, admite!" para Travis.

— Talvez eu já tenha estragado tudo. Além do mais, ela está indo embora. Ela não iria querer nada comigo. Eu seria só uma complicação pros planos dela.

— Não tem como saber se não tentar. O lance das mulheres é...

Dill riu baixo e deu outro soquinho no braço de Travis.

— "O lance das mulheres", hein? Olha quem é o especialista agora!

— Eu sei uma coisinha ou outra.

— Até parece. *Uma* coisinha você pode até saber. *Duas* já é demais.

Eles pararam na frente da casa de Dill. O dia estava pedindo um trabalho ao ar livre — nublado, fresco o bastante para que precisasse de uma camiseta de manga comprida, mas não de um casaco. O ar cheirava a grama marrom e roupas secando em algum lugar.

Travis concluiu que precisariam chegar ao motor de arranque por baixo. Eles içaram o carro com o macaco e colocaram apoios embaixo dele. Travis se arrastou para baixo com um conjunto de chaves inglesas.

— Pode me ajudar a colocar a ponta da minha chave em cima daquele parafuso de cima? — Travis pediu.

— Claro. — Dill o ajudou a encaixar no parafuso. — Onde você aprendeu a mexer com carros?

— Meu pai. — Travis grunhiu e soltou o parafuso. Ele apertou a chave para soltá-lo.

— Foi legal? Mexer nos carros com seu pai?

— Não muito. — Travis torceu para que Dill não perguntasse o porquê. Ele não perguntou.

Travis desenganchou a conexão elétrica do motor de arranque e bateu com a chave inglesa até encaixar no outro parafuso. Ele forçou e afrouxou o parafuso, segurando o motor de arranque velho com a mão enquanto encaixava no último parafuso. O parafuso se soltou e ele abaixou o motor de arranque. Saiu se contorcendo de baixo do carro.

— Já pensou em ensinar seus filhos a consertar carros algum dia? — Dill perguntou.

Travis limpou a sujeira das calças.

— Nunca pensei muito sobre ter filhos. Mas, se eu tiver, vou ensinar de tudo pra eles. E vou deixar que leiam o que quiserem. — Travis tirou o motor de arranque novo da caixa e avaliou seu peso. Se agachou e entrou embaixo do carro.

Ele encaixou o motor de arranque no lugar certo. Conseguia ver o rosto de Dill em cima dele, através do compartimento do motor. Fizeram contato visual. E, de repente, Travis sentiu o impulso incontrolável de tirar outro peso das suas costas, já que era um dia para aquilo.

— Posso te fazer uma pergunta meio estranha?

— Claro. Desde que não seja sobre Bloodfall. Essas você guarda pra Amelia.

Travis encaixou um dos parafusos do motor e o apertou com a mão.

— Seu pai já te bateu? Antes de ir embora?

Dill hesitou antes de responder.

— Sim. Quer dizer, me deu umas palmadas. Claro.

Travis acabou de apertar o parafuso com a chave inglesa.

— Não é disso que estou falando. Estou perguntando se ele já te bateu, bateu. Bateu de verdade.

Ele e Dill fizeram contato visual de novo.

— Não. Nesse sentido, não. — Dill não questionou o motivo da pergunta. Travis ficou agradecido por isso. Fazer as perguntas realmente o fazia se sentir mais leve. Menos sozinho, de alguma forma.

— Quando eu tiver filhos, não vou encostar um dedo neles. Quer dizer, tirando pra abraçar e tal. Mas nunca vou machucar meus filhos. — Travis encaixou outro parafuso e o apertou com a mão, finalizando com a chave de fenda. Ele enganchou a conexão elétrica e saiu se arrastando de baixo do carro. — Certo — Travis disse. — A hora da verdade. Faça suas orações. — Ele se sentou no carro e girou a chave. O motor ganhou vida na hora. Não era um som perfeito, mas nunca tinha sido. Ao menos, estava funcionando e levaria a mãe de Dill do ponto A ao B por mais um tempo.

— Toca aqui — Dill comemorou. — Cara, você é demais. Você conseguiu!

Travis deu um tapinha no braço de Dill.

— *Nós* conseguimos. Agora vamos pegar sua caução de catorze dólares.

— Te devo uma — Dill disse enquanto entravam na picape de Travis.

— Me paga fazendo as pazes com a Lydia. Odeio quando vocês estão brigados.

21
Dill

Dill não ligava de andar alguns quilômetros até a casa da Lydia. Tinha acabado de chover e as ruas estavam cobertas por folhas úmidas; o cheiro terroso de tabaco pairava no ar, misturado ao aroma de fumaça de lenha. Uma camada fina de nuvens cobria o céu e a lua curva e brilhante. Dill apertou mais a jaqueta jeans (que Lydia havia escolhido) em torno do corpo e a abotoou. Enquanto andava, ensaiou o que iria dizer. *Desculpa. Eu estava errado. Só quero o que fizer você feliz.* Até a placa da igreja tinha ajudado um pouco (pelo menos dessa vez): DEUS NÃO PERDOA O PECADOR, PERDOA O PECADO.

Um pouco de perdão cairia bem. Ele bateu na porta de Lydia, com o coração acelerado. O pai dela atendeu.

— Oi, Dill. Como você está?

— Estou bem, obrigado. A Lydia está em casa?

— Sim. Entra, entra. Lydia? — ele gritou na direção da escada. —Você tem visita, filha.

Lydia apareceu no alto da escada, usando calça de ioga e moletom, o cabelo preso em um rabo de cavalo desgrenhado. Ao ver Dill, ela cruzou os braços e o encarou por um momento. Dill lançou um olhar de cachorro sem dono. Ela fez sinal para ele subir e voltou para o quarto a passos largos. Dill começou a subir a escada.

— Ei, Dill! Antes de ir embora, me lembra de te mostrar minha guitarra nova, tá? — o dr. Blankenship disse.

— Pode deixar. — Ele subiu a escada.

Lydia estava sentada à escrivaninha, escrevendo no notebook novo. Parecia uma redação para o exame de admissão à universidade. Ela não se virou quando Dill entrou.

Dill observou o caos ordenado do quarto de Lydia. Ele sempre ficava fascinado pela quantidade de informações visuais. Discos. Livros. Revistas. Pôsteres. Fotos. Bichinhos de pelúcia. Antiguidades esquisitas, incluindo um modelo dentário assustador dos anos 1930 que o pai dela tinha lhe dado. Roupas e sapatos por todo lado — tudo representando seus vícios sempre mutáveis. O diferente dessa vez eram as pilhas de rascunhos da redação do exame de admissão para a faculdade, repletos de anotações. Fichas de inscrição e de bolsas de estudos semipreenchidas. Os incidentes de uma vida que avançava com grande velocidade e determinação.

O quarto dela sempre lhe dava uma sensação de melancolia e inveja, pelo conforto em que ela vivia — um forte contraste em relação ao quarto vazio dele. As pilhas de materiais universitários não ajudavam. A cama dela rangeu quando ele se sentou.

Lydia ainda não tinha se virado. Selecionou uma linha e a deletou. Parecia determinada a tornar aquilo doloroso.

— Então. Fala.

Dill hesitou. Seu discurso de desculpas cuidadosamente planejado — formulado durante a caminhada — evaporou em pleno ar.

— Me… me desculpa. Pelas coisas que eu disse.

Lydia continuou a digitar.

— E senti sua falta.

E digitar.

— E quero que a gente continue amigo.

E digitar.

— E estou começando a me sentir idiota agora, então vou embora. — Dill se levantou da cama com mais um rangido.

Lydia girou a cadeira e cruzou as pernas.

— Certo. Eu aceito seu pedido de desculpas. Mas, sério, não posso lidar com todo esse drama. Tenho muita coisa na cabeça. Então isso tem de parar, Dill. É sério.

Dill voltou a se sentar na cama.

— Não posso prometer ficar todo sorridente sempre que algo me lembrar que você vai embora. Essa é uma promessa que não tenho como cumprir.

Lydia se levantou e foi até a prateleira de velas (sim, uma prateleira inteira) e acendeu duas de suas velas de outono.

— Estou fazendo uma mistura de velas de outono, combinando as notas altas de cidra e canela com uma vela com aroma de lenha, que traz notas suaves de cedro, bétula e baunilha. Eu deveria virar sommelier de velas. Será que esse trabalho existe?

— Você escutou o que eu falei?

— Sim, escutei. E não espero que você fique feliz. Espero que não permita que sua infelicidade com a situação se manifeste na forma de infelicidade comigo pessoalmente.

— Certo.

— Se fosse o contrário, eu agiria dessa forma com você.

— Certo.

— Prometo que nada do que faço em relação à faculdade tem o objetivo de magoar você. E também prometo que tenho ótimos motivos para proteger sua privacidade ao não comentar sobre você no blog. Então, em troca, promete pra mim que vai fazer um bom trabalho em não descontar seus problemas em mim por cometer o pecado de tentar melhorar minha vida?

— Tá.

— Promete?

— Eu prometo.

A expressão de Lydia finalmente ficou mais suave.

— Escuta, também não estou feliz em ficar longe de você. Entendo que o que eu vou fazer pode ser mais divertido do que o que você vai fazer. Mas vou sentir saudade. Já senti na última semana.

— É um eufemismo dizer que o que você vai fazer *pode* ser mais divertido do que o que eu vou fazer. *Vai* ser, com certeza.

Ela se sentou na cama ao lado de Dill.

— Vem cá — ela chamou. — Me dá um abraço.

Dill deu um abraço demorado nela. O cabelo dela cheirava a laranja e flores de magnólia. Ele não tinha se dado conta de como seu coração havia doído com um zumbido em baixa frequência até a dor se desfazer, nesse momento. E também havia a emoção de abraçar Lydia na cama dela — o que já era outra coisa. *Quem me dera.*

— E aí? Em que parte do processo você está? — Dill perguntou.

Ela se deitou na cama e ficou olhando para o teto.

— Tenho que entregar minha primeira ficha pra NYU daqui a duas semanas, mais ou menos. É bem importante. Estou dando uma melhorada na redação agora.

— Boa sorte — Dill murmurou.

Ela se sentou. Eles se entreolharam por um momento.

— Não é tarde demais — ela disse.

Foi a vez de Dill de deitar de costas na cama. Ele cobriu o rosto com um dos travesseiros de Lydia.

— Não posso — ele disse, debaixo do travesseiro. — Até falei com minha mãe sobre o assunto.

— E?

— E o que você acha? Ela disse: "Claro, Dill, vá pra faculdade e se divirta e aprenda sobre evolução e pague a mensalidade e vá estudar em vez de trabalhar, e eu seguro as pontas aqui e vai ser da hora". Não. Ela falou um monte de merda, óbvio.

— Você sabia que seria assim. Por que está deixando isso pesar na sua decisão?

— Hum, porque ela é minha mãe.

— E a Bíblia diz que você precisa respeitar sua mãe.

Dill revirou os olhos.

— Não começa.

— Não começa *você*. Você acha mesmo que sua mãe está pensando em você, e não nela, quando diz que não quer que você vá pra faculdade?

Dill se sentou de novo.

— Não sei mais o que eu acho. Em relação a qualquer coisa. Definitivamente tem uma parte de mim que acha que pensar nela é pensar em mim também.

— Por quê?

— Porque ela é minha mãe.

— *Excelente resposta.* Espera aí. — Lydia colocou um telefone imaginário na orelha. — Oi, é dos Troféus de Argumentação? Sim, preciso de um dos seus melhores modelos.

— Engraçadinha. Olha, não vai rolar.

Lydia ergueu as mãos.

— Que seja.

— Agora você precisa me prometer que vai parar de me encher sobre faculdade.

— Não vou prometer nada.

— Por que só eu tenho de fazer promessas?

— Porque estou pedindo pra você parar de ser tapado, e você está me pedindo pra parar de ser incrível, o que não consigo fazer em sã consciência.

— Por favor, para de me fazer me sentir um lixo por fazer as escolhas que preciso fazer.

Lydia se levantou da cama, foi até a escrivaninha e abriu uma gaveta.

— Também não. Mas vou te dar a chance de mudar de assunto por um tempo. — Ela tirou o Macbook antigo da gaveta e enrolou o fio do carregador em volta dele.

Voltou para perto de Dill e colocou o aparelho no colo dele.

— Toma. Feliz Natal adiantado, feliz aniversário atrasado, feliz Halloween, feliz qualquer coisa.

Dill ficou de queixo caído.

— Espera. Como assim? Você está me dando isso? É sério?

— Sim. Não preciso de dois computadores e ganhei um novo pra faculdade. Esse daí tem uns quatro anos. Foi com ele que comecei o Dollywould, então ele tem bastante valor sentimental pra mim. Tente não quebrar. Ele ainda funciona bem. Só fica meio lerdo às vezes.

Dill abraçou Lydia de novo, entortando os óculos dela.

— Obrigado. Obrigado, obrigado, obrigado.

— Tá, calminha aí. Não é quebrando meus óculos que você vai me agradecer. Ah, e o melhor é que, como não sou um homem nojento e horrível, o teclado é cem por cento livre de sêmen.

Dill sorriu, feliz. Não só por causa do computador. Porque ele e Lydia tinham feito as pazes. O presente era prova disso.

— Ah, olha — Lydia disse, pegando e abrindo o notebook. — Me deixa eu te mostrar como fazer um vídeo de você mesmo. Pra você começar a gravar suas músicas.

— Nunca me filmei antes — Dill disse. — A gente está sem computador desde que a polícia apreendeu o nosso.

— Sério? Você nunca se filmou? Beleza, então está na hora de começar. Essa é sua primeira tarefa. — Ela mostrou como filmar um vídeo e gravar usando a câmera de vídeo e o microfone embutidos do notebook. — Entendeu?

— Entendi.

— Ótimo. — Ela se levantou e voltou a sentar à escrivaninha. — Agora vaza, porque tenho trabalho a fazer — ela disse, com um gesto rápido com a mão.

— Lydia. Obrigado.

— De nada. — Ela navegou pelo documento, sem tirar os olhos da tela. — Ah, aliás, tenho de cancelar a noite de filme desta sexta. Ocupada demais com as coisas da universidade e do blog.

Dill fechou a cara. Lydia lançou um olhar de alerta para ele e ergueu um dedo, dizendo "você prometeu" sem proferir uma palavra em voz alta.

Dill assentiu, se virou e saiu.

Quando chegou ao pé da escada, Lydia gritou:

— Ei, pai! Dei meu computador velho pro Dill. Ele não está roubando.

— Está bom, meu amor. Ei, Dill, entra aqui.

Dill entrou no escritório. O cômodo era repleto de antiguidades. Livros com encadernação de couro. Uma grande colagem de Dolan Geiman feita de materiais reutilizados pendurada numa parede. Algumas guitarras penduradas em outra. Um amplificador Fender antigo.

O dr. Blankenship se levantou da mesa e pegou uma das guitarras: uma Fender Stratocaster maravilhosa dos anos 1960, com desenhos de explosões solares cor de tabaco. Ele a passou para Dill, que a segurou como se fosse uma peça de museu. Devia ter custado o olho da cara.

— É linda, dr. Blankenship.

— Liga aí. Toca um pouquinho, que tal?

Dill deixou seu computador novo sobre a mesa do dr. Blankenship e pendurou a guitarra em volta do pescoço. Ele tocou uma escala rápida para alongar os dedos. O dr. Blankenship pegou um cabo e ligou o amplificador. Eles esperaram até o aparelho aquecer. Dill dedilhou uma nota.

— Onde arranjou isso?

O dr. Blankenship conectou a guitarra ao amplificador.

— Em uma venda de garagem em Nashville. Toca aí!

Dill tocou, hesitante no começo.

— Vai, vai! Que se danem os vizinhos!

Dill tocou mais forte e mais rápido enquanto o dr. Blankenship sorria e fazia sinal de joinha. Era uma sensação boa. Ele tocou e tocou. E então sentiu uma pontada de nostalgia. A última vez em que tinha tocado guitarra elétrica na frente de outras pessoas tinha sido na frente de seu pai, antes de ele decidir não passar a cobra para ele. Antes de seu pai ser preso. Ele parou de tocar e tirou a correia da guitarra do ombro.

O dr. Blankenship pegou o instrumento e o pendurou de volta na parede.

— E aí? O que achou?

Antes que Dill pudesse responder, ouviram Lydia gritar do andar de cima:

— Papai, o que está acontecendo aí embaixo? Por que sua música está tão melhor do que o normal? Estou com medo. O que você fez com meu pai?

— Adoro essa minha filha espertinha — o dr. Blankenship murmurou. — Enfim, você ia dizer...

— Sim. É linda. Foi um achado. Fazia muito tempo que eu não tocava guitarra.

— Você tem uma?

— Eu tinha. Depois que... aconteceu tudo aquilo com meu pai, a gente teve de vender um monte de coisas, aí a gente vendeu minha guitarra e o amplificador. Mas tudo bem. Não tenho onde tocar mesmo.

— Com que frequência você consegue ver seu pai?

— Algumas vezes por ano. A próxima visita vai ser perto do Natal. Se a sucata do nosso carro ainda estiver funcionando até lá.

— Se precisar de carona para Nashville perto do Natal para ver seu pai, eu teria o maior prazer em levar você. Compro as coisas de Natal no Trader Joe's de lá. Posso fechar o consultório no dia.

— Tem certeza? Quer dizer, para mim seria ótimo, mas não queria incomodar.

— Não seria incômodo nenhum. E, para ser bem sincero — ele baixou a voz e olhou de um lado para o outro —, seria bom andar com outro homem de vez em quando. Tem muito estrogênio nesta casa.

— Eu ouvi, hein! — Lydia gritou do alto. — Não seja um machista nojento.

— É, entendo o que quer dizer — Dill disse, pegando seu computador novo. — Me fala quando for bom pro senhor.

— Falo, sim. Ei, a Lydia te ofereceu carona pra casa?

— Não.

— Você quer?

Dill sorriu.

— Não, obrigado. A noite está bonita.

Enquanto caminhava para casa, um vento leve soprava, secando as folhas, que se espalhavam e dançavam na frente dele sob as sombras do luar. O som delas caindo na calçada era música para os seus ouvidos.

22
Lydia

Eles se sentaram à mesa do refeitório, sozinhos e excluídos, como sempre. O refeitório fedia a peixe frito e zumbia em volta deles. Dill estava com seu almoço nada apetitoso. Travis tinha um pote gigante do macarrão com queijo da sua mãe. Lydia estava com suas cenourinhas, chips de pão pita, homus e iogurte grego. Travis lia seu livro da série Bloodfall e Dill estava com fones de ouvido, trabalhando concentrado em seu notebook novo.

Lydia lia *O diário de Anaïs Nin*.

Dill tirou um dos fones de ouvido.

— Ei, Lydia, será que você podia subir alguns vídeos no YouTube pra mim hoje? Eu tentei, mas a escola bloqueou o YouTube.

— Claro. O que são?

— Alguns vídeos meus tocando minhas músicas. Cinco, no total.

— Cinco? Eu te dei isso, quando, dois dias atrás?

— Eu tinha um monte de material pronto.

Hunter Henry, Matt Barnes e DeJuan Washington, três jogadores do time de futebol americano, passaram pela mesa deles.

— Ei, Dildo, a polícia já sabe que você tem um computador novo? — Hunter perguntou. Os amigos dele riram baixo.

— Acho que a escola bloqueia pornografia infantil, cara — Matt disse. Mais risos.

Dill voltou a colocar os fones e os ignorou. Travis ficou visivelmente tenso, mas continuou lendo, também os ignorando. Dill e Travis conheciam o esquema.

Lydia baixou o livro com um sorriso.

— É, nós informamos a polícia e também colocamos seus nomes no Registro Nacional de Micropênis. Não fiquem surpresos se tiverem problemas no aeroporto. Entre outros lugares.

— Vou mostrar meu pinto pra você ver — Hunter disse.

— Lembra que eu uso óculos? — Lydia voltou a pegar o livro.

— É, não tem como esquecer, porque eles deixam sua cara feia pra cacete — Matt gaguejou.

— Vocês têm como esquecer *sim*, porque não dispõem da capacidade de formar memórias semânticas, o motivo por que o time do colégio Tullahoma humilhou vocês, repetindo a mesma jogada duas vezes seguidas no quarto tempo da última vez em que derrotaram vocês — Lydia disse, sem tirar os olhos do livro.

— O que você sabe sobre futebol, sua vaca? — Hunter disse.

— Bom, sei que você tem que marcar mais pontos do que o outro time, e isso é difícil de fazer quando você, e estou falando de você em particular, se atrapalha na própria *end zone*, como fez contra o Manchester no ano passado, garantindo a derrota.

Hunter ficou vermelho.

— Deixa pra lá, mano — DeJuan disse. — Ela não vale a pena. Só está tentando provocar você a fazer alguma idiotice.

— Não precisa de muita provocação pra isso — Lydia disse.

Hunter bateu no livro de Lydia, que escapou de suas mãos e caiu no chão, antes de os três saírem andando.

Dill tirou os fones, pegou o livro de Lydia do chão e o entregou para ela.

— Não sabia que você era fã de futebol americano.

Lydia folheou o livro para achar onde tinha parado de ler.

— Não sou. Só fico de olho nas derrotas do nosso time, humilhações e erros individuais. Eu coloco tudo no meu arquivo mental de cada jogador que enche nosso saco. É bem mais divertido do que o futebol americano em si. Enfim, preciso correr pra aula. Me dá seu computador; levo pra casa hoje e subo seus vídeos no YouTube.

Eu e Chloe demos uma olhada nuns apartamentos por diversão. Qual é seu orçamento? Achamos um lugarzinho fofo por três mil/mês, Dahlia mandou.

Mil por mês eu consigo, tranquilo, Lydia respondeu.

Hahaha quem dera. Três mil pra cada.

Bom, ela pensou, *parece que estou prestes a virar o Dill do meu novo grupo de amigos — financeiramente, pelo menos.* O dinheiro de um dentista e de uma corretora de imóveis em Forrestville não era muito, comparado ao dinheiro de uma editora-chefe da *Chic* e de uma atriz. Ela teria de pensar em maneiras de tornar o fato de ser a "garota pobre" parte de seu encanto e charme. Como Dolly fazia, aliás.

Nossa. Talvez esteja fora do meu orçamento, Lydia escreveu. ***Além disso nem fui aceita na NYU ainda, então.***

Você vai entrar.

Como dizemos no Tennessee, não conte com o ovo etc.

Lydia se sentiu ansiosa sem nenhum motivo específico. Não era só a questão do aluguel, embora isso influenciasse. Ela estava com dor de cabeça de tanto preencher fichas para bolsas e universidades, revisar sua redação e trabalhar num longo post para o blog analisando os desfiles da Paris Fashion Week. Era hora de fazer alguma coisa diferente.

Ela pegou o computador de Dill, entrou no YouTube e criou

uma conta para ele. Senha: LydiaeumaDeusaBenevolente666. Achou a pasta com os vídeos de Dill e deu o play em um.

O que ela ouviu a fez parar de repente. Uau. Esse era o Dill? Ele tinha tanta confiança e postura. Era hipnotizante. Cantar o transformava em outra pessoa. Ela se deu conta de que nunca tinha visto Dill tocar e cantar uma de suas próprias músicas. E era uma música maravilhosa. Ela começou a enviar o vídeo e abriu outro. De novo. Hipnotizante. Misterioso. Sublime. E outro. Até ter assistido a todos. A ansiedade se desfez completamente.

Se ele tinha herdado alguma coisa do pai, era o carisma sombrio. Do tipo que faz as pessoas quererem segui-lo e se confessar. Do tipo que faz as pessoas se sentirem salvas. Do tipo que faz as pessoas quererem segurar cobras perigosas e tomar veneno para estar mais próximas de Deus. Ele cantava como se um rio de fogo corresse por dentro dele, como se a música fosse a única coisa bela que ele tivesse. Suas músicas provocaram uma dor no coração dela. Olhando para ele, na verdade, ela se sentiu um pouco… ela respirou fundo e balançou a cabeça. *Tá, chega desse tipo de pensamento.*

Enquanto estava visitando universidades com a mãe, na época em que ela e Dill não estavam se falando, ele não saía da cabeça dela. Lydia o imaginava preso em Forrestville, infeliz, insatisfeito. *Isso muda tudo. Eu posso usar isso. Posso trabalhar com isso.* Ela começou a traçar um plano.

— Lydia?

Lydia se sobressaltou e se virou na cadeira. Sua mãe estava no batente da porta do quarto.

— Desculpa te assustar. O que você estava escutando? Era lindo.

— Ah… só um cara que achei aqui.

— Muito bonito. — A mãe de Lydia retomou seu caminho.

Lydia ficou espantada consigo mesma ao chamá-la de volta:

— Ei, mãe. Estou… escrevendo um post para o blog. Você já

teve algum amigo que tinha certeza de que era só um amigo, mas aí começou a ter outros sentimentos por ele?

Sua mãe voltou, colocou o cesto de roupa que estava carregando no chão, se recostou no batente e cruzou os braços com um sorriso travesso.

— Para falar a verdade, sim. Tenho certa experiência com isso.

— O que aconteceu?

— Numa noite, a gente estava em uma hamburgueria perto da faculdade, e a gente estava tomando sorvete sentados numa dessas mesas de piquenique do lado de fora, e a luz da lua brilhou sobre o rosto dele no ângulo perfeito e ele era a coisa mais linda do mundo. E nunca mais consegui voltar a vê-lo de outra forma.

— Quem era ele?

— Denton Blankenship.

— Ah. Claro. Seria bem constrangedor se fosse outra pessoa, acho.

— Pois é. — A mãe dela pegou o cesto de roupa e saiu.

Depois que sua mãe já estava longe, Lydia assistiu de novo aos vídeos de Dill.

— Não, eu não vou tocar no concurso de talentos da escola. Você está maluca?

— Me escuta — Lydia disse.

— Concursos de talentos são idiotas.

— Sim, são. Mas escuta.

— A aula já vai começar. — Dill se levantou do para-choque de Lydia, onde estava sentado. Ele esfregou uma mão na outra. — Além disso, estou congelando aqui fora.

— Para. Me escuta. Qual seria a melhor sensação do mundo? Qual seria o maior tapa na cara das pessoas que fizeram de tudo para tornar sua vida um inferno? Ficar na frente delas e cantar. Seria muito foda, porque você é muito foda. E se você ganhar? Cinquenta paus. Isso é, tipo, milhões de dólares na cotação do Dill.

— Por que eu faria isso? — Dill voltou a se sentar.

— Além de todos os motivos que já te dei? Porque deveríamos fazer coisas de que temos medo. Assim fica cada vez mais fácil fazer essas coisas. — *E, se eu conseguir convencer você a fazer isso, talvez consiga convencer você a fazer outras coisas de que você tem medo, como sair desta cidade e ir para a faculdade. Talvez tudo o que precisamos é tirar você um pouco da sua zona de conforto.*

— Não quero que riam da minha cara.

Hora do trunfo.

— Mesmo se rirem da sua cara, sei que você não é ridículo. E tenho provas. — Lydia abriu o notebook. Abriu um dos vídeos de Dill. Tinha 9227 visualizações e quarenta e nove comentários. Todos positivos.

Arrepiada.

Essa música é linda.

NOSSA, amei, obrigada. E assim por diante.

Dill ficou em choque.

— Como... Você não acabou de postar isso? Tipo, ontem à noite?

Lydia fechou o notebook e deu um tapinha presunçoso na cabeça dele.

— Eu tuitei o vídeo ontem à noite. Não falei que você era meu amigo porque pareceria nepotismo. Por isso não usei seu nome. Te chamei de *Dearly*. Sacou? D. Early?

— As pessoas gostaram muito.

— Faça isso por mim — Lydia disse. — Por todas as vezes que te defendi.

Eles ouviram o sinal tocar. Estavam atrasados.

— Nunca apresentei nenhuma das minhas músicas não religiosas em público. Muito menos no concurso de talentos de Natal da escola, na frente de seiscentas pessoas, a maioria das quais me odeia.

— Você se apresentou várias vezes na frente de criaturas venenosas. Vai se sentir em casa.

23
Dill

Praticar para o concurso de talentos deu foco a Dill. Tirou da cabeça dele o fato de Lydia estar indo embora. Tirou da cabeça dele a visita iminente ao pai. Mesmo assim, no mês entre prometer a Lydia que participaria e a data da apresentação em si, teve tempo de sobra para desanimar. Toda vez que ele vacilava, porém, Lydia pegava o celular ou o notebook e mostrava a ele o número cada vez maior de visualizações, comentários e curtidas que "Dearly" tinha recebido. Ela comprou um novo conjunto de cordas para o violão dele. Disse que era um presente de Natal adiantado.

Mas, nos últimos dias antes da competição, Dill parou de ter medo e começou a ficar ansioso. Parou de pensar nos cinquenta dólares e em como queria aquilo. Ele os gastaria com Lydia. A levaria para jantar. Compraria alguma coisa para ela. Qualquer coisa menos jogar o dinheiro no buraco negro das dívidas da família Early.

O dia chegou devagar, mas chegou.

Dill acordou enjoado naquela manhã. Não conseguiu tomar café. Ele e Lydia não falaram nada durante o caminho para a escola. Ele não conseguia prestar atenção na aula. A reunião do concurso de talentos era depois do almoço. Ele estava tremendo ao entrar no auditório, o estojo do violão na mão, Lydia e Travis ao lado dele — um gladiador se dirigindo a uma luta mortal.

— Ei — Lydia disse. — Respira. Você vai ser ótimo. Lembra: você tem fãs e amigos. Ninguém aqui pode fazer mal nem tirar isso de você.

— Por que eu deixei você me convencer a fazer isso?

— Porque eu sou incrível e você é incrível e você vai fazer uma coisa corajosa.

— Acho legal você estar fazendo isso — Travis disse. — Vi seus vídeos de novo esses dias, e são muito bons.

Dill não disse nada, mas assentiu e segurou o braço do violão com força. Todos os nervos do seu corpo ardiam enquanto ele esperava sentado durante a apresentação dos três jurados (todos professores, felizmente), dublagens e coreografias intermináveis, esquetes de comédia ruim, imitações de patos e perus e cantorias terríveis. Até finalmente chegar a vez dele.

— Certo — o diretor Lawrence disse, se aproximando do microfone, com o papel na mão. — Agora vamos receber — ele estreitou os olhos para a lista — Dillard Early.

Um murmúrio perpassou a multidão. Risinhos contidos. Cochichos. Remexer de pés. Celulares tirados discretamente do bolso para filmar o espetáculo.

Dill fez uma inspiração profunda e trêmula.

— Lá vamos nós. — Ele se levantou, com as pernas bambas.

Lydia segurou o braço dele e o puxou para perto. Encostou os lábios no ouvido dele.

— Dill, fica olhando pra gente. Não olha pra nenhum outro lugar. Estamos aqui com você.

Ela nunca havia sussurrado tão intimamente para ele antes. A respiração dela em sua bochecha era como uma carícia de amor. Uma eletricidade diferente atravessou o corpo dele. E, por um momento, ele esqueceu o medo.

Mas logo se lembrou, na caminhada de cabeça baixa até o palco.

Ele bateu o estojo de violão numa das cadeiras. *Bong*. A multidão riu baixo.

— Desculpa — ele murmurou para ninguém especificamente.

Por favor, Deus. Me ajuda nessa hora. Não me abandona. Ele subiu os degraus para o palco com cuidado e andou o que parecia um quilômetro até o centro, onde estavam dois microfones.

Ele tirou o violão velho e riscado do estojo. O pendurou no ombro e andou os últimos metros até onde estava o diretor Lawrence. Manteve a cabeça baixa. As luzes no palco o cegavam.

O diretor Lawrence fez sinal para Dill assumir seu lugar e deu um passo para o lado. Dill foi até os microfones. Ajustou o da voz para a sua altura e depois o do violão. Um som agudo de feedback. Risos.

— Ai — alguém disse alto. A cabeça de Dill latejava. Os cantos de sua visão começaram a se turvar em vermelho e negro. Ele prendeu a respiração e sentiu seu coração palpitar. *Será que eles conseguem ouvir meu coração? O microfone está captando? Por favor, Deus. Fica aqui comigo agora.* Ele fechou os olhos. Seu coração pulsava em seus ouvidos.

Alguém fingiu uma tosse.

— Dildo!

Risos. Outra pessoa fingiu uma tosse:

— Dildo!

Mais risos. Pedidos de silêncio nervosos dos professores espalhados entre a multidão e de Lydia e Travis. O coração de Dill se apertou.

O diretor Lawrence empurrou Dill de lado e falou ao microfone.

— Certo, se eu ouvir mais alguma confusão, vamos cancelar todo o concurso e todo mundo vai ter de escrever um artigo de dez páginas sobre boas maneiras, entendido? Pronto, sr. Early.

Dill assumiu seu lugar diante dos microfones mais uma vez.

— Esta é uma música que eu escrevi. — Sua voz ecoou no auditório. Ele não a reconheceu. Era alta demais. Ele esperou outros risos. Que outra pessoa gritasse "Dildo". Mas houve silêncio, o que era quase pior.

Ele não se lembrava de como tocar violão. Não se lembrava de onde colocar os dedos. Não se lembrava da letra da própria música.

Ele ergueu a cabeça, direto para os olhos de Lydia. Os olhos dela estavam cheios de... quê? Algo novo que ele nunca tinha visto antes. Ele não sabia o que era, mas lhe deu força. Limpou o vermelho e o negro dos cantos de sua visão e transformou a multidão desdenhosa diante dele num borrão sem rosto. Fez seu coração bater em um ritmo diferente.

★

Por um breve momento, ele está outra vez diante da banda de louvor. Está com a guitarra e estão tocando sem parar. E a congregação começa a passar as serpentes mortais entre si. Seu pai se aproxima com uma serpente-cabeça-de-cobre. Ele para de tocar. Seu pai sorri e a oferece gentilmente para ele. Ele estende as mãos e aceita a oferta do pai. É fria e seca e escorregadia. Pulsa em suas mãos. Sua fé é forte. Segura as mandíbulas da serpente. Ela não pode machucá-lo. Ele olha no fundo dos olhos dela.

★

Dill respirou fundo e começou a tocar e cantar. Ele cantou como se o Espírito Santo tivesse se derramado sobre ele, com uma chama purificadora. Ele ouviu sua voz e seu violão ecoando pelo auditório. Só abriu os olhos uma vez durante toda a apresentação

— para confirmar que Lydia ainda estava assistindo. Ela estava, com ainda mais daquela coisa no olhar. O salão se desfazia ao seu redor.

Ele terminou, e suas últimas notas deram lugar ao silêncio. Ele recebeu alguns aplausos por educação, mas foi aplaudido de pé por Lydia e Travis. *Talvez não a reação que o vencedor receberia, mas pelo menos ninguém está me xingando. E acabou.* Ele guardou o violão de volta no estojo e saiu do palco, mal ouvindo o diretor Lawrence assumir o microfone e dizer:

— Bem, essa foi uma linda música de Dillard. Obrigado Dillard. Agora vamos…

Dill se afundou na cadeira. Travis sorria e estava quase saltitante.

— Foi demais! Você parecia um músico profissional! — ele sussurrou, segurando a mão de Dill num aperto furioso.

Lydia apertou o braço dele o puxou para perto de novo. Talvez mais do que o necessário.

— Foi incrível — ela sussurrou, encostando os lábios na orelha dele. — Eu sabia que você conseguiria. Guarda esse sentimento.

Dill relaxou, aliviado, como se boiasse em um lago quente sob a luz das estrelas. Ouviu de olhos fechados cinco dos jogadores de futebol americano dublarem um rap, recebendo uma salva estrondosa de palmas, que colocavam a dele no chinelo. *Obrigado, meu Deus. Você nem sempre me deu as coisas que eu queria ou de que precisava, mas me deu isso, e eu agradeço.*

A competição acabou, e o diretor Lawrence subiu ao palco de novo, segurando três envelopes.

— Certo, pessoal. Os jurados tomaram uma decisão. Em terceiro lugar, por sua versão de uma música de Taylor Swift, temos Lauren Ramsey. Parabéns, Lauren. Você ganhou um cupom de vinte e cinco por cento de desconto para uma sessão de bronzeamento artificial no Tropical Glo. — A líder de torcida Lauren recebeu o prêmio, sorridente, diante de aplausos e assobios eufóricos. — Certo, em segundo lugar, por suas imitações fantásticas de patos e perus, temos Austin Parham. Austin, me avise se estiver disponível para a próxima temporada de caça a perus. Austin ganhou um vale de desconto de dez dólares no Applebee's. — Austin, um jogador de beisebol, recebeu seu prêmio. De novo, uma reação entusiasmada.

Vai ser um saco perder para imitações de pato e perus. Tomara que isso acabe logo.

— Agora, para o grande vencedor do prêmio de cinquenta dólares em dinheiro... Quero lembrar a todos vocês que nossos jurados consideraram muitos fatores em sua decisão, incluindo originalidade e criatividade. Também quero lembrar que devem respeitar se a pessoa que vocês acharem que deveria ter ganhado não ganhar. E agora, nosso grande vencedor é... que rufem os tambores...

Dill sentiu um frio na barriga. Foi então que ele perdeu parte da consciência do que estava acontecendo. Ele soube que ouviu seu nome ser chamado. Soube que ficou sentado, paralisado, enquanto Lydia e Travis se levantavam, comemoravam e o puxavam de sua cadeira, o empurrando na direção do palco. Teve a vaga noção dos aplausos mornos e do burburinho em resposta ao anúncio. Voltou ao palco, recebeu o envelope e um aperto de mão do diretor Lawrence. E voltou a sentar com Lydia e Travis, agarrado ao envelope.

O auditório foi dispensado e os alunos foram saindo para o corredor. Travis ainda estava eufórico.

— Cara! — ele disse, andando ao lado de Dill. — Eu super compraria todos os seus álbuns se você gravasse!

Dill sorriu.

— Você nem gosta de música.

— A sua é diferente.

— Ei, Dill. — Alexis Robbins se aproximou. Ela era bonita e

popular. Nunca falava com ele ou com seus amigos, mas também nunca tinha sido maldosa. Eles existiam em universos diferentes. — Parabéns — ela disse. — Não sabia que você tocava.

Dill corou.

— Ah, obrigado. É. Toco, sim. Valeu.

— Enfim, mandou bem. Tchau.

Lydia cutucou as costelas de Dill.

— Olhe só você! As garotas amam músicos. — Dill riu e se contorceu. — É sério, Dill — ela disse. — Foi lindo. Talento é lindo. Coragem é linda.

Dill pensou que não poderia estar se sentindo mais triunfante. Mas, no momento em que Lydia disse aquilo, percebeu que continha espaços ainda não desbravados sendo inundados por esse sentimento.

Ele mal teve tempo de aproveitar.

— Dill! — Hippie Joe andou rápido até eles. Hippie Joe era um orientador de cinquenta e poucos anos. Seu nome era Joseph Bryant, mas todos o chamavam secretamente de Hippie Joe. Ele tinha um bigode grosso, o cabelo grisalho e desgrenhado, e usava óculos redondos de aro fino. Gostava de gravatas irônicas e All Star com calças cáquis e camisas de botão. — Você foi fantástico! Nunca vi um aluno se apresentar dessa forma! Você estava com o espírito de Bob Dylan e Neil Young em você! Quer dizer, eles ainda estão vivos, mas você entendeu o que eu quis dizer. Ótimo trabalho! Acho que você tem futuro na música!

— Obrigado, sr. Bryant.

— Me avise quando fizer um show em algum lugar. Eu vou assistir.

— Aviso. Obrigado.

Ninguém disse mais nada. Eles saíram para o estacionamento.

— Sugiro que a gente saia para comer. Especificamente, sugiro que a gente pague uma almojanta pro Dill, já que ele não comeu nada hoje — Lydia disse.

— Eu topo — Travis disse. — E ajudo a pagar.

Lydia estava radiante no caminho, como se soubesse um grande segredo. Ela parecia tão feliz quanto Dill. Ele não conseguia fazer suas pernas pararem de pular para cima e para baixo. Ficava espiando dentro do envelope, para a nota nova de cinquenta dólares. Ele se sentia constituído por algo belo e indestrutível. Luz. Ar. Se perguntou por quanto tempo conseguiria ficar na onda daquela sensação até ela se quebrar na costa.

Menos de uma semana, pelo visto.

— Mudei de ideia — Dill disse. — Vou ligar pro dr. Blankenship e dizer que não vou.

Sua mãe estava com o uniforme de faxineira, pronta para sair para o trabalho. Eles estavam na sala.

— Não vai ligar. Você vai. É quase Natal e seu pai está te esperando. Você não o vê desde o fim do verão.

— Odeio essas visitas.

— Ele é seu pai. Você vai, sim.

— A cada vez que eu vou, ele está mais estranho. Odeio vê-lo daquele jeito. Não vou.

Os olhos da mãe dele se estreitaram e ela se aproximou dele.

— Você odeia vê-lo daquele jeito? Talvez mereça se sentir mal, já que foi você quem o colocou lá.

Sua mãe tinha sugerido aquilo várias vezes. Mas até então nunca tinha dito com todas as letras.

Dill se atrapalhou com as palavras.

— O que quer dizer com *eu* coloquei meu pai lá? Hein? Do que você está falando?

— Estou falando que o advogado do seu pai ficou de pé e fez todos os policiais e detetives admitirem que aquela pornografia mostrava só garotinhas. Todos admitiram que seu pai tinha um filho adolescente. Todos disseram não saber afirmar se você tinha acesso ao computador. Todos admitiram a possibilidade de que poderia ter sido você. Todos admitiram que não sabiam exatamente quem baixou aquelas fotos. E você subiu lá e testemunhou contra seu próprio pai.

Dill andou de um lado para o outro.

— O promotor me chamou para depor. O que eu poderia fazer? Recusar? O juiz me colocaria na cadeia.

Sua mãe apontou o dedo na cara dele.

— Você poderia ter testemunhado que era coisa sua. A promotoria não acusaria um adolescente. Seu pai seria um homem livre se você não tivesse feito o que fez.

Dill ficou horrorizado. Seu coração doía como se tivesse sido perfurado por uma chave de fenda.

— Mentir? Eu fiz um juramento de falar a *verdade*. Jurei com a mão na Bíblia que falaria a verdade. Eu só falei que não era meu. Não falei que era do meu pai. Eu não testemunhei contra ele. Testemunhei a meu favor.

— Eu não falei nada sobre mentir — sua mãe disse em tom baixo, desviando o olhar.

Dill pegou o braço dela e a virou para encará-lo.

— O que você quer dizer? — ele sussurrou. — O que você quer dizer com isso? Acha que eu teria falado a verdade se eu dissesse que aquela merda doentia era minha? Acha…

Ela deu um tapa na cara dele.

— Não fale palavrão nesta casa.

Ele sentiu o rosto arder onde a mãe dele o estapeara. *Não deixe que ela veja você chorar. Não deixe que ela veja você chorar.*

— É isso que você achou esse tempo todo? Que baixei aquela porcaria e fui lá e menti e deixei meu pai levar a culpa? É isso que você pensa de mim? — *Não chora.*

Os olhos dela ardiam, ferozes e condenadores.

— Acho que somos todos pecadores. Não precisaríamos de Jesus se não fôssemos. Mas as serpentes nunca mentiram. Se seu pai não fosse puro de espírito, não estaria na cadeia agora, estaria morto. As serpentes o teriam levado. Ou o veneno. Mas você nunca passou naquele teste. Nunca segurou uma serpente. Então você me pergunta, entre você e seu pai, quem eu acho que foi seduzido por Lúcifer? Deus me deu essa resposta. Não preciso tentar adivinhar.

Dill não conseguia respirar. Seu estômago estava invadido por náusea.

— E Kaylie Williams, hein? — ele gritou. — E ela? Ela testemunhou que o meu pai ficou sozinho com ela depois da igreja numa noite e queria falar sobre sexo com ela. Ela estava mentindo também? Ela tinha *onze anos*. A família dela se mudou por causa disso. O irmão dela era meu amigo.

— Ensinar uma integrante do rebanho sobre sexo antes que ela se metesse em encrenca não é nenhum crime, e é por isso que a promotoria não acusou seu pai de nada em relação a esse caso. Eu e você sabemos que Kaylie era uma menina bem avançadinha pra idade dela. Ela precisava de orientação ou acabaria ficando grávida no ensino médio como…

— Como quem?

A mãe dele se virou para sair.

— Você ajudou a colocar seu pai na prisão. Se não fosse por isso, ele ainda estaria aqui. Se não fosse por isso, eu nunca teria sofrido aquele acidente voltando para casa depois da visita, e minhas costas e meu pescoço não doeriam o tempo todo. E você ainda tem a cara de pau de falar sobre ir para a universidade e me largar aqui com toda essa bagunça que você criou. Estou cansada de discutir isso com você. Você vai visitar seu pai. Vai dar a ele o consolo pelo que fez. Você deve isso a ele e a mim. Você tem suas próprias dívidas.

— Isso destruiu minha vida. Até precisar negar isso destruiu minha vida. Me fez parecer culpado. Eu convivo com isso. Ninguém vai me deixar esquecer.

Sua mãe o encarou séria, sem piscar.

— Você vive esquecendo que esta vida não é nada. A próxima é a única que importa. Queria que você se lembrasse disso. — E ela saiu.

Dill se afundou no sofá, passando os dedos no cabelo. Ele queria vomitar. As lágrimas que estava segurando escaparam e caíram numa torrente em seu rosto. Ele gritou. Foi bom. Gritou de novo. Socou o sofá. De novo. De novo. De novo. Pegou o abajur da mesa e o girou no braço como se fosse jogá-lo na parede. Foi só quando se lembrou que usava aquele abajur para compor suas músicas durante as longas noites de inverno que ele se conteve. Ele colocou o abajur em cima da mesa, deitou no chão em posição fetal e chorou, com o cheiro forte do carpete mofado em suas narinas.

Graças a Deus, o dr. Blankenship se revelou tão pouco pontual quanto a filha, o que deu a Dill uns bons vinte minutos para se recompor e lavar o rosto; a vermelhidão e o inchaço de seus olhos quase passaram. Ele não estava com uma aparência ótima, mas estava mais com cara de "não dormi muito bem à noite" do que "tive uma briga horrível com a minha mãe em que ela me acusou de ser um pervertido sexual e de ter colocado meu próprio pai na cadeia".

O dr. Blankenship chegou no Prius que havia substituído o que ele tinha dado para Lydia. Dill entrou. Música natalina tocava alto.

— Obrigado, dr. Blankenship. Se for incomodar, está tudo bem se a gente não for.

— Por favor, me chame de Denny. Por mais que eu já tenha te falado isso várias vezes, você nunca obedece. E não é incômodo nenhum.

— Não precisa ter medo de dizer. Mesmo se for um pouquinho.

— Não é problema nenhum.

Ele não tinha entendido.

Os galhos desfolhados das árvores em volta da prisão eram como esqueletos contra o céu de dezembro cor de ferro. Pareciam tão áridos e sem vida como Dill se sentia.

O dr. Blankenship deixou Dill na porta dizendo para ele ligar quando acabasse. Ele entrou na prisão. Passou pela segurança. Entrou na sala de visita. Esperou.

Dill tentou sorrir quando seu pai se aproximou.

— Ei, pai. Feliz Natal.

— Feliz Natal para você também. — O pai de Dill tinha mais tatuagens. Desenhos de cobras espiraladas em volta de seus dois antebraços terminando com cabeças de cobra na palma de cada mão. Elas cobriam e rodeavam as várias marcas de mordidas de cobra em seus braços. Os sinais da fé não eram que as cobras nunca morderiam você, mas que, por pior que você ficasse, nunca morreria por causa daquilo.

— Você tem tatuagens novas. — *Pelo menos nunca precisamos inventar assunto enquanto você continuar fazendo tatuagens.*

O pai de Dill abriu e fechou as duas mãos, um dedo de cada vez, fazendo as cobras em seus antebraços serpentearem.

— Eclesiastes nos diz que não existe nada de novo sob o sol.

— É, mas... enfim, a mãe colocou um dinheiro na sua conta em vez de comprar um presente de Natal. Ela imaginou que você poderia conseguir o que queria na loja da prisão. — *Mas não meus cinquenta dólares. Meus cinquenta dólares estão sãos e salvos.*

— Você está trabalhando bastante e ajudando sua mãe a quitar nossas dívidas?

— Sim. — *Estou ótimo, obrigado por perguntar. Adoro essas visitas.*

— Que bom.

Seu pai parecia mais distante a cada vez que Dill o visitava. Mas, enfim, talvez o distanciamento tivesse um lado bom. Talvez seu pai tivesse mudado, ficado diferente de sua mãe. Talvez a prisão tivesse lhe dado novas perspectivas. Dill teve uma inspiração súbita.

— Por falar em quitar as dívidas, tive uma ideia. E se eu fosse pra faculdade para poder arranjar um trabalho melhor e ajudar a quitar suas dívidas mais rápido?

O pai de Dill o encarou com um ceticismo frio.

— Faculdade? É lá que você quer aprender o verdadeiro discipulado?

— Não, senhor, só aprender o que preciso para arranjar um bom trabalho.

Ele aproximou o rosto do de Dill.

— A faculdade vai ensinar você que Deus está morto. Mas Deus não está morto. Ele está vivo e se mostra para aqueles cuja crença demonstra os sinais da fé.

— Eu não acreditaria se me dissessem que Deus está morto.

O pai de Dill soltou um riso seco.

— Sua fé é fraca. Sua fé lhe faltou na hora em que foi lhe dada a chance de segurar a serpente mortal. Você foi como Pedro, tentando caminhar sobre as ondas do mar da Galileia, mas afundando. Você precisa de instrução e aprendizado, mas não do tipo que a faculdade dá.

— Eu tenho fé.

— Que sinais provam isso?

— Eu toquei no concurso de talentos da escola. Precisei de fé.

Seu pai se recostou, o leve brilho de contentamento no rosto.

—Tocou? Pregou o evangelho através da música?

— Não.

O brilho de contentamento se apagou.

— Sobre o que você cantou?

— Sobre amar alguém.

— Ah. "Amar alguém" — o pai de Dill repetiu, com sarcasmo. —Você correu o risco de morrer em nome de Jesus nesse concurso de talentos?

— Não.

— Que risco você correu?

— De passar por ridículo. Humilhação.

— O verdadeiro cristão corre esse risco todos os dias. Somos tolos por Cristo.Você não correu o risco de nada além de ferir seu orgulho. Tenho prisioneiros no meu ministério cuja fé é mais forte do que a do meu próprio filho. Ladrões. Assassinos. Estupradores. Você tem meu nome. Não minha fé.

Dill sentiu a fúria crescer dentro dele.

— Se minha fé é fraca, talvez seja por sua culpa. Quem é *você* pra falar de fé? Onde sua fé estava na hora de resistir à tentação?

Seu pai se inclinou para a frente e falou num sussurro.

— Sua fé já era fraca antes da obra de Satanás destruir nosso ministério dos sinais.

— Obra de Satanás? Por que não falou isso pro júri? Por que não falou para eles que Satanás desceu pela nossa chaminé e baixou pornografia infantil? Por que disse para eles que foi culpa minha?

Seu pai lançou um olhar repreensivo para ele.

— Satanás não é motivo de brincadeira. Satanás não tem corpo. Ele trabalha com aqueles de carne fraca.

Dill apontou para ele, a voz vacilando.

— *Sua* carne fraca. *Sua*. Não a minha. Eu e você sabemos disso. E Deus também sabe.

Seu pai expirou devagar, como se esperasse uma onda de raiva passar. Ele falou com a voz comedida:

— Você não vê a mão de Deus me guiando aqui para pregar entre os prisioneiros?

— Não. Não vejo. Vejo um homem que deixou minha mãe pensar que coloquei o marido dela na cadeia. Vejo um homem que tenta se salvar destruindo a reputação do próprio filho. Vejo um homem que parece muito bem aqui, enquanto eu e minha mãe nos matamos de trabalhar para pagar as *suas* dívidas.

Os olhos de seu pai ficaram sombrios.

— Olha a boca. *Nossas* dívidas. Você não comia à nossa mesa? Não vivia sob nosso teto?

— *Suas* dívidas. E agora estou pagando pelos *seus* pecados vendo o mundo seguir em frente sem mim. Não posso ir pra faculdade que nem meus amigos por *sua* culpa.

O pai de Dill apontou, seu rosto era uma máscara de desprezo, e falou com um murmúrio perigoso, a voz tremendo de cólera:

— Você não é nenhum salvador para mim. Não se finja de Cristo. Foi Cristo quem me libertou. Você me tornou prisioneiro.

Dill se assustou quando seu pai bateu a mão na mesa, um estalo abrupto na sala silenciosa, e se levantou.

— Adeus, Junior. Mande um beijo pra sua mãe. — Ele acenou para os guardas, que ficaram tensos com o barulho. — Acabei por aqui.

Ele saiu sem olhar para trás.

Dill pensou — erroneamente, pelo visto — que a discussão com sua mãe naquela manhã o tinha protegido contra mais dores.

Ele se sentou no estacionamento, a cabeça entre as mãos, se sentindo tão cinza quanto o céu. O dr. Blankenship parou o carro.

— Ei, Dill — ele disse com um sorriso animado. — Bengalinha de Natal?

Dill forçou um sorriso em resposta.

— Não, obrigado.

Eles seguiram um tempo sem dizer nada.

— Desculpa não estar falando nada, dr. Blankenship. Não queria ser mal-educado.

— Eu entendo. Não se preocupa.

Mais sorrisos trocados. Eles escutaram uma playlist natalina no iPod do dr. Blankenship.

Dill se esforçava para manter a compostura. Achava que tinha uma reserva finita de lágrimas, que já tinha se esgotado. Foi um erro pensar aquilo também. Ele podia sentir uma fonte dentro dele que não conseguiria segurar por muito mais tempo.

— Então, hum... — Ele começou a perder o controle. Segurou as lágrimas até sua garganta doer, como acontecia logo depois de tomar um copo de água gelada. — As coisas não estão indo muito bem entre mim e meu pai. — E então ele desabou por completo. Se sentiu exposto e envergonhado. Adão no Jardim do Éden. Mas não conseguia mais segurar.

O dr. Blankenship lançou um olhar para ele, a testa franzida.

— Ei — ele disse, em voz baixa. — Ei. — Ele parou o carro à beira da estrada. Dill estava com a cabeça encostada na janela de passageiro, soluços dominando todo o seu corpo trêmulo. — Ei. — O dr. Blankenship colocou a mão no ombro de Dill. — Está tudo bem. Está tudo bem.

E, do nada (ao menos para Dill), ele caiu no ombro do dr. Blankenship. O dr. Blankenship abraçou Dill enquanto ele chorava. O doutor cheirava a caxemira quente, sálvia e lençóis recém-saídos da secadora. Dill se recompôs o mais rápido que pôde, o que levou alguns minutos.

Dill fez uma inspiração trêmula. Estava fora de si.

— Desculpa. Desculpa mesmo. Estou atrasando o senhor. Acho que não era isso que o senhor esperava quando me ofereceu carona.

O dr. Blankenship revirou uma mochila de viagem à procura de uma caixa de lenços de papel.

— Na verdade, era meio que exatamente o que eu esperava. Por isso ofereci a carona. Quer falar sobre isso?

Dill secou os olhos com as mãos e aceitou um lenço.

— Não muito.

— Tudo bem.

Mas ele falou mesmo assim.

— Tanto minha mãe como meu pai pensam que sou responsável por colocar meu pai na cadeia por não ter mentido para protegê-lo. E, como ele está na prisão, a gente tem esse monte enorme de dívidas e, por causa de todas elas, tem um monte de coisa que não posso fazer. E meu pai acha que minha fé é fraca demais pra eu fazer qualquer coisa. Eu sinto que não tenho saída. Acho que Deus está me punindo.

O dr. Blankenship suspirou.

— Uma coisa de cada vez. Primeiro, sinto muito, mas a situação do seu pai não é culpa sua de forma alguma. Eu acompanhei o julgamento do seu pai. Entendi por que você teve de depor. O júri acreditou em você, não nele. Fim da história. Isso não é culpa sua. É dele. E, se ele tentar culpar você, ele que se dane.

Dill colocou a cabeça nas mãos.

O dr. Blankenship passou o polegar no volante, parecendo constrangido.

— Desculpa. Não queria pegar pesado com o seu pai.

— Tudo bem.

— Fico bravo quando as pessoas dizem esse tipo de coisas com os filhos, que têm toda a vida pela frente. Fazem os filhos duvidar de si mesmos. A sua fé é forte o bastante para você fazer o que quiser. Acha que Deus quer alguma coisa para você além da sua felicidade? Nem pensar! E não deixe ninguém te convencer do contrário. Seu pai não tem o direito de acabar com a sua alegria só porque ele é seu pai.

Dill fungou e limpou o nariz. Mais uma respiração trêmula.

— Por favor, não conta pra Lydia sobre... isso.

O dr. Blankenship deu um tapinha no ombro dele.

— Se conheço bem minha filha, ela nunca tiraria sarro de você por isso. Te daria os mesmos abraços que estou aqui para te dar.

— É. — Dill fez uma pausa. — Tem outra coisa. Vou sentir muita saudade da Lydia. Tipo, muita mesmo. Acho que essa é outra bosta na minha vida. — Ele sentiu um nó na garganta.

Os olhos do dr. Blankenship se encheram de lágrimas.

— Ah, cara, Dill. Olha só o que você fez. Estou do seu lado, meu amigo. — Sua voz estremeceu. — Também vou sentir saudades dela. É uma bosta pra nós dois.

Dill passou um lenço de papel para ele.

— Não se preocupa, não vou contar pra Lydia sobre... isso.

O dr. Blankenship secou os olhos.

— O engraçado é que ela não tiraria sarro de nenhum de nós por chorar sozinhos. Mas nós dois, sentados à beira da estrada, chorando ao mesmo tempo? Por *ela*, ainda por cima? Ela nunca pararia de rir.

— Isso nunca pode sair deste carro — Dill disse.

— Não mesmo.

Eles ficaram sentados por um momento, se recompondo.

— Declaro oficialmente encerrado este encontro do fã-clube da Lydia — o dr. Blankenship disse. — Vamos pôr o pé na estrada. Acho bom pegar aquele saco inteiro de docinhos natalinos do banco de trás. Acho que nós dois precisamos deles nesse estado emocional fragilizado.

— Você não vai perder a licença de dentista por me incentivar a comer doces?

— Vai ser outro segredo nosso.

Eles viajaram sob o crepúsculo invernal. Aqui e ali, uma casa à beira da rodovia se iluminava numa variedade cintilante de luzes natalinas. Dill ficou pensando. Ele sentia como se estivesse se enrolando numa coberta de lã molhada. *Você viu seu pai? Viu em quem ele está se transformando? É melhor começar a desenvolver seu próprio inventário de sanidade mental e física mais frequente e conscientemente. Parece que a loucura atinge todos os homens da família Early. Você nunca pode baixar a guarda. Nunca pode se distrair. Você nunca está a salvo de si mesmo. Seu próprio sangue vai envenenar você.*

Dill avistou um outdoor com uma foto de pai e filho no caminho. Falou antes que seu cérebro desatento pudesse segurar sua língua.

— Queria muito que você fosse meu pai.

O dr. Blankenship ficou em silêncio por um momento e depois lançou um olhar para Dill.

— Eu ficaria muito orgulhoso se você fosse meu filho.

24
Travis

— Quando vocês vão me contar aonde a gente está indo? —Travis perguntou.

— Nashville. O resto é surpresa — Lydia disse, trocando um olhar e um sorriso irônico com Dill.

— Mas faz semanas que meu aniversário passou. O Natal também.

— Irrelevante — Lydia disse.

— O que tem em Nashville?

— Uma surpresa não relacionada a Natal nem a aniversário.

— Me dá uma dica.

— Dill, me ajuda aqui. Tem alguma bruxaria que faça o Travis calar a boca?

— Ai, cara. Perguntou pra pessoa errada. Hum... Ei, Travis, se você continuar fazendo perguntas... vai quebrar algum tipo de feitiço importante. E vai passar o resto da vida com diarreia.

— Boa. Travis, você nasceu numa família de bruxos, e foi adotado por uma família normal. Mas um feiticeiro muito poderoso enfeitiçou você para que, se fizesse mais do que... hum... digamos, três perguntas no seu aniversário, você terá uma diarreia horrível.

— Não é meu aniversário, lembra?

—Tem uma margem de erro de um mês no feitiço. E estamos a meia hora da nossa próxima parada.

Eles se aproximavam de Nashville. O GPS de Lydia dava as instruções para o aeroporto.

— O aeroporto... — Travis começou a dizer, com um tom de pergunta.

Lydia ergueu um dedo em alerta.

— Diarreia.

— ... é um lugar muito legal para aviões decolarem e pousarem — Travis completou.

Eles pegaram a saída para o aeroporto e se aproximaram do terminal.

— Bem na hora — Lydia disse, olhando o celular.

— *Na hora* mesmo ou na hora na versão da Lydia? — Dill perguntou.

— Não, na hora mesmo. — Lydia entrou no estacionamento onde os carros esperavam para buscar as pessoas.

Eles esperaram alguns minutos. Travis começou a falar alguma coisa.

— Cara, confia em mim. Você não vai querer ter diarreia com essa surpresa — Lydia disse, o interrompendo. — Vai querer estar o mais distante possível de diarreia hoje.

O celular dela tocou.

— Lydia Blankenship — ela atendeu. Aquilo era estranho. Não era assim que ela costumava atender ao celular.

— Tá... tá... Então pegou suas malas. Ótimo, beleza. Estamos num Toyota Prius azul-claro. Cheio de adesivos. Beleza, ótimo. Beleza, até daqui a pouco. Tchau. — Lydia desligou. — E lá vamos nós. — Ela ligou o carro e dirigiu até o terminal. Eles ficaram esperando. Travis ficou olhando para a frente.

— Travis, olha aquele cara ali de casaco e blusa marrom — Dill disse.

— Onde?

Dill apontou.

— Bem ali. O cara de…

— Boné de pescador — Lydia disse, apontando. — Barba branca desgrenhada, óculos, gordinho. Segurando uma caixa de doces.

— Com quem ele parece? — Dill perguntou.

Travis deu risada.

— Ah, nossa, ele é a cara do G. M. Pennington.

Ele observou o homem por mais um segundo. Seu coração bateu mais rápido.

— Não — ele sussurrou. Lydia e Dill sorriram. — *É* o G. M. Pennington! *E está vindo pra cá!* — Travis gritou. Ele pulou para cima e para baixo no banco. Tentou pegar o celular para mandar uma mensagem para Amelia, e se deu conta que o esquecera em casa de novo. *Ela não vai acreditar nisso. Ela vai pirar.*

— Calma aí — Lydia disse. — Mostra um pouquinho de dignidade. Você está prestes a conhecer seu ídolo.

Ela saiu e caminhou em direção ao sr. Pennington, estendendo a mão.

— Sr. Pennington, Lydia Blankenship. É um prazer conhecer o senhor. Por aqui.

Ele respondeu com um resmungo jovial e baixou o boné.

— Mademoiselle. Vou aonde você me guiar.

Ela levou o sr. Pennington até o carro.

— Desculpa por não termos algo mais chique.

Ele fez que não tinha problemas.

— Sempre prefiro andar em veículos ecologicamente corretos a limusines caras. Limusines são para oligarcas sociopatas.

— Sr. Pennington, acho que vamos nos dar muito bem. Dill, vai para o branco de trás — Lydia disse. — Escritores best-sellers têm a preferência do banco da frente.

Dill saiu e apertou a mão dele.

— É um prazer conhecer o senhor. Dillard Early.

— O prazer é meu — ele disse, se sentando. — E, por favor, todos vocês, me chamem de Gary. Meu verdadeiro nome é Gary Mark Kozlowski, mas quem quer ler um romance de fantasia escrito por alguém com nome de serial killer polonês, né? — Ele riu. — Mas estou sabendo que um de vocês já deve saber meu nome de verdade. Você deve ser o Travis.

Travis estava paralisado, de boca aberta, com cara de quem tinha visto um anjo. O que, para falar a verdade, era como ele se sentia.

— Sou eu, Sir Gary — ele guinchou.

— Sir Gary? Aceito o título de cavaleiro, sr. Travis. É um prazer conhecer você. — Ele estendeu a mão e Travis a apertou, tremendo.

— Gary — Lydia disse —, de quanto tempo é a sua escala?

— Três horas.

— O que você gostaria de fazer ou ver?

Ele alisou a barba.

— Julgo uma cidade com base em seu sorvete. E não existe conversa melhor do que a que a gente pode ter com sorvete. Então mostrem o caminho, amigos. Me transportem à sua melhor sorveteria.

— Ótimo — Lydia disse. — Eu conheço um lugar. — Ela acelerou o carro.

— Como… — Travis começou a perguntar antes de se conter.

— Tudo bem, Travis. Pode começar a fazer perguntas agora. O feitiço foi cancelado. — Lydia olhou pra Gary. — Nem pergunta.

— Como? — Travis perguntou.

— Eu começo — Lydia disse. — Queria arranjar isso para você antes de ir pra faculdade, então liguei pra minha amiga Dahlia, cuja mãe é editora da *Chic*. Ela me colocou em contato com o agente literário da mãe dela. O agente literário da mãe dela conhecia a agente do sr. Pennington. Consegui a agenda dele e descobri que ele pararia em Nashville durante o voo para Santa Fé, depois de uma reunião com o editor dele sobre o lançamento de *Tempestade de morte*.

— Mas essa não é a história toda — Gary disse. — Lydia claramente fez a lição de casa e encontrou uma entrevista antiga que dei antes de vocês nascerem, em que eu falava sobre o lugar especial que tenho no coração para os meus fãs do interior, que sonham com um mundo maior do que aquele em que moram. E sei disso porque a srta. Lydia passou para a minha agente as estatísticas da população de... — Ele estalou os dedos.

— Forrestville — Lydia disse.

— Ah, sim. Forrestville. E minha agente teria grandes problemas se não me desse a oportunidade de passar um tempinho com um dos meus leitores de cidade pequena que viajou até aqui. Por isso, mudamos meu voo para esse horário, para que eu pudesse ficar um tempo com você.

— Nem sei dizer a vocês dois o quanto isso significa pra mim — Travis disse. Ele queria chorar. Era a melhor noite da sua vida.

— O prazer é todo meu — Lydia disse. — Eu tinha de mandar bem.

Eles chegaram à sorveteria Five Points e entraram na fila.

— Senhor... Gary, por favor, me deixa pagar pra você — Travis disse.

Gary deu risada.

— Meu rapaz, não é segredo para ninguém que vendi muitos livros. Sou multimilionário. Vou pagar o sorvete para todos vocês hoje, muito obrigado. Compre *Tempestade de morte* quando for publicado se quiser me recompensar.

— Ah, vou comprar. Pode ter certeza.

Gary se aproximou do moço atrás do balcão e tirou do bolso uma carteira gorda cheia de ornamentos.

— Vou pagar para os meus amigos aqui. E tudo que eles pedirem... — ele se inclinou com uma piscadela de conspiração — sirva o triplo. Para todos. — Ele traçou um círculo com o dedo no ar.

Todos se sentaram com seus sorvetes.

— Então, Travis, de que casa você é? — Gary perguntou, levando uma colherada de sorvete a boca.

— Ah, Northbrook. Definitivamente Northbrook — ele disse, sem hesitar por um segundo.

Gary apontou a colher para Travis.

— Olha só! Imaginei que você era um Northbrook, mas estava preparado para te convencer a mudar de qualquer outra casa que tivesse em mente. Casa Tanaris? Casa Wolfric? Vai saber o que as pessoas pensam!

Travis sorriu radiante.

— Certo, então — Gary disse. — Vamos colocar seus amigos nas casas certas, que tal?

— Sim! Dill é músico. Então...

— Irmandade dos Menestréis — Gary e Travis disseram ao mesmo tempo. Eles sorriram.

— Certo, Lydia... é superinteligente e adora ler e escrever... então... Casa Letra? — Travis disse.

— Sim, sim — Gary disse, coçando o queixo. — Ou... Ordem Erudita?

Travis considerou a proposta com hesitação, sem querer contradizer seu ídolo, mas percebendo que talvez não tivesse escolha.

— O único problema é que tem um voto de castidade vitalício.

— Tinha esquecido disso — Gary murmurou.

— Não — Lydia disse. — Meu voto de castidade se estende apenas até o ensino médio. Prefiro a outra opção. Ei, longe de mim interromper a Bloodfuleragem toda, mas, Gary, como você se tornou um escritor?

Ele terminou outra colherada de sorvete.

— Eu cresci numa fazenda no Kansas. Trigo. Milho. Tínhamos alguns animais. Trabalhávamos do nascer ao pôr do sol. Eu adorava os livros de C. S. Lewis, J. R. R. Tolkien e Robert E. Howard. Enquanto trabalhava, criava mundos na minha cabeça. Personagens. Pessoas. Línguas. Competições. Batalhas. Era minha válvula de escape. Não demorou para eu ter tanta coisa que não cabia mais na minha cabeça, então precisei começar a colocar no papel.

— Eu faço isso! — Travis disse. — Trabalho numa madeireira e imagino coisas enquanto trabalho. O que seus pais pensaram de você virar escritor?

Um sorriso melancólico.

— Meu pai... não era um homem carinhoso. Ele era muito linha-dura e achava que escrever era bobagem. E talvez ele tivesse razão. Mas não me deixei convencer na época, e não me deixo convencer hoje.

Um momento de silêncio. Gary terminou outra colherada de sorvete.

— Você é um escritor, Travis?

— Ah, não.

— Por que não?

— Assim... não consigo escrever.

— Bom, você já tentou?

— Não.

— Então é óbvio que não consegue! Escrever é algo que se aprende fazendo. Para virar escritor, você precisa de imaginação, o que você claramente tem. Precisa ler livros, o que você claramente faz. E precisa escrever, o que você ainda não faz, mas deveria.

— Não precisa ir pra faculdade pra virar escritor?

— De jeito nenhum. Escuta, vivemos numa época maravilhosa.

Tem conselhos de graça em toda a internet. Você já leu fanfics de Bloodfall?

— Sim — Travis disse, hesitante. — Mas posso parar, se você quiser.

Gary riu.

— Bobagem. Comece por aí. Escreva uma fanfic de Bloodfall. Pegue meus personagens emprestados. Você tem a minha permissão. Pratique escrever. E depois comece a criar os seus próprios personagens. Sinto algo especial em você. Uma grande imaginação. Sinto que você tem uma história para contar.

Travis ficou radiante. Algo começava a crescer dentro dele. Algo capaz de crescer através da terra e das pedras que seu pai havia empilhado sobre ele.

Ele e Gary passaram uma hora e meia conversando sobre a série Bloodfall, enquanto Dill e Lydia ficaram conversando do lado de fora da sorveteria. Travis contou a Gary sobre Amelia. Pegou o celular de Lydia emprestado e os dois tiraram várias fotos juntos. Chegou a hora de ir embora. Eles voltaram para o aeroporto.

— Antes de ir, posso te contar uma das minhas partes favoritas de todos os livros de Bloodfall? — Travis perguntou.

— Por favor — Gary disse.

— Não sei por que amo tanto essa parte. Mas adoro o que Raynar Northbrook gravou no túmulo de Baldric Tanaris depois da Batalha do Vale Choroso.

Gary abriu um sorriso melancólico.

— Lembro bem dessa parte. Escrevi logo depois que minha primeira esposa faleceu. Eu estava muito deprimido, e estava pensando bastante no que queria dizer "viver uma vida boa". E cheguei à conclusão de que era para que seus amigos pudessem escrever algo daquele tipo sobre a gente depois que partirmos.

— Acho que é por isso que eu gosto — Travis disse. — Me dá vontade de viver uma vida boa.

Gary sorriu.

— Que bom — ele disse em tom baixo.

Quando Gary estava quase indo embora, Lydia exclamou:

— Espera! Quase esqueci! — Ela tirou uma edição de capa dura de *Queda de sangue* da mochila e a entregou para Gary. — Pode autografar pro meu amigo Travis?

— Claro, claro! — Gary tirou uma caneta tinteiro dourada do bolso do casaco e assinou a folha de rosto do livro com um floreio. *Para Travis da Casa Northbrook, meu novo amigo, grande em estatura, forte em imaginação. Seja quem você foi feito para ser.*

Lydia entregou o livro para Travis.

— Você vai precisar me emprestar seu outro *Queda de sangue*, já que quero ler.

Travis saiu para dar um último aperto de mão em Gary, que riu baixo.

— Somos amigos agora, Travis. Eu dou um abraço de despedida nos meus amigos. — Ele puxou Travis num grande abraço e eles tiraram uma última foto juntos.

— Não consigo acreditar que esta noite aconteceu de verdade. Não consigo acreditar que isso aconteceu. Lydia, você é tão incrível! — Ele ficou repetindo esse mantra, pulando tanto no banco traseiro que o carro começou a chacoalhar.

— Vou parar o carro se não ficar quieto — Lydia tirou sarro. — Você vai acabar fazendo a gente sair da estrada.

— Desculpa. Pessoal, vou fazer o que ele disse. Vou começar a escrever. Talvez eu possa fazer umas aulas na faculdade comunitária em Cookeville ou algo do tipo.

— Faz isso, Trav — Dill disse. — Você tem o que é necessário.

Sua mente continuou agitada em toda a volta para casa. Era raro sua vida real ser tão boa que substituísse sua vida imaginária. Mas dessa vez era.

Ele formulou seu plano. Dormiria um pouco (*Ah, até parece, ainda mais depois de começar a trocar mensagens com a Amelia!*) e, no dia seguinte, depois da aula e da madeireira, entraria na internet e começaria a procurar dicas de escrita. *Talvez seja bom comprar um notebook para escrever. É melhor eu começar a guardar dinheiro para um notebook novo e para aulas de escrita. E seria bom encontrar alguém que entenda de escrita para ler. Talvez a Lydia possa ler. Mas é melhor eu começar a escrever rápido antes que ela vá pra faculdade e fique muito ocupada.* Ele estava cheio de resoluções empolgantes.

Eles o deixaram em casa depois de mais agradecimentos efusivos. Enquanto caminhava até a entrada da casa, Travis lamentou de novo ter esquecido o celular. Sim, Lydia tinha tirado um monte de fotos, como sempre, mas ele queria mandar as fotos dele com o mestre para Amelia e postá-las nos fóruns de Bloodfall o quanto antes. Eles não iam acreditar que G. M. Pennington — quer dizer, "Gary" — tinha comprado sorvete para ele e ficado mais de duas horas conversando com ele. Ah, e o exemplar autografado!

Ele entrou na casa escura. Seu pai estava esparramado no sofá sob o brilho difuso da TV. Ao ver Travis, ele pegou o controle remoto e a desligou.

— Onde você estava? — ele perguntou, com a língua enrolada.

Travis conhecia o tom do pai. Seu coração se apertou. *Por favor, hoje não. Por favor, logo hoje não. Me deixa ter só essa noite.*

— Com os meus amigos, como falei pro senhor, lembra?

— Não, não lembro.

— Bom, desculpa. Enfim. — Ele se virou para o quarto.

— Volta aqui. Não terminamos.

Travis deu meia-volta, completamente de volta à vida real. *E lá vamos nós.*

— Me ligaram às quatro e meia precisando de um carregamento de madeira compensada para um deck. Pedido de quinhentos dólares. E adivinha? Não tinha ninguém pra entregar.

Travis começou a suar. Sentiu enjoo.

— Desculpa. Avisei o Lamar e ele disse que cobriria as entregas.

— A cabecinha velha do Lamar esqueceu. Você me deixou na mão. Tentei te ligar. Um monte de vezes.

— Esqueci o celular.

— Ah, sério? — O pai de Travis se levantou. — Estou com ele bem aqui na minha mão.

Ele o atirou em Travis. Bateu no tórax dele com um baque. Ele conseguiu pegá-lo antes que caísse no chão. Olhou para a tela. Catorze chamadas perdidas. Todas do pai.

O pai de Travis cambaleou na direção dele.

— Você me fez perder quinhentos contos hoje. O que tem a dizer sobre isso? Hein? Acha que podemos pagar por esse tipo de prejuízo?

— Desculpa mesmo, pai. Não podemos entregar amanhã? Eles não devem ter achado que, se ligaram tão tarde…

— Não. Não podemos entregar amanhã.

— Por que não?

— O que é isso? — Seu pai apontou para a cópia recém-autografada de *Queda de sangue* de Travis. — Hein? O que é isso? Mais uma daquelas viadagens de bruxaria?

— Não é nada.

— Hein? *Foi por isso que você me fez perder quinhentos dólares?* — ele gritou.

— Vou fazer a entrega amanhã. Antes da aula. Vou...

Seu pai tirou o boné de beisebol e bateu nas costas e no rosto de Travis com ele.

— Hein? — *Tapa.* — Hein? — *Tapa.* — Foi isso que me fez perder (*tapa*) quinhentos (*tapa*) dólares?

Travis tentou proteger o rosto, mas um dos tapas o acertou nos olhos. Eles lacrimejaram muito. Ele piscou e os secou. Começou a ficar agitado e a espumar por dentro.

— O senhor está bêbado, pai. Por favor, só me deixa ir pra cama. — *Por favor, não faça com que esta seja a noite. Por favor, não faça com que esta seja a noite que o senhor sabia que chegaria. Por favor, não faça com que esta seja a noite.*

Seu pai pegou o livro.

— Me dá isso.

Travis afastou o livro para longe. Ouviu sua mãe.

— Clint, querido, você me acordou. O que está acontecendo?

Seu pai partiu para cima dele de novo. Travis ergueu o livro para fora do alcance dele. Seu pai o empurrou contra o armário em que a mãe de Travis guardava as porcelanas e a coleção de bonecas dela. Ele estilhaçou as portas de vidro. Sua mãe gritou.

— Me dá essa merda! — o pai de Travis berrou entre dentes. Ele conseguiu pegar o livro. O levou para longe de Travis e começou a rasgar as páginas.

Algo se despedaçou dentro de Travis, emitindo um som em sua mente como o de mil páginas rasgando. Ele gritou como um animal ferido e se jogou nas costas do pai. Foi um golpe certeiro. Se fosse um jogo de futebol americano em que ele não fosse o alvo, o pai de Travis ficaria orgulhoso. Em vez disso, o golpe o fez cair sobre a mesa de canto, derrubando e quebrando um abajur no chão. O livro caiu das mãos dele. Travis saltou em cima do livro e o protegeu com o corpo.

O pai de Travis se levantou e foi até ele.

— Você acha que sou um moleque mexicano em quem você consegue bater? Vou quebrar sua cara agora. — Ele deu um tapa na cabeça de Travis, acertando a orelha. Tentou pegar o livro, mas Travis o protegia. O pai de Travis desafivelou o cinto e o tirou com um movimento rápido, arrancando um dos passantes da calça. Ele ergueu o braço e bateu nas costas de Travis com o cinto. De novo.

De novo.

De novo.

De novo.

De novo.

De novo.

De novo.

O cinto assobiou e estalou na pele de Travis. *Aguente em silêncio; é o único jeito de você vencer*, Travis pedia a si mesmo, mas gritava a cada golpe. Parecia que estavam pintando suas costas e costelas com riscos de gasolina e pimenta e ateando fogo nele. A mãe de Travis pulou em cima do pai dele.

— Clint! Você está machucando nosso filho! Para! — Ela tentou pegar o cinto. O pai de Travis a segurou pelos dois braços e a empurrou no chão. Com força. A cabeça dela bateu no chão com um baque surdo e ela ficou caída, chorando baixo, com a mão na cabeça.

Mas ela havia conseguido distrair o pai de Travis por tempo bastante para Travis se levantar com um salto. Seu pai se virou, o viu em pé e ergueu o cinto contra ele de novo. Travis o pegou com a mão livre e o tirou do pai. Ficou ali por um segundo — o cinto numa mão, o livro na outra — lágrimas e suor escorrendo pelo rosto, encarando o pai, que o olhava cheio de ódio, vermelho e ofegante.

Travis tentou falar com o tom de voz mais corajoso possível.

Tentou falar com a voz clara. Como Raynar Northbrook discursava a seus homens antes da batalha. Mas a dor era forte demais. Seu coração palpitava feroz. Sua voz falhou e embargou enquanto ele falava — ofegante, vacilante, gaguejante:

— Eu n-não... tenho mais medo... de você. Você n-nunca vai... me fazer... eu me odiar... como você me odeia.

Ele ajudou sua mãe a se levantar enquanto seu pai observava, os punhos cerrados, ainda pronto para a briga, respirando alto pelo nariz enquanto os músculos do maxilar se tensionavam e relaxavam.

Travis jogou o cinto num canto, olhou no fundo dos olhos do pai e apontou, a mão trêmula como a voz.

— Se você encostar a mão em mim de novo, vou quebrar seu braço. Se encostar a mão na minha mãe de novo, vou te matar, porra.

Seu pai apontou para ele com a mão igualmente trêmula.

— Sai da porra da minha casa — ele disse em voz baixa.

Travis deu um beijo na mãe, que ainda chorava, pegou seu cajado, e saiu.

25
Dill

Dill estava no paraíso. Lydia havia deixado todas as suas músicas no computador quando o dera para ele. Era um tipo de intimidade secreta com ela. Toda noite, ele se deitava na cama, o notebook pousado sobre o peito, fones de ouvido, explorando e descobrindo, nadando no mar de Lydia.

Tap tap tap.

Dill pausou a música e escutou por um momento. Nada. Apertou o play.

Tap tap tap.

Pausou a música de novo e se levantou.

Tap tap tap.

Dill olhou pela janela e encontrou o rosto de Travis. Levou um susto.

— Cara, quase me mijei agora — Dill sussurrou enquanto abria a janela com dificuldade, deixando entrar uma rajada de ar gelado. Travis estava com cara de choro. — Está tudo bem?

— Não muito. Pode sair pra gente dar uma volta?

— Sim. Espera aí. — Dill colocou as botas e a jaqueta. Ele começou a sair pela janela.

— Espera. Você tem alguma aspirina ou algo do tipo? — O rosto de Travis dizia que ele explicaria depois.

— Um segundo. — Dill entrou na cozinha de fininho e buscou o frasco de anti-inflamatório que estava quase no fim. Ele voltou para o quarto e passou três comprimidos para Travis. Travis os enfiou na boca e engoliu.

Dill saiu pela janela e a fechou atrás de si, deixando espaço suficiente para colocar os dedos por baixo dela e a abrir de novo quando voltasse. Ele e Travis atravessaram as sombras em silêncio até a picape de Travis, estacionada na esquina. Eles entraram. Estava quente lá dentro. Travis se mexia de maneira dolorida. Quando encostou no assento, ele inspirou fundo. Demorou um segundo para se recompor antes de ligar o motor. Dill achou melhor não fazer perguntas. Deixaria Travis falar quando quisesse.

— Vamos olhar os trens — Travis disse.

Travis dirigiu até o parque Bertram sem falar nada. Quando chegaram, Travis estacionou o mais perto que dava dos trilhos, deixando o motor e o aquecedor ligados.

Travis ergueu o boné e esfregou a testa.

— Então, falei pro meu pai hoje que mataria ele. Acho.

Dill virou para Travis com os olhos arregalados.

— Você fez o quê?

— Cheguei em casa. Meu pai estava bêbado. Falando de trabalho. Dizendo que o fiz perder um serviço. Ele tentou rasgar o livro que o G. M. Pennington autografou. Meio que consegui impedir isso, mas a gente saiu na mão bem feio.

— Caramba.

— Pois é. Ele começou a me bater com o cinto quando não deixei que ele pegasse o livro. Minha mãe interveio e ele tentou bater nela. Arranquei o cinto dele e falei que acabaria com ele se me batesse de novo. Falei que mataria ele se machucasse minha mãe de novo.

— Você estava falando sério?

— Sim. Sim, claro que estava — Travis disse, triste. — Faz tempo que as coisas não estão bem entre mim e meu pai. Você deve ter percebido isso quando a gente estava mexendo no seu carro.

— Você está bem?

— Estou bem machucado, se é isso que quis dizer.

— Quis dizer em todos os sentidos.

— Meu pai me botou pra fora. Falou pra eu sair da casa dele. Mas eu o enfrentei. Olhei bem na cara dele. Falei que estava cansado de ter medo.

— O que você vai fazer?

— Não pensei ainda. Acho que vou dormir na caminhonete e chegar mais cedo na escola pra tomar banho lá.

Eles ouviram um apito de trem ao longe.

— Vai chamar a polícia? — Dill perguntou.

Travis soltou um riso rápido e triste, depois inspirou fundo.

— Não. A madeireira fecharia. Eu perderia o emprego. Minha família perderia a renda. Minha mãe não teria como sobreviver com os trabalhinhos de costura dela.

— Sei.

— Foi bom pra sua família seu pai ter sido preso?

— Não.

— Não conta nada disso pra Lydia. Ela não entenderia. Certeza que chamaria a polícia.

— Não vou falar nada.

O trem demorou para vir. Os apitos dos trens sempre vinham mais de longe nas noites de inverno. O trem veio e passou. Os dois não se deram ao trabalho de sair da caminhonete.

Ficaram sentados com o aquecedor ligado, sem falar nada.

— Sabe — Travis disse, olhando para a frente —, Gary me fez

acreditar mais em mim mesmo hoje do que meu pai acreditou em mim a vida toda.

— É. Sei bem como é. Seu pai não acreditar em você. É horrível.

— As coisas vão mudar. Vou fazer as coisas mudarem. Não posso viver assim pelo resto da vida.

Dill ficou sentado em silêncio e escutou. Travis tinha uma firmeza e um propósito na voz que Dill nunca tinha ouvido.

— Acho que, quando a gente se formar — Travis disse —, a gente devia procurar uma casa pra dividir. Mesmo se você não puder bancar metade do aluguel. Não tem problema. Eu pago a maior parte e você paga sua parte tocando música. Vai me animar quando eu estiver triste.

— Eu gosto da ideia. Mas minhas músicas não são muito animadas.

— A gente vai trabalhar muito, mas aí, depois do trabalho, eu vou escrever e você vai fazer suas músicas. Podemos ter um quarto com escrivaninhas lado a lado. Talvez eu possa fazer as escrivaninhas usando os restos da madeireira.

— Conta comigo.

— E vamos ter uma internet bem rápida para você poder postar seus vídeos e eu publicar meus contos. E vamos continuar fazendo a noite de filme de sexta. Talvez a gente possa até conseguir fazer com que a Lydia participe, por chat de vídeo ou coisa assim. E talvez a Amelia, porque, até lá, vamos estar namorando. E não vai ser permitida a entrada de nenhum pai.

Dill sorriu. Um sorriso sincero.

Travis o encarou nos olhos, aquela resolução firme na voz.

— Estou falando sério, Dill. Estou falando sério mesmo. A gente precisa cuidar um do outro daqui pra frente. A gente precisa ser a família um do outro porque as nossas pisaram demais na bola. A gente precisa criar uma vida melhor pra gente. Precisa começar a fazer as coisas de que tem medo. Acho que você deveria contar pra Lydia o que sente por ela.

Travis estava falando sério. Dill podia perceber. E, mesmo se sentindo culpado por criar esperanças para a própria vida a partir do desespero do amigo, ele se sentia esperançoso. *Talvez Travis seja forte o bastante para me impedir de desabar quando Lydia for embora.*

— Vou pensar no lance da Lydia. Mas, até a gente arranjar essa casa, você pode estacionar na esquina da minha casa e dormir no meu quarto. Minha mãe não vai perceber. Ela dorme pesado de tão cansada.

— Tem certeza? Posso dormir na caminhonete.

— Sim. Você precisa de um lugar quente e seguro pra dormir. A gente te arranja um potinho d'água e uma lata pra você mijar dentro.

Travis riu.

— Cara, não me faz rir. Minhas costas doem.

— Tem certeza de que está bem? Precisa de um médico?

— Já estive pior. Não quebrei nenhum osso nem perdi nenhum dente. Só estou com umas marcas e hematomas. O que o médico poderia fazer?

— Acha que tudo bem dormir no chão? A gente monta uma cama com roupas e cobertas e tal. Eu até deixaria você dormir na minha cama e dormiria no chão, mas e se minha mãe vier dar uma olhada?

— Não tem problema.

Eles ficaram em silêncio por alguns minutos.

— A gente vai superar isso, Travis.

A voz dele embargou.

— Queria que ele não tivesse estragado a minha noite tão incrível.

Eles voltaram de carro até a casa de Dill.

— Ei, Dill, posso ficar um tempo sozinho aqui antes de entrar?

— Claro, o tempo que precisar.

Enquanto Dill abria a janela para voltar para o quarto, ele entreviu Travis. Seu amigo estava com a cabeça baixa no volante, o corpo todo tremendo, sentado, solitário, na escuridão da meia-noite de um janeiro frio.

26
Lydia

Lydia abriu a porta da frente.

— Travis. E aí? — Era raro Travis aparecer na casa dela sem avisar.

Travis ergueu um maço de folhas de papel. Ele parecia nervoso.

— Oi, Lydia. Então. Escrevi esta história. E você entende de escrever e tal. E estava pensando se você poderia dar uma lida e me dizer o que precisa melhorar.

— Mas já? Faz o quê, duas semanas que G. M. Pennington falou pra você pensar em virar escritor?

— Três.

— Ah, claro. Assim até parece que aquele dia ficou mais na sua cabeça do que na minha.

Travis sorriu.

— Preciso saber de Bloodfall pra entender? — Lydia perguntou.

— Não precisa saber de nada. É novo.

— Porque comecei a ler Bloodfall depois que a gente conheceu o Gary. Ele era tão incrível. Eu devia isso a ele. E a você. Mas não estou nem perto de terminar.

Travis sorriu.

— Finalmente!

Ela ergueu a mão.

— É, blá-blá-blá, finalmente. Enfim, claro que vou ler. Mas já vou logo avisando, pego bem pesado quando o assunto é escrita. Se estiver ruim, eu vou falar. E, como é sua primeira tentativa, as chances de ter defeitos são altas.

Travis estendeu as folhas.

— Estou bem acostumado com críticas. Eu aguento.

Lydia lembrou do que seu pai havia contado sobre Travis e sentiu uma pontada de culpa. *Eu aguento, ele diz. Isso e muito mais.* Ela folheou os papéis.

— Uau, escrito à mão? Quem faz isso? Olha só você, pagando de Shakespeare!

— Não tive muito acesso ao meu notebook nas últimas semanas.

Outra pontada — dessa vez de preocupação.

— Está tudo bem? Tipo, em casa?

— Sim, claro — Travis respondeu despreocupado. Mas não despreocupado demais.

Se ele estava mentindo, estava mentindo melhor do que quando mentira sobre Amelia.

— Beleza. O que você e o Dill vão fazer hoje?

— Dill está trabalhando; eu saí pra vender lenha — Travis disse.

— Está falando sério? Você está escrevendo contos à mão e vendendo lenha? Será que, se eu te mostrar uma lanterna, você vai me venerar como uma deusa?

— Finalmente consegui pegar as vendas de lenha pra mim. Lamar, um cara que trabalha comigo, faz isso há anos. A gente pega os restos de madeira que não conseguimos vender, enrolamos num pacote e vendemos como lenha. Acho que ele cansou de fazer isso. Mas pra mim é um dinheirinho a mais pra guardar pra um notebook novo e aulas de escrita.

Lydia olhou pela janela e viu a caminhonete de Travis carregada de lenha.

— Pai! — ela chamou. —Vem comprar um pouco dessa lenha boba do Travis.

O dr. Blankenship veio até a porta de chinelo, com a carteira na mão.

—Travis! Oi.

— Oi, dr. Blankenship.

—Você ainda está trabalhando na madeireira?

— Estou, sim, senhor. Acho que vou continuar trabalhando lá depois de me formar. Nos últimos anos, os negócios deram uma diminuída, então sou um dos poucos funcionários que ficaram.

—Você gosta?

— Gosto, sim, senhor. Adoro o cheiro de madeira cortada e sobra tempo pra pensar.

— Faça aquilo que ama e nunca terá de trabalhar um dia na vida — o dr. Blankenship disse.

— Não pedi pra Lydia mandar você comprar minha lenha, aliás —Travis disse.

— Ah, eu sei disso. Se você tivesse pedido, ela teria falado não.

Ele comprou metade do carregamento de Travis.

Enquanto Travis saía, Lydia percebeu que nos últimos tempos havia algo de diferente no sorriso dele, com seus dois dentes da frente falsos. Triunfante. Como se ele tivesse atravessado um rio espumoso e chegado à outra margem. Ou sobrevivido a uma grande batalha. Ele estava radiante, como se tivesse sido purificado pelo fogo.

Algumas horas depois que Travis tinha ido embora, o celular de Lydia vibrou.

Sentada aqui com um envelope grosso da NYU, Dahlia escreveu.

MDDC abre.

Alguns minutos depois, o celular dela vibrou de novo. Uma foto da carta de aprovação da NYU.

PARABÉNS!!!!!

Estou morrendo aqui. Me avisa quando receber a sua.

— Ei, mãe! — Lydia gritou para o andar de baixo. — O correio já passou hoje?

— Acho que sim.

Lydia desceu a escada correndo, quatro degraus por vez. Correu descalça para fora, os pés congelando no chão frio. Abriu a caixa de correio com tudo. Cartas. Ela enfiou a mão com tanta força para pegá-las que se cortou com o papel. Mal conseguia respirar.

Propaganda. Propaganda. Alguma coisa para a minha mãe. Alguma coisa para a minha mãe. Alguma coisa para o meu pai. Propaganda. Propaganda. NYU.

Literalmente a última coisa da pilha. Ela fechou os olhos. Prendeu a respiração e abriu. Quase não conseguia ler. Mas leu.

> Cara Lydia,
>
> Com os melhores cumprimentos do Departamento de Admissão Estudantil da NYU.
>
> Primeiramente... parabéns pela sua aprovação na NYU. É com entusiasmo que congratulamos você pela conquista!

Ela parou de ler e gritou. E pulou. E pulou e gritou. Sua mãe saiu correndo para ver o que havia de errado. Lydia mostrou a carta para ela. Elas pularam e gritaram juntas. Seu pai veio correndo do quintal dos fundos, onde estava empilhando as lenhas novas. Eles pularam e gritaram juntos.

27
Dill

— Está tudo certo, sr. McGowan? Descarreguei o palete de macarrão, coloquei tudo nas prateleiras e lavei a seção de hortifrútis.

O sr. McGowan passou a caneta pela prancheta, murmurando consigo mesmo.

— Parece tudo certo, Dill. Você terminou mais cedo, mas bato seu cartão no horário normal. Ótimo trabalho.

— Obrigado. Até amanhã à noite.

— Ah, rapidinho, Dill. Você ainda vai estar livre em tempo integral depois do fim das aulas?

— Sim, senhor. Todas as horas que puder.

— Ótimo. Vou contar pro chefe. Ele vai ficar feliz em saber.

Dill tirou o avental verde, vestiu o casaco e saiu. Não era uma noite ruim para voltar a pé. Era uma daquelas noites de fevereiro com um leve sopro quente em meio ao frio.

— Quer uma carona pra casa, senhor? — Lydia estava sentada no para-choque do Prius. A voz dela o pegou de surpresa. Não só porque ele não estava esperando, mas porque (e ele podia estar completamente enganado em relação a isso) havia um tom de flerte, que vinha aparecendo com mais frequência desde o concurso de talentos. Dill atribuía isso a ela estar impressionada com a coragem que ele demonstrara. Qualquer outra coisa além disso seria esperança demais da parte dele.

— O que está fazendo aqui? Pensei que tinha coisas do blog pra fazer.

— Hoje não. Aliás, é por isso que estou aqui. A gente pode conversar? — Ela devia ter notado a preocupação que perpassou o rosto de Dill. — É uma boa notícia. Mais ou menos.

— Sim, claro.

— Legal. Entra aí. Vamos pro Café da Boa Nova. Acho que o nome tem a ver. Por minha conta.

Eles ficaram em silêncio durante a maior parte do trajeto.

— Pode me dar uma dica? — Dill perguntou.

— Deixa eu fazer meu grande anúncio.

— Você entrou em alguma faculdade. NYU?

— Por favor, me deixa fazer o anúncio.

Eles chegaram ao Boa Nova, pediram suas bebidas com temática cristã e se sentaram.

— Certo — Dill disse. — Vamos lá.

— Recebi minha carta de aprovação da NYU hoje.

Uma dor aguda em seu peito. Um choque elétrico rápido no coração. O choque foi descendo e descendo, até a barriga, como pequenas gotas de sangue se difundindo na água.

*

É igual a quando o nome dele foi chamado no concurso de talentos, o jeito como a mente dele fica paralisada e para em outro lugar. Ele está no campus de alguma universidade. Talvez a NYU. Não sabe dizer porque não faz ideia de como é a NYU. E Lydia está sentada num banco com outro garoto. Ele é bonito e bem-vestido (provavelmente por ela), e tem um jeito casual displicente e desarrumado, típico de quem tem dinheiro. Eles estão conversando e rindo. Folhas de outono caem em volta deles.

E Lydia está sentada num café com esse cara. Há grandes pilhas de livros em volta deles — da mesma forma que as oportunidades e as possibilidades se empilham ao seu redor.

E então o garoto está sentado num carro com o dr. Blankenship, e eles conversam e riem. E ele está sentado à mesa do dr. Blankenship ao lado de Lydia, diante do doutor e da sra. Blankenship.

E Dill está usando seu avental verde do Floyd's. Ele está do lado de fora, no frio, observando a cena pela janela. Consegue ver seu reflexo no vidro, e parece exausto e esgotado. E é perfeitamente (e agonizantemente) compreensível que esse cara esteja sentado com Lydia, e ele não.

★

Dill se esforçou para sorrir.

— Parabéns — ele disse com a voz suave. — Eu... sabia que você entraria. Nunca duvidei disso. — *Se ao menos eu pudesse duvidar. Se ao menos conseguisse fingir por um segundo.*

— Obrigada. Por acreditar em mim e por ser meu amigo.

— Então. Você vai?

— Sim. Vou. — Ela disse em voz baixa. Devia ter escutado o tom esperançoso na voz dele.

Ela se levantou, rodeou a mesa, e deu um abraço demorado nele, passando os dedos no seu cabelo. Ela estava encontrando mais desculpas para abraçá-lo ultimamente.

— Por que esse abraço? — Dill perguntou.

— Porque você estava com uma cara de que seu coração tinha pisado num Lego.

Dill se concentrou em seu Chocolate Quente Hosana.

— Estou feliz por você. Você não seria feliz aqui, e eu não gostaria de ver você infeliz.

— Eu sei.

— Por favor, não se esqueça de mim.

— Nunca vou esquecer. Você é meu melhor amigo.

— Já contou pro Travis?

— Ainda não. Ele está vendendo lenha hoje. Você sabia que ele está fazendo isso?

— Sabia sim. — *E essa não é a única coisa que escondemos de você.*

Eles ficaram sentados, bebendo devagar. Ouviram a lamúria das sirenes. Viraram e olharam para o lado de fora. Viram uma ambulância passando em alta velocidade, seguida por duas viaturas policiais.

— Então, tenho novidades também, acho. Planos pra depois que me formar — Dill disse.

Lydia arqueou as sobrancelhas.

— Ah, é? Me conta tudo.

— Eu e o Trav vamos dividir uma casa. Estamos superanimados. Ele vai escrever contos e eu vou compor músicas. E nossos pais idiotas não vão poder entrar.

Lydia inclinou a cabeça e sorriu.

— Parece incrível. Um pequeno retiro de artistas boêmios, bem aqui, no meio de Forrestville.

Dill ficou mais animado. Como se ele estivesse tentando convencer Lydia de que isso seria realmente incrível, que era o que ele estava fazendo. Como se estivesse tentando convencer a si mesmo, que era o que ele estava fazendo.

— Estamos planejando continuar com as noites de filme de sexta. Pensamos que talvez você possa participar por vídeo. Não sempre, porque é óbvio que vai estar ocupada.

— Seria uma honra. — Depois de um tempo, ela perguntou: — É isso que você quer, Dill?

— É o mais próximo do que quero que vou conseguir — ele respondeu, depois de um momento de reflexão.

— É tudo que sempre quis pra você, que fosse feliz e vivesse a vida que quisesse viver. Pensei que você precisaria sair daqui pra isso, mas talvez não.

— Talvez não.

E Dill percebeu que talvez ele não fosse tão transparente assim. Se fosse, Lydia teria perguntado por que ele estava parecendo alguém que havia tido o coração arrancado do peito, fibra por fibra, célula por célula, molécula por molécula. E, em vez de matá-lo, aquilo apenas o deixava vazio por dentro.

28

Travis

Raynar Northbrook se sentou no alto do reduto isolado, fazendo sua vigília solitária à beira do rio. Se algum dos batedores de Rand Allastair viesse por ali, encontraria um inimigo mais forte do que havia previsto. Havia outros que assumiriam seu posto solitário com o maior prazer, mas ele não pedia para nenhum de seus homens fazer algo que ele mesmo não estivesse disposto a fazer. E era amado por isso.

Travis se sentou no topo dos restos de lenha. Não parecia um ótimo lugar — era bem na margem do rio e não especialmente perto de nenhuma casa ou loja. Mas Lamar recomendou, e tinha razão.

Como andam as vendas de lenha?, Amelia perguntou.

Bem boas hoje, ainda mais depois que o dr. B comprou tantas. Mais algumas noites assim e arranjo dinheiro pra um notebook novo, Travis respondeu.

Quando vou poder ler a história que você escreveu?

Kkkkk quando a Lydia me disser o que preciso melhorar. Quero que você leia a melhor versão.

Aposto que já está ótima. Você é muito inteligente.

Ah obrigado. Ei acabei de ter uma ideia.

ME CONTA.

Quando Tempestade de morte sair, podemos nos encontrar no meio do caminho entre as nossas cidades e ler juntos!

AMEI!!!!!

Combinado, vamos fazer isso!! Podemos levar cobertores e deitar na caçamba da minha caminhonete e ler com lanternas.

PERFEITO! AI MAL POSSO ESPERAR!!!

Travis sentiu um calafrio e pensou em encerrar as vendas, mas ainda estava sem sono, e dormir era a única coisa que podia fazer depois que entrava escondido na casa de Dill. Ele e o pai não haviam trocado nenhuma palavra no trabalho. Seu pai definitivamente não o havia convidado para voltar para casa — não que Travis teria aceitado. Ele falava com a mãe regularmente quando passava para buscar comida, enquanto seu pai estava fora. Ele não contou para ela onde estava dormindo, mas jurou — por sua honra — que era um lugar quente e seguro.

O outro motivo pelo qual Travis não via por que encerrar as vendas do dia era que ele estava lendo *Ventos da noite*, o quinto livro da série Bloodfall. Ele tinha conseguido reler *Queda de sangue*, *Trono de corvo*, *Queda de espada* e *Corrida de lobo* a tempo de terminar o *Ventos da noite* antes de *Tempestade de morte* ser publicado, em março. Além de começar sua carreira como escritor.

Seu celular vibrou. Uma mensagem de Lydia. *Tenho uma notícia. Te conto quando a gente se ver.*

Espero que seja que você deu meu conto pra agente do G. M. Pennington e que querem publicar kkkk, ele respondeu.

Um par de faróis ao longe. Um modelo branco antigo de um Nissan Maxima reduziu a velocidade e estacionou atrás da picape de Travis. Ele colocou o livro de lado, desligou a lanterna e desceu da picape. Dois homens saíram do Maxima. Travis não reconheceu nenhum deles; os dois usavam capuzes que tampavam seus rostos.

— Boa noite, senhores — Travis disse. — Querem um pouco de lenha para aquecer esta noite fria?

Um dos homens ficou um pouco para trás. O outro deu um passo à frente.

— Pois é, cara. Quanto é?

— O pacote pequeno custa cinco dólares e o grande, dez. Te faço um desconto se estiver interessado em levar tudo.

— Me deixa pensar, cara. — Algo no homem parecia estranho. Ele tinha uma energia nervosa, agitada.

O homem que ficou para trás se juntou ao amigo.

— Vamos levar um grande — ele disse.

— Certo. — Travis revirou a caçamba da picape atrás de um bom pacote grande.

Quando se virou, o homem apontou uma arma para ele.

— Passa a grana, moleque. Rápido. Tudo que tiver.

O coração de Travis começou a bater mais rápido. Ele ergueu as mãos.

— Tá, tá, tá. De boa. De boa. Pode levar. — Ele entregou a carteira.

O homem pareceu ainda mais nervoso e agitado do que o primeiro que tinha falado com Travis.

— O que você tem na caminhonete?

Travis abriu a porta da cabine. Procurou a bolsa com fecho no chão, onde guardava a maioria dos seus lucros com lenha da noite. Estava embaixo do cajado. Ele ergueu o cajado para tirá-lo do caminho.

Ouviu um estampido ensurdecedor e, ao mesmo tempo, sentiu um golpe violento nas costelas. Tombou contra a porta.

— *Porra, cara! Por que você atirou nele?* — o outro homem gritou. — *Vamos, precisamos correr.*

O homem que atirou em Travis arrancou a bolsa da mão dele. Os dois correram até o Maxima, entraram e fugiram cantando pneu. Travis observou os faróis traseiros desaparecerem na subida. Seu cérebro lhe disse que ele devia decorar a placa, mas já era tarde.

Ele conseguiu continuar em pé, mas teve de se apoiar na porta da caminhonete. Não se sentia nada bem. Não conseguia sentir as pernas nem os braços. Seu rosto estava dormente. Seu coração batia rápido demais. Ele não conseguia respirar. Tinha um gosto acobreado na boca. Sentiu sede de repente. E frio. Começou a tremer incontrolavelmente.

Não achava que conseguiria dirigir e decidiu tentar pedir carona. Suas pernas cederam, então rastejou na direção da estrada, tateando no bolso da jaqueta atrás do celular. Deixou o aparelho cair na frente dele e ligou para a emergência.

— *Boa noite, qual é sua emergência?*

— Acho que levei um tiro.

— *Certo, onde o senhor está?*

— Estrada River. Minha mãe está aí?

— *Certo, estrada River. Pode me dizer exatamente onde está na estrada River?*

— Leste da ponte. Estou com sede. Minha mãe está aí?

— *Unidades estão a caminho do senhor agora, está bem? Preciso que continue comigo. Como você se chama?*

— Travis Bohannon. Minha mãe está aí?

— *Travis, continua comigo. Vamos tentar entrar em contato com a sua mãe. Preciso que continue falando comigo.*

— Preciso de água. Preciso de água. Não consigo respirar.

— *Continua falando comigo, Travis. Travis. Travis? Travis? Travis? Aguenta firme, Travis. Consegue falar comigo? Travis?*

Há aqueles que morrem de maneiras gloriosas. Nos campos verdes de batalha, como velhos guerreiros, cercados por amigos, lutando por suas casas, combatendo a crueldade.

Há aqueles que morrem caídos na terra de Forrestville, Tennessee, no escuro, inacreditavelmente jovens e sozinhos, sem motivo algum.

29
Dill

— Fico mal pelo Travis não ficar sabendo junto comigo — Dill disse.

— Você sabe onde ele está, aliás? — Lydia perguntou.

— Ele falou alguma coisa da estrada River.

— Bom, não tem muitos lugares onde ele possa estar. Toma. — Lydia passou o celular dela para Dill enquanto dirigia. — Manda uma mensagem pra ele. Descobre onde ele está.

Dill escreveu uma mensagem. Sem resposta. Tentou ligar. Nada.

— Ele me respondeu mais cedo. Vai ver está sem bateria — Lydia disse.

— Ele nunca fica sem bateria.

— Na era pré-Amelia, sim.

— Tem razão. Vamos dar uma volta na estrada River. Não estou com pressa de ir pra casa mesmo.

— Talvez a gente possa ajudar o Travis a vender lenha — Lydia disse. — Eu posso mostrar as pernas.

— É, mas aí as pessoas parariam pra comprar lenha e também dariam uma palestra sobre a objetificação das mulheres.

— E daí? — Ela entrou na estrada River e dirigiu por uma distância curta antes de virar numa curva e se deparar com uma muralha de luzes azuis piscantes. A polícia de Forrestville, o xerife do condado White. Ela diminuiu a velocidade. — Ah, nossa — ela murmurou. — Acho que teve um acidente.

Dill esticou o pescoço para ver.

— Tomara que não seja o Trav.

Eles se aproximaram. Um policial estava na estrada usando um colete refletor. Fez sinal para Lydia retornar. Houve o flash de uma câmera.

Eles conseguiram passar pela muralha de luzes piscantes.

— Dill... aquela é a caminhonete do Travis? — Lydia perguntou, um medo crescente na voz.

Dill estreitou os olhos para ver através do clarão. Ele não conseguia discernir a cor do carro com tantas luzes azuis. Outro flash de câmera. Vermelha. Ele sentiu um rompante de adrenalina e pavor incômodos.

— Puta merda. Ah, por favor, Deus, não. Não não não não não não não *não não não não não*. Lydia, para o carro.

Ela parou no meio da estrada. Eles saltaram para fora e correram até o policial que direcionava o tráfego. Ele não parecia muito mais velho que os dois.

— Moça, vou ter de pedir para tirar seu carro — ele disse.

A voz de Lydia estremeceu.

— Guarda, essa é a caminhonete do nosso amigo. Pode dizer o que aconteceu?

— No momento não, moça. Houve um incidente aqui. Não sei que informações a família já tem, então não tenho permissão para falar.

Lydia segurou as lágrimas, frenética e desconsolada.

— Por favor, senhor. Estou implorando.

— Moça, sinto muito. Não posso te dar mais nenhuma informação no momento. Desculpa.

Lydia começou a chorar.

— Por favor — Dill disse, também começando a perder o controle. — Por favor, só nos fala onde ele está.

O jovem policial parecia compadecido. Olhou de um lado para o outro. Seus colegas estavam montando as fitas de cena de crime. Um policial tirou uma foto de uma mancha de sangue na calçada.

O policial se aproximou.

— Hospital do Condado.

Eles nem ficaram tempo suficiente para agradecer o policial. Saíram em alta velocidade.

Fizeram o trajeto em um silêncio mortal. O motor gemia enquanto Lydia o forçava, correndo no dobro do limite de velocidade na maior parte do caminho.

Por favor, Deus. Por favor, Deus. Por favor, faça com que ele esteja bem.

Eles chegaram cantando pneu no hospital, estacionaram de qualquer jeito e entraram correndo.

Dill teve a impressão de tudo estar em câmera lenta enquanto olhava para a sala de emergência fortemente iluminada. Havia um estranho descompasso entre o que ele via e a maneira como sua mente processava tudo — ou melhor, não processava.

O pai de Travis sentado num canto, batendo os punhos na cabeça e chorando, dois policiais perto dele, com a aparência tensa.

A mãe de Travis caída no chão, soluçando, três enfermeiras acariciando as costas dela e tentando consolá-la.

Algo se soltou dentro de Dill. Algo que estava ancorado em meio ao tumulto estrondoso. Se soltou e se debateu nas ondas de um abandono desenfreado — ardente, devastador, devorador. Ele parou de ver as cores e tudo se transformou numa desolação cinza-chumbo rodopiante e barulhenta. Mas a dor ainda não havia chegado. Assim como a maré recuava antes de um tsunami, todo o corpo dele recuou. E então veio a dor.

Dill nunca havia manifestado o dom das línguas. O Espírito Santo nunca o havia movido dessa forma, assim como nunca havia lhe permitido segurar a serpente mortal. Mas, no chão do Hospital do Condado White, ele gritou numa língua estranha e angustiada de luto. Mal estava consciente de Lydia ajoelhada ao seu lado, segurando o braço dele como se fosse cair para fora da Terra caso soltasse, fazendo o mesmo.

A mãe dele o recebeu com um tom cortante quando ele finalmente entrou em casa.

— Onde você estava? — Mas, quando viu os olhos e o rosto dele, o tom dela assumiu uma preocupação contida. — Dillard? Qual é o problema?

Ele já odiava as palavras, e nem as tinha dito em voz alta para ninguém. Como se fossem um encantamento terrível que tornava aquilo mais real. Pareciam espinhos em sua língua.

— Travis morreu.

— Você não está falando do seu amigo Travis, está? Bohannon?

Ele se sentou e colocou a cabeça entre as mãos. Ficou olhando para a mesa da cozinha. Atônito.

— Sim.

A mãe de Dill exclamou e levou a mão à boca.

— Meu bom Jesus — ela sussurrou. — Coitada da Anne Marie. O que aconteceu?

Dill balançou a cabeça.

— Ele… foi salvo?

Dill esperava essa pergunta e ainda não havia pensado em como responder.

— Ele teve, sim, a salvação dele.

30

Lydia

— Tenho uma notícia — Lydia disse enquanto Dill subia na varanda da casa dela. — Vem, vamos sentar.

O balanço da varanda de Lydia rangeu enquanto eles balançavam devagar.

— Prenderam os caras — Lydia disse. — Meu pai ficou sabendo de um paciente que trabalha no departamento do xerife.

— É sério? — Dill perguntou.

— Sim.

— Mas faz só três dias.

— Pois é. Parece que faz mais tempo.

— Eu sei.

— Já sabem o que aconteceu? — Dill perguntou.

— Dois drogadinhos escrotos estavam numa festa em Cookeville. Queriam comprar mais metanfetamina, mas estavam sem dinheiro. Um deles tinha visto o Travis vendendo lenha quando foi visitar a avó mais cedo. Daí pensou: "Tenho uma ideia de onde arranjar uma grana fácil".

— Mas por que atiraram nele?

— Quando pegaram os caras, descobriram que eles mal se conheciam. Tinham se conhecido naquela noite. Nem sabiam o sobrenome um do outro. Por isso o que não atirou dedurou na hora o que tinha atirado. Falou que, quando estavam fugindo, o cara disse que atirou porque achou que Travis estava pegando um bastão ou um taco de beisebol.

— O cajado.

— Pois é — Lydia disse. — Mataram nosso amigo por causa de cento e vinte e três dólares. — Até dizer as palavras doía dentro dela. *Mataram nosso amigo*. A frase era uma pontada forte e aguda, ressoando através do ruído branco zumbindo em seu cérebro.

— Tomara que queimem no inferno. Pra sempre.

— Tomara. E tomara que queimem com um vaso de hera venenosa por dentro da pele. — Lydia sabia que conseguia sentir desprezo pelas pessoas que odiava, mas surpreendeu a si mesma com o quanto desejava mal aos assassinos de Travis.

Estava estranhamente quente para fevereiro. Havia cantos de pássaros que eles só costumavam ouvir no fim da primavera. Lydia usava um vestido preto simples. Dill usava um terno preto barato que tinha sido do pai. Ficava feio nele, mas não tão feio quanto ficaria se Lydia não tivesse feito alguns ajustes de última hora. Eles ficaram balançando por um tempo sem falar nada. Ficaram sentados com as pernas se encostando, como para lembrar um ao outro que estavam ali.

— Não tenho conseguido dormir — Dill disse. Não que ele precisasse dizer. Seu rosto demonstrava mais do que ele era capaz de revelar em palavras.

— Eu também não. Devo ter dormido umas dez horas no total nos últimos três dias. — Não que ela precisasse dizer também.

— Toda vez que começo a pegar no sono, eu lembro. E acordo com tudo.

— Nas poucas vezes em que consegui dormir, tem só uns dez segundos logo depois que acordo em que não me lembro. Daí eu lembro. Acho que devo ter passado uns quarenta segundos sem pensar nisso, no total.

— Não consigo me imaginar completamente bem de novo algum dia. Como me sentia antes.

— Eu também não. — Lydia suspirou e olhou o celular. — É melhor a gente ir.

— Não queria.

— Eu também não.

— Tipo, queria estar perto dele. Só não queria estar indo ao enterro do Travis.

— Sei como é.

Eles se levantaram e começaram a andar. O velório seria a menos de dois quarteirões. No caminho, Lydia ficou preocupada com o que seria de Dill. Assim que o torpor passou, foi isso o que ficou no lugar: preocupação. Culpa por deixar Dill para trás. Sozinho. Sem planos. Sem reforços. Sem direção. Perdido. À deriva.

Quando chegaram ao velório, ficaram um tempo do lado de fora, juntando forças para entrar.

— Vamos esperar até meus pais chegarem — Lydia disse.

Enquanto esperavam, uma garota baixinha de cabelo vermelho e vestido de veludo preto, que devia ter a idade deles, chegou sozinha. Ela estava chorando.

Dill cochichou para Lydia.

— Acho que aquela é a Amelia. Travis me mostrou uma foto dela numa noite quando estava ficando na minha casa.

— Travis estava ficando na sua casa?

— É. Acho que agora já posso contar. O pai dele bateu nele na noite em que ele conheceu o G. M. Pennington e botou o Travis pra fora de casa. Tentou rasgar o livro, mas Travis brigou com ele e conseguiu salvar. Ele não queria que você soubesse porque estava com medo de você denunciar o pai dele pra polícia.

O rosto de Lydia assumiu um ar sombrio.

— Ele tinha razão. Eu teria denunciado.

— A gente devia falar com ela, se for a Amelia. Travis era louco por ela.

Eles se aproximaram, constrangidos.

— Você é a Amelia? — Lydia perguntou.

Amelia pareceu surpresa ao ser reconhecida.

— Sim... Vocês são Lydia e Dill?

— Sim — Lydia disse. — É um prazer. Só ouvimos coisas boas de você. Como ficou sabendo?

— A polícia entrou em contato comigo. Fui uma das últimas pessoas com quem ele falou antes de morrer. — Amelia secou as lágrimas. — O engraçado é que o Travis falava tanto de vocês... E agora estou conhecendo vocês antes de conhecer o Travis. — Ela fez uma pausa. — Na verdade, não é nada engraçado. Mas vocês entenderam o que eu quis dizer.

— Claro — Lydia disse.

— A gente ficou de se encontrar e ler *Tempestade de morte* juntos. A gente também ia pro Festival da Renascença. Acho que a gente tinha um monte de planos.

— Eu e o Travis íamos procurar uma casa pra dividir depois que a gente se formasse.

— Eu ia comentar o primeiro conto do Travis — Lydia disse.

— Foi você que arranjou o encontro do Travis com o G. M. Pennington. Ele disse que aquela foi a melhor noite da vida dele. Me manda o conto que o Travis estava escrevendo? — Amelia pediu.

— Claro.

Eles ficaram em silêncio por um momento, enquanto pensavam em tudo que havia morrido junto com Travis.

Chegaram o dr. Blankenship e a sra. Blankenship, de preto. O dr. Blankenship, o rosto triste como nunca, deu um beijo na bochecha de Lydia e apertou a mão de Dill. Dill e Lydia apresentaram os pais dela para Amelia. O dr. Blankenship suspirou e olhou o relógio.

— Bom, acho que está na hora. Vamos?

Eles entraram. O lugar cheirava à madeira velha, lustra-móveis de limão, lírios e gardênias brancos. Hippie Joe estava lá. Ele e Travis não eram próximos, mas ele ia ao velório de todos os alunos. Dois dos professores de marcenaria de Travis vieram. Algumas pessoas que Dill reconhecia da igreja. Para a irritação de Lydia, havia um grupo de alunos da escola, nenhum dos quais nunca falou ou se importou muito com Travis quando ele estava vivo, mas viam, na morte, uma excelente oportunidade para drama e sofrimento.

O pai de Travis estava sentado com o rosto cinza e resignado na frente do salão. Ele olhou para trás, viu Lydia e Dill, e se voltou para a frente na mesma hora. *Ele sabe que nós sabemos.*

A mãe de Travis veio até Lydia, Dill e Amelia. Lydia não achava possível que alguém pudesse estar mais devastado pela morte de Travis do que ela e Dill, mas a mãe de Travis estava.

— Obrigada por terem vindo. — A voz dela embargou. — Vocês eram bons amigos pro meu Travis e ele ficaria feliz por terem vindo.

— A gente amava seu filho — Dill disse, lacrimejante.

— Sim, é verdade — Lydia disse.

— Minha mãe mandou pedir desculpas por não poder vir. Ela não conseguiu sair do trabalho — Dill disse.

Na frente do salão, estava um caixão simples de pinheiro. Dentro estava o que parecia uma escultura de cera de Travis, com um terno azul barato — plástico e falso, de alguma forma. Eles se aproximaram, com trepidação.

— Te amo, Travis — Dill sussurrou, lágrimas caindo na lapela de Travis.

— Dill — Lydia disse, lágrimas escorrendo no rosto. — Me dá cobertura aqui. Me abraça.

Enquanto Dill a abraçava, Lydia fingiu estar se apoiando no

caixão. Em seguida, pegou um embrulhinho pequeno e o enfiou dentro do bolso do paletó de Travis, onde ele formou uma leve protuberância.

Amelia foi na sequência. Passou um bom tempo olhando o rosto de Travis.

Antes que se sentassem, um arranjo de flores particularmente elaborado e bonito chamou a atenção de Lydia. Ela leu o cartão, que era de Gary M. Kozlowski:

> *Descansa, ó cavaleiro. Orgulhoso na vitória, orgulhoso na morte. Que teu nome seja para sempre uma luz àqueles que te amavam. Que flores brancas cresçam sobre este lugar em que repousas. Tua vida foi uma vida bem vivida, e agora jantas seu banquete eterno nos salões dos Anciões.*

31
Dill

Dill e Lydia ficaram parados diante da cova de Travis, fitando a terra marrom fresca que a cobria. O céu era de um azul insensível e incoerente.

— Ele está com a página autografada pelo G. M. Pennington e o colar de dragão — Lydia disse, sem erguer os olhos.

— Foi o que você colocou no bolso dele? Como conseguiu essas coisas?

— Falei com a mãe dele. Liberaram os pertences pessoais dele para ela e, no meio, estava o *Queda de sangue* autografado. Arranquei a página com o autógrafo e peguei o colar de dragão. O cajado não caberia, senão teria posto também. Mas estou com ele. Vou dar para você guardar depois. Não mereço ficar com ele porque sempre enchi demais o saco do Travis por causa daquele cajado.

— A gente vai pensar na melhor coisa pra fazer com ele. Como será que o Gary ficou sabendo, pra enviar aquele cartão e as flores?

— Eu liguei pra agente dele. Contei o que aconteceu e pedi pra ela comunicar ao sr. Kozlowski como foi importante pro Travis o que ele fez. Deve ter sido a melhor coisa que aconteceu na vida dele antes de morrer.

— Fico pensando se Travis viraria uma pessoa como ele algum

dia. Um escritor rico e famoso, encontrando tempo pra conhecer jovens que já foram como ele.

— Se Travis virasse rico e famoso, não tenho dúvida de que faria isso. Ele me deu um conto dele pra ler, no dia em que ele morreu.

— Você leu?

— Sim.

— Era...

Ela meio riu, meio chorou.

— Uma bosta.

Dill meio riu, meio chorou junto com ela.

— Mas ele teria melhorado, né? Ele estava planejando fazer um curso de escrita.

— É claro que teria melhorado. Foi a primeira tentativa. Se ele vivesse mais uns quarenta anos, como o Gary, teria ficado ótimo.

Eles se permitiram chorar por alguns minutos.

Lydia suspirou e secou os olhos.

— Ele era corajoso.

— Uma das pessoas mais corajosas que já conheci.

Eles ficaram ali por mais um momento.

— Vamos para algum lugar — Lydia disse. — Algum lugar que nos faça sentir vivos e juntos e felizes.

A Coluna absorveu o calor do sol da tarde. Dill passou os dedos sobre o que Travis havia escrito — parecia que tinha sido anos antes. *Deixamos tão pouco*. Eles se sentaram com as costas apoiadas na coluna. Dill afrouxou a gravata.

— Dava para aprender mais sobre Jesus do que sobre o Travis naquela eulogia — Lydia disse.

O pastor de Travis e Dill havia feito a eulogia, que falara muito sobre a luz e a vida e a ressurreição, e pouco sobre os detalhes da vida de Travis.

— Mas acho que, pra ser justo, ele não conhecia Travis muito bem. E o que dizer de alguém que só viveu dezessete anos? — Dill disse.

— Não tinha muito o que falar sobre todos os netos dele, né — Lydia disse.

— Travis adorava Bloodfall, o hambúrguer do Krystal e o cajado dele, mas nunca beijou uma garota.

— Travis nunca beijou uma garota?

— Você já ouviu Travis falar disso alguma vez? Quem ele teria beijado?

— É, faz sentido. Mas ele estava indo no caminho certo, pelo jeito.

— Não que desse para falar isso sobre mim no meu enterro — Dill disse. *Também nunca beijou uma garota. Nunca criou coragem para dizer à garota que queria beijar o que sentia por ela. Não gostava do Krystal. Ganhou um concurso de talentos na escola. Gravou alguns vídeos de suas músicas que até que foram bem recebidas por quem os viu na internet. Fez um trabalho louvável no Floyd's; quase sempre esfregava bem o chão e pretendia virar o gerente noturno. Tinha dois amigos próximos. Talvez tenha colocado o pai na prisão, ou pelo menos era o que a mãe dele achava. Era bem mais ou menos naquele negócio todo de fé. Fim da história.*

— Acho que a vida é mais do que a soma de suas partes — Lydia disse. — Não acho que seja justo medir uma vida por conquistas. Muito menos no caso do Trav.

Eles ficaram escutando o rio. Dill se perguntou se o rio existia antes de algum humano viver em suas margens. Se perguntou se teria o mesmo som naqueles tempos. Se perguntou como seria o som dele quando o último humano morresse. *Os rios não têm memória; nem a terra, nem o ar.*

— Onde será que ele está? — Lydia perguntou baixo.

Dill ponderou.

— Quero que ele esteja no céu. A verdade é que não tenho certeza. Espero que em algum lugar como este.

— Quando penso nisso, às vezes fico em pânico. Imagino se ele não está caindo pelo espaço agora. Caindo e caindo e caindo e nunca para. Todo esse buraco negro, mas ele está consciente. Disso. De si mesmo. Ele ainda tem todas as suas memórias.

— Desde que tenha a imaginação dele…

— Pois é. Também fico pensando se o céu não é aquilo que você mais quer que seja. Talvez os muçulmanos subam lá e Alá esteja esperando por eles. E eles ficam: "Viu? Sempre tive razão". Ou o Travis suba lá e tome hidromel numa cornucópia ou sei lá o quê.

— Tomara que seja verdade — Dill disse. — É difícil para mim acreditar que todas as memórias de Travis, tudo que ele amava, tudo que ele era, não existem mais em lugar nenhum. Por que Deus faria um universo dentro de alguém só pra destruir tudo depois?

— Você ainda acredita em Deus?

Ele ficou mexendo na manga da camisa antes de responder.

— Sim. Mas acho que talvez ele tenha ficado meio sobrecarregado depois de ter feito tudo isso. Como se não conseguisse dar conta de todas as coisas ruins que acontecem ou impedir essas coisas de acontecer. — Ele refletiu um momento sobre o que havia dito. — E você?

— Não sei. Eu quero acreditar. Às vezes acredito. Às vezes não.

Uma rajada de vento úmido bagunçou o cabelo deles.

— Você já pensou sobre quantas primaveras ainda temos? — Dill perguntou, tirando o cabelo da frente dos olhos. — Temos dezessete anos agora, então ainda temos umas sessenta e três primaveras, se tivermos sorte. Tipo isso?

— Não. Mas agora vou pensar.

— Acho que a resposta é que sempre temos mais uma, até não termos mais nenhuma. E nunca sabemos quando a resposta vai ser nenhuma.

Eles observaram um abutre fazer círculos preguiçosos ao longe, flutuando nas correntes de ar, planando.

— Nada para depois que a gente morre — Lydia disse. — As estações não param. Esse rio não para de correr. Os abutres vão continuar voando em círculos. A vida das pessoas não vai parar. O tempo continua passando. As histórias continuam sendo escritas.

— Lydia?

Ela virou, inclinando a cabeça, observando o rosto de Dill.

— Você está bem?

Ele baixou os olhos.

— Não sei. Estou em choque agora. Mas consigo sentir a escuridão chegando. Como quando uma tempestade está vindo. Consigo ouvir vozes nas trevas. — Ele fez uma pausa, juntando forças. — Preciso te contar uma coisa sobre mim.

Ele contou a ela a história do Rei das Serpentes. Ela claramente fez um grande esforço para se manter neutra, o que deixou Dill agradecido, mas o rosto dela revelava pavor.

E agora você sabe quem eu sou. Agora você viu o caminho que foi traçado para mim. Talvez a força do meu destino seja tão grande que Travis teve de morrer para concretizar meu destino. Fuja. Fuja de mim, como as pessoas fugiam do meu avô, o Rei das Serpentes.

Lydia continuou sentada, perplexa e sem palavras, alguns minutos depois que ele terminou.

— Só porque o luto acabou com o seu avô não significa que vai acabar com você — ela disse por fim. Dill notou um traço de incerteza na voz dela, por mais que ela tentasse disfarçar.

Ele colocou o rosto entre as mãos e chorou.

— Está no meu sangue. É como se cada uma das minhas células

tivesse veneno, e a química do luto do meu cérebro dissolvesse tudo que impede o veneno de fazer efeito. Então ele está começando a correr livre e a me envenenar. Como fez com meu vô e com meu pai.

Lydia pegou a mão de Dill e a puxou junto dela.

— Quero que você me escute. Eles se entregaram à escuridão deles. Você não precisa se entregar, e quero que me prometa que não vai.

— Não posso prometer isso.

— Me promete que, se um dia sentir que vai se entregar, vai conversar comigo. — Ela colocou a mão na bochecha dele, virou o rosto dele na direção dela, e olhou no fundo de seus olhos. — Dill, promete pra mim.

— Você vai embora. Não vai estar por perto.

Os olhos dela se encheram de lágrimas, que começaram a escorrer pelo rosto e pingar no concreto. Ela apontou e falou com mais firmeza.

— Dill, vou gastar toda a minha poupança e alugar um jatinho particular se for preciso. Vou literalmente te amarrar com fita adesiva e te sequestrar e te levar pra casa comigo. Agora, *promete pra mim*.

Dill fez uma respiração profunda e trêmula e desviou o olhar, mas não disse nada.

— Dill? — Ela estendeu a mão e voltou o rosto dele na direção do dela.

— Eu prometo — ele sussurrou finalmente. *Não sei se posso prometer o que acabei de prometer.*

— Promete o quê?

— Prometo que vou conversar com você se sentir que vou me entregar.

— Me promete que, antes de considerar se entregar, você não só vai conversar comigo, mas vai pelo menos experimentar alguma coisa completamente inesperada na sua vida, já que não tem nada a perder.

— O quê?

— Qualquer coisa. Ir pra faculdade. Entrar pro circo. Viver pelado numa tenda indígena. Tanto faz. Só nada envolvendo cobras ou veneno.

— Eu prometo.

Eles ficaram sentados em vigília como se fosse algum tipo de sacramento. Até o sol se pôr e a luz de inverno laranja-sangue do fim do dia projetar sombras compridas. Dill ficou olhando para Lydia pelo canto do olho. A brisa soprava o cabelo dela diante do rosto. O pôr do sol a cobria como uma coroa flamejante. Jovem e bela e luminosa e viva, mantendo as trevas sob controle, ao menos por esse breve momento.

32

Lydia

Quando ela chegou em casa, seu pai estava sentado no sofá, olhando um álbum de fotografias. Ele ainda estava com o terno e a gravata do enterro. Ela se sentou ao lado dele e encostou a cabeça no seu ombro. Ele colocou o braço em volta dela e beijou o topo da sua cabeça.

— Está olhando fotos de quando eu era bebê? — ela perguntou.

— Sim.

— Está fazendo isso desde que voltou do enterro?

— Parando um pouco de vez em quando. Como você está, meu amor?

— Estou com saudades dele.

— Aposto que sim. Quer conversar sobre isso?

— Não muito. Meu coração está doendo, papai. — Ela secou uma lágrima da bochecha antes que chegasse ao ombro do pai.

— O meu também. Estamos aqui se e quando você quiser conversar. — Ele puxou Lydia para perto dele e ela afundou o rosto em seu peito. — Criamos você aqui exatamente para você nunca ter de passar por algo como ver um de seus amigos se machucar. E aí isso acontece. Sou um idiota. Deveríamos ter nos mudado bem para o meio de Manhattan para criar você.

— Pai. Não tinha como você saber.

— Fizemos as concessões erradas. Fizemos as escolhas erradas. Nós tentamos. Você precisa saber disso. Tentamos criar você da melhor maneira possível. Me desculpa.

— Eu sei disso. Se não tivessem me criado aqui, eu nunca nem teria conhecido o Travis. Como você sempre disse.

— Não sei o que seria de mim se perdesse você. Isso acabaria comigo.

— Você não vai me perder.

— Quero que tome cuidado neste mundo. Você mora no meu coração.

— Vou tomar.

Depois de um bom tempo, Lydia se levantou para subir para o quarto.

Ela não tinha andado mais do que alguns metros quando seu pai a chamou.

— Lydia? — Ela deu meia-volta. — Se eu tivesse comprado toda a lenha do Travis naquele dia, ele ainda estaria vivo? — A voz dele parecia vazia e distante, como se estivesse fazendo a pergunta sob muita pressão de alguém que não queria saber a resposta.

— Você quer saber se matou o Travis?

— Sim.

— Não. Não acho que você tenha matado o Travis. Acho que quem matou o Travis foram os dois homens que mataram ele. E não acho que você deveria absolver nem um pouco os dois assumindo alguma responsabilidade.

Ele tentou sorrir, sem muito sucesso.

— Obrigado — ele disse em tom baixo. Ele voltou a olhar o álbum de fotografias, e Lydia subiu.

Ela estava esgotada. Deitou na cama e ficou olhando para o teto. O celular dela vibrou.

Ai, drama com Patrick. Estou tão cansada desses garotos do colégio, Dahlia escreveu.

Lydia sentiu uma verdadeira repulsa física pela banalidade dos problemas de Dahlia no grande esquema das coisas. Não que fosse culpa de Dahlia. Lydia percebeu que não tinha contado para ela. Não contar a ninguém sobre Travis foi apenas um reflexo.

Não posso falar agora. Perdi um amigo, ela enviou.

Meu Deus, ele morreu?

Sim.

MDDC, sinto muito, amiga. Vc tá bem?

Não sei.

O que aconteceu?

Bom, Dahlia, não que eu já tenha falado dele para você (ou para ninguém, na verdade), Lydia pensou, *mas eu tinha um amigo chamado Travis Bohannon que estava vendendo lenha para ganhar um dinheirinho extra para poder fazer um curso de escrita e comprar um computador novo para escrever romances de fantasia. E alguém o matou por cento e vinte e três dólares. Mas ele não se vestia bem, então eu tinha vergonha dele. E isso dói além da dor de tê-lo perdido*. Então Lydia sentiu um impulso.

Dá uma olhada no Dollywould logo mais, ela escreveu para Dahlia.

Ela foi até a escrivaninha e começou a digitar. Travou por um momento. Ela sabia que estava se arriscando na beira de um vulcão. Mas era para lá que ela precisava ir.

Esta é, ao mesmo tempo, uma eulogia e uma confissão. Mas, primeiro, a eulogia.

Eu tinha um amigo. Ele se chamava Travis Bohannon. Alguns dias atrás, enquanto ele vendia lenha, dois homens atiraram nele e o largaram para morrer, depois de roubar o dinheiro dele para comprar drogas.

Travis se sentia completamente à vontade em sua própria pele. Ele era quem ele era, e nunca tinha medo do que os outros diziam ou pensavam. Quando o mundo não era grande o bastante, ele o expandia com a força de sua imaginação. Ele foi uma das pessoas mais corajosas que já conheci. Uma das mais bondosas. Uma das mais generosas. Uma das mais leais. Talvez vocês não tenham acordado hoje com a sensação de que o mundo está pior, mas ele está.

Travis merece ser lembrado. Olhem o rosto dele. Saibam que ele viveu e que era uma pessoa linda. E que ele vai deixar saudades.

E agora, minha confissão. Eu sou uma fraude. Finjo ser tudo que o Travis era: à vontade em minha própria pele. Corajosa. O anonimato e o distanciamento da internet me permitem apresentar essa persona a vocês. Mas o motivo pelo qual vocês estão descobrindo só agora que eu tinha um amigo chamado Travis Bohannon é porque sou covarde. Travis não era "descolado", não no sentido convencional. Não usava roupas da moda, nem ouvia músicas boas. Adorava romances de fantasia. Usava um colar de dragão vagabundo e andava por aí com um cajado. Pensei que pegaria mal para o meu blog se soubessem dele. Pensei que me faria parecer menos descolada se soubessem que ele era meu amigo, então guardei segredo. Mas agora chega. Prefiro viver de maneira autêntica e assumir todas as possíveis consequências a viver uma mentira. Travis, por favor, me perdoe. Você merecia mais.

Ela cerrou os punhos e chorou. Quando acabou, olhou as fotos de Travis da viagem de compras a Nashville antes da volta às aulas. Achou uma foto dele com o olhar distante, apoiado no cajado.

Na época, Lydia tinha achado que ele parecia ridículo. Um garoto brincando de se fantasiar. Enquanto postava a foto, achou que ele parecia majestoso. Nobre. Como um rei.

Ela finalizou o post e fechou o computador. Não que estivesse com medo de uma reação negativa. Sabia que receberia uma onda de amor e apoio. As pessoas fariam fila para oferecer absolvição. E era da misericórdia que ela tinha mais medo. Ela não se sentia digna. Não suportaria ouvir que não havia feito nada de errado.

★

Tempestade de morte foi publicado três semanas depois da morte de Travis, recebendo críticas positivas quase universais. O *New York Times* disse:

> G. M. Pennington enfrentou uma tarefa colossal ao amarrar dezenas de linhas narrativas diferentes da série Bloodfall e levar tudo a uma conclusão satisfatória. Com sua obra de 1228 páginas, *Tempestade de morte*, ele teve êxito a ponto de satisfazer até seus leitores mais críticos e exigentes. Épico em competência, violência e imaginação, *Tempestade de morte* é um novo marco no gênero de fantasia e consolida para sempre a posição de G. M. Pennington como o Tolkien americano.

★

O dr. Blankenship havia contratado um terapeuta especialista em luto para vir à casa deles e conversar com Lydia e Dill. Depois de um dos encontros, Lydia e Dill andaram os poucos quarteirões até a livraria Riverbank. Estava quente, e o cheiro podre e repugnante de neve congelada e de uma tempestade iminente enchia o ar.

— Os encontros estão ajudando você? — Lydia perguntou. Dill parecia devastado e fantasmagórico. Sem dormir. Seus olhos estavam encovados no crânio. Ele parecia muito, muito mais velho do que era.

— Um pouco. Mais do que se não existissem, acho.

Eles andaram em silêncio por um tempo.

— Lydia?

— Oi?

— Você acha que sou o motivo por que Travis morreu? Tipo, meu nome é tão venenoso que acontecem coisas ruins a todo mundo que chega perto de mim?

— Não, Dill, não acho. Nem um pouco. Você acha?

— Às vezes.

— Então quero que pare de achar. Agora.

Eles passaram pelas árvores em flor que cobriam os gramados verdejantes atrás de cercas de ferro fundido. Açafrões, narcisos, amores-perfeitos e jacintos brotavam nos jardins. Vida zumbindo e murmurando por toda parte.

Lydia ajeitou uma mecha de cabelo atrás da orelha.

— Como estão... as trevas?

Na mesma hora, o estrépito distante de um trovão soou no ar.

— Você planejou isso — Dill disse, com um sorriso leve.

Mesmo aquilo animou o coração dela por um momento.

— Você superestima minhas capacidades, mas só um pouquinho. E não respondeu minha pergunta.

— Estão lá.

— Lembra da sua promessa?

— Lembro.

Eles chegaram à Riverbank e entraram, o sino da porta tocou. O sr. Burson não tirou os olhos do seu livro enquanto acariciava um gato.

— Bem-vindos, bem-vindos. Sintam-se em casa. Leiam o que quiserem. Não somos uma biblioteca, mas fiquem à vontade para puxar uma cadeira e ler como se fôssemos.

Então ele viu Lydia e Dill. Seu rosto se entristeceu.

— Ah. Ah, nossa — ele murmurou, baixando o livro. — Sinto… sinto muito. Fiquei devastado quando soube da morte do Travis. Ele era um garoto maravilhoso.

— Sim, era — Lydia disse.

— Como alguém pode fazer o que aqueles homens fizeram? Matar um garoto por dinheiro. — Ele ficou olhando para longe. Sua mandíbula tremia enquanto ele balançava a cabeça. — Somos uma espécie decadente, cuspindo no dom da salvação. A humanidade é um caso perdido.

— Viemos pegar a encomenda do Travis de *Tempestade de morte* — Dill disse.

— Sim, claro — o sr. Burson disse com a voz vazia e distante. Ele desceu do banquinho e foi andando até o estoque. Voltou um momento depois, trazendo o livro grosso. — Queria muito que ele tivesse podido ler. Não tenho mais ninguém com quem conversar sobre Bloodfall.

Lydia tirou a carteira da bolsa. O sr. Burson ergueu a mão.

— Vocês vão fazer o que estou pensando?

— Sim — Lydia disse.

— Então levem. Fica por minha conta. Odeio ter perdido o enterro dele. Estava numa viagem comprando livros em Johnson City.

— Obrigada — Lydia disse. — Mas o Travis adorava esta loja e gostaria de apoiá-la. Então, por favor, deixa o Travis mostrar seu apoio por sua loja uma última vez.

O sr. Burson ficou parado por um momento, contemplativo.

— Tudo bem, então — ele disse por fim.

Eles pagaram pelo livro e começaram a sair.

— Estou cansado de muitas coisas — o sr. Burson disse, tentando manter a compostura. Eles se viraram. — Estou cansado de ver jovens morrerem. Estou cansado de ver o mundo acabar com pessoas boas. Estou cansado de viver mais do que quem deveria viver mais do que eu. Fiz dos livros a minha vida porque eles me permitem escapar deste mundo de crueldade e selvageria. Eu precisava dizer isso em voz alta para alguém além dos meus gatos. Por favor, se cuidem, meus jovens amigos.

—Vamos nos cuidar — Lydia disse. *Tentar, pelo menos. Às vezes o mundo tem outros planos.* E eles saíram.

Do lado de fora, Dill ficou com uma expressão ainda mais pálida e doente do que o normal, sob o céu que escurecia. Algo nele parecia etéreo. Como se ele fosse desaparecer bem na frente dela. Definhando. Encolhendo. Erodindo. E ela via isso acontecer — de mãos atadas, sem poder fazer nada.

Eles andaram até o cemitério para deixar o livro de Travis. O vento quente da tempestade que chegava soprou flores brancas para a rua, onde elas ficaram lindas e caídas.

33
Dill

O terapeuta sugeriu que ele tentasse canalizar seu luto compondo músicas. Então ele tentou. Sentou no sofá com uma página quase em branco à frente. A música parecia enterrada dentro dele. Ele dedilhou distraidamente o mesmo acorde de novo e de novo. Bateu nas cordas, frustrado, como se pudesse arrancar uma música de dentro dele. Como se fosse possível desenterrá-la à força.

Uma das cordas estourou com um *bóink* agudo e forte. Ele não as tinha trocado desde o concurso de talentos. Ficou olhando para a corda rompida sem pensar em nada antes de jogar o violão de lado no sofá. Se recostou e olhou pela janela para o céu escuro do crepúsculo. Pensou em mandar mensagem para Lydia, mas até isso parecia muito trabalhoso. *Além do mais, acho que preciso me acostumar a não ter a Lydia por perto em noites assim.*

Em vez disso, Dill ficou sentado e tentou visualizar sua vida dali a um ano. Tentou se imaginar feliz ou esperançoso sobre qualquer coisa. Tentou se imaginar sentindo alguma cor que não fosse aquele cinza abafado. Fez isso por um tempo até decidir que o melhor era ir para a cama, onde ao menos tinha a chance de não sonhar com nada.

Enquanto se levantava, viu um carro estacionar na frente da casa dele. Era o Ford da mãe de Travis. Ele observou enquanto a sra.

Bohannon saía e andava a passos inseguros até a casa dele, apertando o casaco em volta do corpo, olhando de um lado para o outro.

Dill não conseguia se lembrar de nenhuma visita da sra. Bohannon. Isso era estranho.

Ele acendeu a luz da varanda e abriu a porta antes que ela pudesse bater. Ela ficou parada no batente, a boca um pouco entreaberta, como se Dill tivesse lhe roubado os últimos segundos de que precisava para pensar no que dizer.

— Dill.

— Oi, sra. Bohannon. Quer... quer entrar?

Ela abriu um sorriso constrangido. Pouco convincente. Parecia usar muita maquiagem — mais do que o normal —, e seus olhos estavam vermelhos.

— Posso? Sua mãe está aí?

Dill deu um passo para o lado e fez sinal para ela entrar.

— Ela ainda está no trabalho. Vai demorar uma meia hora pra chegar, mais ou menos. A senhora quer falar com ela?

A sra. Bohannon entrou e ajeitou o cabelo enquanto Dill fechava a porta atrás dela.

— Não... não, na verdade vim falar com você.

— Ah. Certo. Quer sentar? — Dill correu até o sofá e tirou o violão.

— Talvez só um pouquinho. Não posso ficar muito. — Ela sentou e respirou fundo. — Como você está, Dill?

— Eu... — Dill começou a dizer que estava bem. Mas não conseguiu. Havia algo nos olhos da sra. Bohannon que eram sinceros e feridos demais para mentir. — Não estou bem. Nada bem. Não estou bem faz... desde que o Travis...

Lágrimas encheram os olhos dela. Ela desviou o olhar enquanto piscava com força. Voltou a encarar Dill.

— Eu também não. Só precisava conversar com alguém que o

conhecia. E queria ver como você estava. E queria agradecer por ter sido um amigo tão bom pra ele. Sei que ele não tinha muitos amigos. Os jovens são cruéis com pessoas diferentes, e ele era diferente. Estou falando demais. Desculpa.

— Não precisa se desculpar. — A voz de Dill embargou.

A sra. Bohannon soltou um soluço involuntário e cobriu a boca.

— Fiz o melhor que pude para ser uma boa mãe para ele.

— Eu sei. Ele achava a senhora uma boa mãe.

Ela baixou a cabeça e cobriu os olhos com a mão enquanto se recompunha. Quando ergueu a cabeça, o rímel escorria em riscos pretos pelo seu rosto.

— Teve uma vez, quando o Travis tinha uns seis anos, mais ou menos, que a gente foi visitar minha irmã em Louisville. E a gente passou por um sapato caído na estrada. Travis disse: "Mamãe, será que aquele sapato não está solitário?". Ele ficou tão comovido com a cena que começou a chorar. Claro, Clint e Matt acharam a maior graça. Riram muito. Não de um jeito maldoso. Clint era mais gentil naquela época. Eles só não entendiam. Mas meu Travis era assim. Tenho tantas histórias desse tipo vivendo dentro de mim. — Ela tirou um lenço de papel e secou os olhos.

— Essa história é a cara do Travis.

— Sempre pensei que Matt era o forte e corajoso, e Travis, o doce e gentil. No fim, Travis era tanto doce e gentil como forte e corajoso. — Ela fez uma pausa. — Mas os dois se foram agora. Não sou mais a mãe de ninguém.

Dill e a sra. Bohannon se entreolharam em silêncio. Então se abraçaram pelo que pareceu uma hora enquanto os dois choravam mais um pouco.

A sra. Bohannon respirou fundo e secou os olhos. Olhou a hora.

— É melhor eu ir. Obrigada, Dill. Por hoje. E por tudo. Imagino que foi aqui que Travis ficou quando…

Dill assentiu.

— De nada. — Ele a levou até a porta.

A sra. Bohannon começou a andar em direção ao carro. Sob a luz da varanda, Dill notou que o carro estava desarrumadamente cheio de malas, roupas e pertences. E ele entendeu.

— Sra. Bohannon?

Ela virou, lágrimas escorrendo pelo rosto.

— Não vou mais te ver, vou? — ele perguntou.

Ela fez que não.

— Então tem uma coisa de que a senhora precisa. — Dill voltou para dentro, foi até o quarto e pegou o cajado de Travis.

A sra. Bohannon ainda estava secando as lágrimas quando ele saiu. Boa parte da maquiagem dela tinha se desmanchado a ponto de ele conseguir ver os hematomas.

Ele entregou o cajado de Travis para ela. Ela o ergueu e sorriu entre as lágrimas. Tentou agradecer, mas não conseguia falar. Tocou o rosto dele e depois pôs a mão no coração.

— Boa sorte, sra. Bohannon.

— Obrigada, Dill — ela sussurrou. — Boa sorte para você também. — Com delicadeza, ela pousou o cajado no banco de passageiro, entrou no carro e foi embora.

Dill não dormiu naquela noite, pensando em saídas e fugas da dor. Invejou a sra. Bohannon.

Na manhã seguinte, Dill não conseguia sair da cama. Não que tivesse tentado.

Ele ouviu a batida na porta, mas não encontrou energias para falar. Um momento depois, sua mãe abriu a porta.

— Dillard?

— Quê?

— Você ainda não levantou? Você tem aula.

— Não vou hoje.

— Está doente?

— Só não estou a fim de ir.

— Você deveria ir.

— Por quê? Por que você se importa? Você nem queria que eu fosse pra escola este ano. — Ele virou para o lado, ficando de costas para ela.

Ela se aproximou e se sentou na beira da cama.

— Não, não queria. Mas você insistiu. Você se comprometeu. Então quero que honre seu compromisso. Nós honramos os compromissos nesta casa. Não somos ricos, mas mantemos a palavra.

— Hoje não. Hoje é um dia ruim para honrar qualquer coisa.

A voz dela ficou suave como nunca.

— Isso é por causa do Travis?

Dill se virou para olhar para ela.

— Não, é por causa da minha vida. E Travis faz parte dessa história triste. As pessoas me abandonam. É o que elas fazem.

— Jesus não. Ele está sempre com você. Somos abençoados demais para ficarmos deprimidos.

Dill riu com sarcasmo.

— Ah, sim. Abençoada é a primeira palavra que me vem à mente quando penso na nossa vida.

— Eu sei. Temos provações. Não pense que nunca perguntei a Deus: "Por que eu?". Mas a resposta é sempre a mesma. Por que *não* eu? Por que minha vida deveria ser livre de dor e sofrimento quando Cristo sofreu tudo por nós?

— Que bom que isso funciona pra você.

— Estou preocupada com você, Dillard. Mais do que nunca. Nunca vi você assim antes, nem quando seu pai foi tirado de nós.

Dill não respondeu nada.

— Imagine como seriam as coisas para nós se eu simplesmente decidisse não sair da cama um dia — sua mãe disse.

— Eu entenderia. Talvez nenhum de nós dois tenha muitos motivos para sair da cama.

Sua mãe ficou em silêncio por um momento.

— Saio da cama todos os dias porque nunca sei onde vou encontrar uma das pequenas bênçãos de Deus. Talvez eu vá limpar um quarto e encontre uma nota de um dólar. Talvez esteja no posto de gasolina numa noite sem movimento e possa ficar sentada e ser paga para ver o pôr do sol. Ou talvez só não sofra tanto nesse dia. Cada dia é um milagre. Ver o espírito de Deus se movendo pela face de nossas vidas como moveu as águas nas trevas da criação.

— Deus me abandonou.

— Não abandonou, não. Eu juro.

— Hoje, sim.

— Quer orar comigo, Dillard?

— Não.

— Então vou orar por nós dois.

— Fique à vontade.

— Jesus conhece nossos sofrimentos. Sentiu o gosto deles. Bebeu do cálice amargo.

— Então ele sabe que não vou sair da cama hoje.

34

Lydia

Sentada no carro, Lydia tentou ligar para Dill de novo. Era a quinta tentativa sem sucesso. Ela balançou a cabeça e ficou olhando para a casa caindo aos pedaços de Dill, procurando algum sinal de vida lá dentro. Nada. O carro da mãe dele não estava mais lá. Mas a casa não parecia vazia. Ela olhou o relógio. A aula começaria em quinze minutos.

Cadê você, Dill? Duvido que tenha acordado cedo e de bom humor e ido a pé para a escola.

Ela suspirou, ligou o carro e mudou de marcha. Então parou de repente.

Talvez em outro momento. Talvez eu simplesmente iria embora sem olhar para trás. Veria como o Dill está no dia seguinte. Encheria o saco dele por me fazer vir à casa dele à toa. Mas estes não são tempos normais. Você estava distraída enquanto o pai de Travis arrancava os dentes da frente dele. Não vai deixar o Dill sangrar até a morte ou engasgar no próprio vômito aí dentro.

Com o coração a mil, ela saiu e andou rápido até a porta da frente de Dill. Bateu e tentou escutar algum sinal de vida lá dentro. Nada. Bateu de novo, mais alto. Nada ainda. Se virou e começou a voltar para o carro.

Não são tempos normais. Não são tempos normais.

Seu coração palpitava. Ela criou coragem e deu meia-volta. Observou ao redor as casas vizinhas, miseráveis e decadentes. Parecia improvável que seus habitantes ligariam muito se alguém entrasse sem ser convidado na residência Early.

Ela tentou girar a maçaneta frouxa e ruidosa. A porta se abriu. Uma rajada de ar cheirando a carpete mofado e pão velho atingiu suas narinas.

Esse é o cheiro do desespero. Ela nunca havia entrado na casa de Dill antes. Ele nunca a havia convidado. Pelo contrário, sempre se esforçava muito para garantir que ela nunca visse o lado de dentro. Era fácil entender o motivo. Era pior do que ela imaginava — não que ela tivesse muito apreço por imaginar como Dill vivia.

— Dill? — ela chamou. Sua voz foi abafada, amortecida pelo tamanho minúsculo da sala empoeirada e decadente de Dill. Ela entrou na ponta dos pés, sob a luz cinza, como se o piso pudesse cair sob seus pés. — Dill? — Ela olhou dentro de um quarto simples com uma cama perfeitamente arrumada, um bordado de um verso bíblico sobre a cama, uma Bíblia na mesa de cabeceira, e quase nada além disso.

Ela se virou para a porta fechada atrás dela, o piso rangendo. Ouviu um zumbido em suas orelhas. Seus órgãos ardiam de adrenalina. Ela sentia um medo ácido no fundo da garganta. Um pânico frio e crescente.

Estendeu a mão, hesitou, e bateu de leve.

— Dill? Ei, cara. Aula. Dill? — Silêncio. Ela tentou falar com descontração e coragem. — Ei, Dill, se estiver batendo uma, é melhor parar, porque estou entrando. E seria bem constrangedor pra nós dois. — Silêncio.

Por favor. Por favor. Por favor. Só esteja bem aí dentro. Por favor. Você não pode morrer neste lugar horrível.

Ela virou a maçaneta. A porta tombou na dobradiça quebrada e emperrou no carpete.

— Dill? — Lydia empurrou algumas vezes até entender que precisava erguer a porta pela maçaneta ao mesmo tempo que a empurrava.

Ela observou ao redor no escuro. Um pouco de luz entrava pelos cantos da cortina fechada, iluminando o vulto na cama. Dill estava imóvel e sem camisa, de costas para a porta. Lydia conseguia ver todos os ossos das costas dele. Ele parecia tão pequeno. O coração de Lydia bateu um pouco mais devagar quando o viu respirando.

— Dill? — Ela se aproximou lentamente, parando ao quase tropeçar numa das botas dele. Sentou em um canto da cama ao lado dele, estendeu o braço e tocou no seu ombro com cuidado. Ele estava quente. Era um bom sinal.

— Quê? — Dill disse. Sua voz era bruta e sem brilho.

— Eu estava preocupada com você. *Estou* preocupada com você. Você está bem?

Dill continuava olhando fixo para a parede do outro lado.

— Nunca estive melhor.

Lydia forçou uma risada.

— Pergunta idiota, né?

— É.

Lydia observou ao redor, com os olhos acostumados à escuridão. As poucas roupas de Dill — aquelas que ela havia ajudado a escolher — estavam caídas no chão ou penduradas de gavetas entreabertas da cômoda. Uma camada de bolinhas de papel amassado, talvez rasgadas de um dos cadernos de composição de Dill, cobria o piso. Seu violão estava encostado de qualquer jeito no canto, uma das cordas pendendo, quebrada.

Primeiro passo: fazer Dill sair deste quarto, porque ele está me fazendo querer me matar e só estou moderadamente deprimida.

Lydia encostou no braço dele de novo e o chacoalhou de leve.

— Ei. Ei. Vamos para algum lugar. Não precisa ser pra escola. Vamos matar aula e ir observar trens ou ir pra Coluna ou algo do tipo.

— Não.

— Vamos fazer uma viagem para algum lugar. Aonde você quer ir? Nashville? Atlanta? Vamos pra Memphis ver a casa do Elvis.

— Não.

— Tá, sugere alguma coisa.

— Ficar deitado aqui.

— Meio sem graça essa festa.

— É, talvez.

Isso não está levando a lugar nenhum. Lydia pousou a mão no ombro de Dill enquanto considerava sua próxima jogada.

— Eu vi a mãe do Travis ontem à noite — Dill disse.

— Como ela está?

— Não muito bem. Ela estava indo embora.

— Tipo… embora, *embora*?

— Sim.

— Mas não com o pai nojento do Travis.

— Não.

— Uau. Bom pra ela. Ela falou pra onde estava indo?

— Não. E não perguntei. Mandei o cajado do Travis com ela.

— Boa.

Outro momento demorado de silêncio enquanto a casa rangia e estalava ao redor deles.

— Também sinto saudades do Travis, Dill. Todos os dias.

— Não é só sobre o Travis.

— Eu sei.

Dill virou e olhou para Lydia.

— Fica — ele disse em voz baixa.

— Tá, mas acho mesmo que você vai se sentir melhor se sair da cama e me deixar levar você para algum lugar.

— Não foi isso que eu quis dizer. Eu quis dizer *fica*. Por favor.

Ela sentiu um nó na garganta ao entender.

— Dill, eu...

— Você vai dizer que não pode. Mas não é verdade. Você pode. Só não vai ficar.

Não isso. Não agora. Você prometeu. Quer dizer, não prometeu exatamente isso. Mas estava implícito na promessa. Ela o encarou nos olhos. Estavam vítreos e vazios.

— Não vou ficar. Não vou ficar porque não posso.

— Você pode fazer o que quiser. Pode ficar.

— Dill, por favor, não. Não é justo. Não vou ficar. *Você* deveria ir. Ir como eu. Como a mãe do Travis.

— Eu...

— É, eu sei. Não pode. Mas isso é bobagem. Você pode. Só não vai.

— Eu não posso. Não posso nem sair da cama.

— Vem comigo. Vem pra Nova York. Você pode dormir no meu sofá. A gente arranja um emprego pra você lá. Vou te encher de coisas da Bíblia e fazer você se sentir culpado pra você se sentir em casa.

— Não. — A resolução na voz dele era desoladora.

— Não vou desistir de você.

Dill deu as costas. Ela pegou o braço dele e tentou fazê-lo se virar de volta para ela.

— Dill...

Ele puxou o braço para se soltar da mão dela.

— Vai embora — ele sussurrou. — Quero ficar sozinho.

— Você não precisa ficar sozinho agora.

— Até parece. É melhor eu me acostumar. VAI. — Dill nunca tinha sido tão grosso com ela antes.

— Não. — Ela tentou não demonstrar o medo e a impotência que sentia.

— *Vai!* — ele gritou. — *Me deixa em paz!*

Ela se levantou, pegou o braço dele e o girou para ficar de frente para ela. Tentou fazer sua voz não vacilar, quase sem sucesso. Ela apontou para o peito nu dele.

— Certo. Quer saber? Você está sendo um bosta. Está sendo injusto, e isso é horrível. E se você pensa que vou deixar você chafurdar e não tentar fazer nada a respeito, você está completamente enganado. Então vou deixar você ficar se lamentando hoje, porque às vezes as pessoas precisam disso, mas acredite em mim: vou cobrar a promessa que você me fez. E vamos consertar aquela corda quebrada do seu violão. Entendeu?

— Beleza. Só vai embora.

— Sabe como você está se sentindo mal agora? Eu me sentiria cem milhões de vezes pior se alguma coisa acontecesse com você.

Dill não respondeu. Deu as costas para ela. Lydia ficou olhando para ele, buscando uma última coisa a dizer. Algo para resolver tudo. A piada perfeita. A réplica sagaz. A ironia inteligente. E, pela primeira vez, sua mente estava vazia.

Ela se virou e saiu. Parou um segundo na sala, abrindo e fechando as mãos. Respirando fundo, tentando não chorar.

Fechar a porta da casa de Dill atrás dela foi como rolar uma pedra sobre a entrada de uma tumba.

Ela ficou deitada na cama com uma exaustão total e pesada. A escola foi uma bosta. Tudo foi uma bosta. Ela estava prestes a colocar sua música favorita para se acalmar — um dos vídeos de Dill — quando se deu conta de que não era o melhor momento para isso.

Lydia sabia que Dill odiava mensagens de texto porque era muito ruim digitar no celular velho dele. Mas ela mandou mesmo assim, porque o som da voz cinza dele lhe dava dor de cabeça. ***Tive um dia horrível e preciso saber agora que pelo menos vc tá bem ou eu vou começar a gritar e quebrar coisas.***

Alguns segundos depois. **Tô bem, acho.**

35

Dill

Mas ele não estava bem. Apesar de tudo, as trevas invadiam. Dia a dia, o veneno se espalhava, sufocando-o.

Dormir não ajudava. Nunca o fazia se sentir descansado. Ele sonhava com serpentes. Via a si mesmo as segurando, deixando que se enrolassem em seus braços e em seu pescoço. Usando suas peles e crânios e presas; desgrenhado, barbudo e fedendo a decadência; um casco abandonado. Encontrando Lydia na rua, de férias da faculdade, onde a encarava com os olhos vazios, mas sem trocar uma palavra com ele.

Travis aparecia para ele nos sonhos, e os dois planejavam morar juntos em uma casa e ter escrivaninhas lado a lado e então ele acordava e, por alguns segundos, não sabia mais se tinha sido um sonho. Sonhava com Lydia decidindo ficar e não o abandonar, no fim das contas. E quando acordava estava um dia mais perto de perder a única coisa que ainda tinha.

Lydia o encarava com um olhar de quem sabia que ele estava escapando e desaparecendo diante dela, como névoa sob o sol da manhã. E não havia nada que ela pudesse fazer a respeito. Por isso Dill passava muito tempo sozinho. Não retornava as ligações de Lydia. Ficar perto dela — sabendo que os segundos para a sua partida também estavam escapulindo — tornava as coisas piores. Quando ficavam juntos, ela o levava para observar trens, mas ele não conseguia suportar a vida e a energia daquelas máquinas. Não tinha espaço para isso.

Sua mãe tentou tocar o coração dele através da Bíblia, o lembrando dos sofrimentos de Cristo. Não funcionou. E ela não tinha tempo para fazer mais, de qualquer modo.

Tudo parecia abafado e sem cor. Todos os sons chegavam a seus ouvidos através de uma grossa coberta de lã. Ele não tinha mais música dentro dele. Nas raras ocasiões em que se sentava para compor, acabava diante de uma página em branco. Seus dedos não conseguiam formar acordes nas cordas do violão. Sua voz o abandonou. Lydia mostrava as curtidas e visualizações de seus vídeos, que só aumentavam, na tentativa de se aproximar, mas nunca dava certo.

A comida não tinha sabor. O único gosto que sentia em sua boca era o desespero onipresente e devorador, como fuligem. Ele parou de frequentar as sessões com o terapeuta de luto.

Passava pelos dias como um fantasma. O ato de viver parecia errado e duro e incômodo. Unhas raspando uma lousa. Uma máquina funcionando sem óleo. Engrenagens rangendo e rilhando uma na outra, dentes se partindo, se desintegrando. Queimando. Se esgotando.

Dill se levantava e ia à escola com Lydia, as caronas quase todas silenciosas, nas quais ela tentava fazê-lo falar. Ele contava os minutos até o fim da aula, sem conseguir ter foco ou se concentrar. Ia ao trabalho e cumpria suas tarefas numa névoa sonolenta. Depois voltava para casa e ia dormir o quanto antes, para não ter de interagir com a mãe. Ela também sabia que o estava perdendo. Ele podia ver isso no rosto dela, e essa era apenas mais uma dor. Sabia que ela estava orando por ele, e ele não queria se tornar mais um pedido não atendido.

E, acima de tudo, havia o peso esmagador do destino. A convicção cada vez maior de que ele estava vivendo algum plano antigo e preordenado, gravado em seu sangue, incutido na arquitetura de seu nome. Algo terrível e inevitável.

Um dia, no fim de março, ele acordou e se perguntou se algum dia voltaria a ser feliz. Era um dia ensolarado, pelo menos. O mundo estava verde, em contraste com sua desolação interna.

Ele foi ao parque Bertram para ver um trem. Teve de esperar um bom tempo. Depois andou sozinho até a Coluna e subiu. Estava usando suas roupas favoritas. Roupas que Lydia havia escolhido para ele.

Ele se sentou com as costas apoiadas na lista escrita à mão de coisas que ele costumava amar. Fechou os olhos e sentiu o sol em seu rosto enquanto observava os desenhos da luz por trás das pálpebras e pensava se tinha alguma coisa a perder — se tinha algum motivo para ficar. Não.

Lydia sentiria falta dele como ele sentiria a dela? Provavelmente não. Ela ao menos o perdoaria por quebrar sua promessa? Tomara que sim.

Ele se perguntou se voltaria a ver Travis novamente. Tomara que sim.

Se perguntou se seus pais sentiriam falta dele. Talvez do salário, mas dele em si, provavelmente, não.

Se perguntou se as coisas poderiam ter sido diferentes se ele tivesse mais fé, um nome diferente ou se tivesse nascido sob outras circunstâncias. Não tinha como saber.

Se perguntou por que parecia que Deus o havia abandonado. Não havia resposta. Deus prestaria atenção suficiente para se sentir ofendido pelo que ele estava pensando em fazer? Ele não ligava.

Ele olhou para o rio e se lembrou do dia de seu batismo, também ali.

★

Ele tem oito anos e veste uma camisa social branca e uma calça social preta, ambas grandes demais para ele. Seu pai lhe falou que ele está seguindo os passos de Jesus, que foi batizado no rio Jordão por João Batista. E Dill está feliz por seguir Jesus, mas ainda mais por agradar seu pai.

Seu pai diz a ele que o batismo simboliza uma morte, um funeral e um renascimento como discípulo de Cristo. Que vai lavar seus pecados. E isso parece muito bom para Dill, embora uma parte dele saiba que não teve muito tempo para pecar.

Os congregantes fazem fila na margem do rio e cantam hinos cristãos, enquanto Dill entra tremendo na água suja, afundando enquanto tenta chegar até o pai, que o espera sorridente. A correnteza vai serpenteando ao redor de suas panturrilhas, joelhos e coxas, até a cintura. O rio parece vivo, como uma cobra.

Seu pai pega sua mão e o segura, enquanto o imerge completamente na água e logo o puxa de volta para cima, gotejando. Dill seca a água do rosto e o som de aplausos que vêm da margem vai se tornando mais intenso, conforme a água escorre de seus ouvidos. Seu pai o abraça. Dill volta pelo rio com dificuldade, cantando um louvor sobre a amizade de Cristo, com a voz alta e clara.

Ele se sente purificado. Como se a correnteza tivesse levado embora todos os seus fardos e preocupações.

★

E, olhando para baixo, ele sentiu falta daquela sensação. Se perguntou se a água turva que passava poderia levar embora seus fardos outra vez. Então, se lembrou da outra vez em que tinha se sentido tão livre e puro. No palco do concurso de talentos, olhando nos olhos de Lydia.

Ele esperou o tom azul-escuro do céu enquanto o sol se punha, até a primeira estrela da noite aparecer.

Então se levantou, juntou coragem e decidiu pôr fim a essa vida e se arriscar na próxima.

36
Lydia

A batida na porta foi ficando mais insistente.

— Espera aí! — Lydia gritou. — Só um segundo.

Batida.

— Caramba, calma aí — ela gritou.

Ela foi até a porta e a abriu, e seu coração se acelerou.

— Está tudo bem? — ela perguntou.

Dill estava no batente. Lágrimas escorriam em seu rosto.

— Estou aqui porque te fiz uma promessa. Preciso sair daqui e ir pra faculdade, senão vou morrer. E não consigo fazer isso sem sua ajuda.

Ela se jogou em cima dele e o abraçou com mais força do que nunca. Quase quebrou os óculos no queixo dele. Suas lágrimas de alegria caíram no pescoço dele.

— Filha? Está tudo bem? — o dr. Blankenship perguntou, vindo à porta. — Dill?

Lydia soltou Dill do abraço e expirou rápido, se abanando com a mão enquanto se recompunha.

— Sim, está tudo ótimo. Pai, acho que vamos virar a noite. Dill vai pra faculdade e, como essa decisão foi feita um pouco em cima da hora, a gente está com pressa.

—Vocês vão precisar de café. Do melhor. E em grande quantidade — o dr. Blankenship disse, virando pra cozinha.

— E pizza da Garden. Com bacon e queijo cremoso apimentado. O mais rápido possível!

— Você odeia pizza da Garden.

— Eu não *adoro* pizza da Garden. É diferente.

— E a mãe de Dill? Ela não deve gostar que ele vire a noite na casa de uma garota — o dr. Blankenship disse.

— Verdade — Dill disse.

— E não podemos mencionar a universidade pra ela — Lydia disse. — Precisamos de uma boa mentira.

— Tenho a obrigação de lembrar que não aprovo mentir pros pais — o dr. Blankenship disse.

— Tenho a obrigação de lembrar que ninguém liga pra isso e vamos mandar bala na pizza da Garden — Lydia disse.

— Bom argumento.

— Certo. Mentiras — Lydia disse. — Você não está se sentindo bem e vai dormir no sofá daqui de casa?

— Nem perto — Dill disse. — Precisamos de uma Bíblia inteira... estou lendo o Novo Testamento em voz alta e sendo testemunha de Cristo pra toda a sua família, e está todo mundo arrebatado pelo Espírito, então vocês estão pedindo mais e mais.

— Nessa ela vai acreditar? — Lydia perguntou, impressionada.

— Querer acreditar em algo tem poder. — Dill sorriu. Um sorriso sincero. O primeiro que Lydia via no rosto dele em semanas. Desde tudo. Eles mandaram a notícia para a mãe de Dill. Ela ficou contente. Além da parte de Jesus, ela devia estar contente por acreditar que Dill estava animado com alguma coisa novamente.

Eles se sentaram no quarto de Lydia. Aqueceram a impressora com fichas de inscrição para a faculdade, empréstimos estudantis e auxílios financeiros. Dill, feliz e infelizmente, sabia todas as informações financeiras relevantes da família, até o número dos documentos da mãe.

— Pai? — Lydia chamou em certo ponto.

— Sim, amor?

— Começa a escrever uma carta de recomendação pro Dill.

— Pode deixar.

Eles trabalharam a noite inteira. Logo decidiram que Dill se candidataria à Universidade Estadual Middle Tennessee, à Universidade do Tennessee, em Knoxville, e à Universidade do Tennessee, em Chattanooga. A Estadual Middle Tennessee era a primeira opção de Dill, por causa da grade de gravação de música e porque Lydia tinha a impressão de que Dill poderia se dar melhor lá. Ela pesquisou e descobriu que setenta por cento do corpo estudantil da UEMT era a primeira geração da família a entrar na universidade.

Pela manhã, Dill já estava pronto para se candidatar para a faculdade, com redação para os exames de admissão e documentos de auxílio financeiro e tudo. Ele e Lydia se deitaram na cama, lado a lado, olhando para o teto, exaustos, em silêncio. Como maratonistas que tinham acabado de cruzar a linha de chegada.

— Dill? — Uma pausa longa. — Posso te perguntar uma coisa?

Outro silêncio prolongado.

— Pode.

— Você chegou muito perto?

Ele inspirou fundo e segurou o ar antes de soltar.

— Muito, muito perto.

— O que te impediu?

— Minha promessa. E lembrar do concurso de talentos.

Ela se virou para ele e pousou a mão na bochecha dele.

— Obrigada por cumprir sua promessa. Um mundo sem você destruiria meu coração.

Ele coloca a mão sobre a dela e a mantém ali por um tempo. Então começa a acariciar a mão dela devagar, entrelaçando os dedos nos dela.

37
Dill

Ele teve a impressão de conseguir ouvir o coração dela. Ou talvez fosse o dele, batendo em seus ouvidos. *Você ainda tem medo? A essa altura? Mesmo enquanto escuta seu coração bater à beira da morte?* Sua mão se movia, insistente, sobre a dela. Ela não tirou a mão do rosto dele. Ele deslizou os dedos lentamente entre os dedos longos e delicados dela. Como sempre quis fazer. Seu coração bateu ainda mais alto em seus ouvidos.

38
Lydia

Todo o corpo dela parecia quente e líquido e vermelho enquanto os dedos de Dill, calejados pelo violão, acariciavam os dedos dela. Ela abriu mais a mão para deixar que ele entrelaçasse os dedos dele. *Seja lá o que for isso, eu gosto. Por mais imprudente, por mais insensato que seja, não me importo. Prefiro perdê-lo assim do que de qualquer outra forma.* Era a tradução mais coerente dos seus pensamentos incoerentes. O delírio desvairado que ela sentia poderia ter sido pela combinação de falta de sono com café demais. Mas ela achou que não. Ela já tinha ficado sem dormir e com excesso de cafeína antes, e isso não a tinha feito desejar que as mãos do seu melhor amigo fizessem com todo o corpo dela o que estavam fazendo com a mão dela agora.

39

Dill

Seus dedos se entrelaçaram e suas mãos se uniram. *E você achando que simplesmente decidir continuar vivo era a coisa mais corajosa que faria nesta semana.* Ele foi até o cofre secreto onde guardava sua sensação do concurso de talentos. Ele o abriu pela segunda vez em vinte e quatro horas. Torceu para que o sentimento o amparasse mais uma vez.

Com um movimento rápido, Dill se virou de lado e se apoiou no cotovelo esquerdo, seu rosto a uns trinta centímetros do rosto de Lydia. Eles se encararam nos olhos. Ele conseguiu ouvi-la inspirar e segurar a respiração. Por um segundo, Dill teve medo que ela começasse a rir. Mas não. Em vez disso, ela entreabriu os lábios como se fosse dizer algo. Mas não. Ele pensava que nunca poderia se sentir tão vivo quanto depois de fazer algo incrivelmente corajoso. Na verdade, também se sentia muito vivo um momento antes.

Dill descobriu que havia outra coisa que era tão natural para ele quanto fazer música.

40
Lydia

Os lábios de Dillard Early estavam nos dela, e esse era seu primeiro beijo, assim como o dele. Mas eles entraram no clima rápido e, depois de um momento de hesitação, os beijos começaram de verdade. Rosto. Pescoço. Dedos. Havia uma ânsia e uma sede que iam além do sexo. Mais primitivo e vital. O peso de anos de desejo.

É uma má ideia correr esse tipo de risco com seu melhor amigo dois meses e meio antes de se mudar para Nova York. É uma bela maneira de partir o coração dos dois. É uma ótima maneira de se distrair da sua nova vida. É.

É.

É.

É.

— Lydia? — a sra. Blankenship chamou, subindo a escada.

Dill pulou para longe de Lydia como se ela fosse radioativa. Eles ficaram deitados um ao lado do outro, olhando para o teto, tentando recuperar o fôlego e segurando o riso.

A sra. Blankenship apareceu no batente, uma caneca de café na mão, vestida para o trabalho.

— Bom, vocês tiveram uma noite e tanto, não?

— E manhã — Lydia disse. Ela conseguia sentir Dill tremendo

ao lado dela, se esforçando desesperadamente para não rir. *Não ri, Dill. Não ri. Se controla.*

Dill soltou um suspiro involuntário do fundo da garganta. Tentou fingir que era uma tosse. Então já era. Rios de gargalhada. Inundações. Lydia se virou para Dill e enfiou o rosto no braço dele.

A sra. Blankenship os observou com uma expressão desconfiada.

— Certo... Acho que perdi alguma coisa.

— Nada, mãe — Lydia disse, tentando se recompor, a voz abafada na manga de Dill. — A gente só estava rindo de uma piada.

A sra. Blankenship arqueou as sobrancelhas e se recostou no batente.

— Eu gosto de piadas. Me conta.

— Conta pra ela, Lydia — Dill disse, virando Lydia para a mãe.

Lydia deu um tapa no peito de Dill com o dorso da mão e secou as lágrimas. Ela limpou a garganta.

— Certo, certo. Então. É... Toc toc. — Ela e Dill se descontrolaram de novo, rindo baixo.

— Quem é? — A sra. Blankenship tomou um gole do café.

— Dem.

— Que dem?

— Demorou, esqueci a piada. — Lydia mal conseguiu terminar. Ela e Dill estavam histéricos. Lágrimas escorriam do rosto deles e pingavam no lençol. Lydia começou a soluçar.

— Hummm — disse a sra. Blankenship. — Muito, muito engraçado, Lydia. Mas quer saber de uma coisa? Acho que vocês dois precisam dormir um pouco.

— É — Lydia disse. — Está difícil pensar direito agora.

— Certo. Tenha um bom dia, amor. Você também, Dill. E parabéns pela faculdade. Você tomou uma ótima decisão. Estou feliz por você.

— Obrigado. Andei tomando decisões muito boas ultimamente.

A sra. Blankenship sorriu e saiu andando.

— Vão dormir. É sério — ela falou por sobre o ombro.

Lydia esperou até não ouvir mais os passos da mãe e se virou para Dill.

— A gente acabou de ficar na minha cama.

— Pois é.

— Uma ficada de verdade. Tipo, uma ficada orgânica, criada em liberdade e alimentada no pasto.

— Uma ficada tipo A.

— Acho que estou falando besteira.

— Não.

— Mas eu não *não* estou falando besteira. — Lydia se aconchegou junto a Dill.

Ele colocou o braço em volta dela.

— Não. Ou sim. Sei lá. Que seja, eu não ligo. Estou cansado demais para entender dois nãos numa frase.

— Era para você estar sendo testemunha de Cristo pra mim — Lydia murmurou.

— Pois é.

— Acho que tem uma piada bem politicamente incorreta aí em algum lugar.

— Você vai achar. Confio em você.

Lydia se virou, apoiou os cotovelos no peito de Dill e encostou o queixo nos braços cruzados.

— Então, você sabe que, de agora em diante, "ser testemunha de Cristo" vai ser nosso eufemismo pra beijar, certo? — *De agora em diante???*

— Sim.

— Só queria deixar isso claro.

— Está bom.

— Então vamos rever as últimas vinte e quatro horas. Um, você não se matou. Dois, você se inscreveu na faculdade. Três, a gente se beijou. São três coisas, tipo, muito boas.

— A única coisa que tornaria isso melhor seria se eu virasse um músico famoso.

— Eu não te contei que todos os seus vídeos já passaram de cem mil visualizações cada?

— Está falando sério?

— Super.

— Uau.

— Pois é. Você tem tudo, Dillard Early.

— Exceto uma TV e um pai que não esteja na cadeia.

— Bom argumento. Então, o que vamos fazer agora? O que vai ser daqui pra frente?

— Não sei. Não pensei tão a longo prazo. — Dill estendeu a mão e acariciou a bochecha dela.

— A gente deveria se beijar, será?

— Provavelmente. Sim.

Então eles se beijaram.

— Isso complica as coisas — Lydia disse depois que terminaram.

— Nossas vidas já eram bem complicadas.

— É, mas isso complica ainda mais nossas vidas já complicadas.

— Pois é. Eu sei.

41
Dill

Havia regras, explícitas e implícitas. A maioria criada por Lydia.

Explícitas: eles guardariam segredo. Não precisavam da perseguição da mãe de Dill ou dos colegas de escola. Além do mais, isso ajudava Lydia a promover a música de Dearly no blog — de maneira que não parecesse estar fazendo propaganda do namorado. Intimamente ligada a isso estava uma regra rígida contra demonstrações públicas de afeto. E se referir um ao outro como namorados.

Implícitas: não se entregar completamente. Eles ainda seguiriam caminhos separados em poucos meses. Eles não esqueceram desse detalhe.

Dill começou sua longa e lenta trajetória para fora do abismo. Tinha dias bons e ruins. Pediu demissão do trabalho no Floyd's e o dr. Blankenship o contratou para trabalhar vinte horas semanais preenchendo arquivos e limpando o consultório dele. Ele começou a ganhar mais (o que acalmou a mãe dele) e, melhor ainda, todos os funcionários do dr. Blankenship, inclusive os que trabalhavam por meio período, estavam no plano de saúde da empresa. Dill finalmente tinha um plano de saúde e pôde se consultar com um terapeuta e começar a tomar um antidepressivo. Essas coisas ajudaram bastante. Sua música começou a voltar, aos pouquinhos. Os dias bons começaram a superar os ruins.

Então, num dia quente no fim de abril, Dill voltou da escola para casa e encontrou uma carta de aprovação da UEMT. Ele ligou para Lydia, que deu meia-volta com o carro na mesma hora e insistiu para que fizessem uma viagem ao campus da UEMT no mesmo instante, para que Dill pudesse ver onde estudaria.

Lydia montou uma playlist para o trajeto.

— Então, quando você vai contar pra sua mãe que vai pra faculdade?

— Quando as aulas na UEMT começarem? Um dia antes?

— Acho melhor contar antes, já que, sabe como é, ela é sua mãe.

— Veremos.

Dill cantou junto com a música enquanto cruzavam os limites da cidade de Murfreesboro, sua rua comercial e restaurantes. Parecia enorme para ele. Os dois abriram as janelas e deixaram o vento com cheiro de sol bater em seus rostos. O coração dele palpitava com a riqueza do potencial.

Lydia estacionou perto da UEMT. O coração de Dill bateu mais forte enquanto andavam os poucos quarteirões até o campus. A biblioteca de tijolo e vidro de quatro andares despontou. Ele a observou, admirado. Tinha visto prédios maiores, mas nenhum deles tinha alguma relação com a sua vida.

Lydia se virou para ele.

— Só esse já seria o maior prédio em Forrestville, de longe. Está ficando animado?

— Sim. Mal dá pra acreditar em quanta gente tem aqui.

O campus estava movimentado. Havia jovens por toda parte. Eles passaram por três pessoas sentadas num banco, conversando em uma língua que parecia árabe. Uma garota de cabelo roxo conversando com um garoto cheio de piercings no rosto. Estudantes andando de skate e bicicleta. Grupinhos de pessoas completamente diferentes participavam de conversas animadas. Claro, havia gente de sobra que provavelmente teria atormentado Dill e Lydia na escola, mas essas pessoas não pareciam pertencer a nenhum status especial.

Eles passaram por duas garotas tatuadas — uma de cabelo raspado — andando de mãos dadas.

— Há bons indícios de que a faculdade vai ser bem diferente da escola — Lydia disse.

— Nada me faria mais feliz que isso. — Ele estava tentando parecer tranquilo e não ficar encarando, mas...

— Você precisava ver a sua cara agora! Você parece uma criança na Disney.

— Nunca estive em uma universidade antes.

— Sério?

— Sério. É incrível.

Lydia parou de andar e deu um tapa na própria testa.

— Você está me dizendo que eu poderia ter te convencido muito antes se só tivesse te arrastado para cá?

Dill entreabriu um sorriso.

— Talvez.

Lydia revirou os olhos.

— Vem.

— Aonde?

Ela o puxou pelo punho.

— Livraria universitária. Você precisa de um moletom da UEMT como presente de "entrei na faculdade e vou escapar da pequenez opressiva da cidade onde cresci".

Depois de comprarem o moletom, passaram por um quadro de avisos com anúncios de várias atividades.

— Ei, Dill, olha só. — Lydia apontou para um folheto de uma noite de microfone aberto no centro estudantil. — Acho que não vai demorar para você fazer amigos por aqui.

Dill apontou.

— Tem um anúncio de uma banda precisando de um guitarrista.

Lydia tirou uma foto de Dill na frente do quadro de avisos.

— Quando vier para cá, não perca tempo. Aproveite. Comece a fazer coisas e conhecer gente.

— Só de pensar nisso já fico nervoso.

— Lembra do concurso de talentos? Você tocou na frente dos imbecis do colégio Forrestville. E finalmente deu em cima de mim. Nada mais deveria te deixar nervoso.

— Faz sentido.

Eles se viraram para ir embora.

— Eu sei o que você está pensando — Lydia disse. — Você vai ser quem quiser ser aqui. Vai começar do zero. Sem bagagem.

— Mas quem procurar meu nome no Google vai encontrar um monte de coisas sobre meu pai.

— E daí? Pessoas legais vão entender que você não é o seu pai. Você não vai mais viver numa cidadezinha de merda, onde as pessoas tentam se sentir melhor fazendo as outras se sentirem piores.

— Você acha?

— É claro que sim! Não me entenda mal, sempre vai ter gente idiota que pensa que os pecados do seu pai são seus também. Mas no geral? Ficha limpa.

Eles saíram da biblioteca e se sentaram numa mureta de tijolos, onde Lydia tirou uma selfie dos dois.

— Sabe, você pode até encontrar alguém que ache isso romântico... Você pode mandar um: "É, gata. Tive uma infância difícil. Meu pai está na cadeia" — Lydia disse com uma voz grossa. Dill deu risada.

Ela olhou o celular.

— Certo... Por aqui. — Ela apontou. — Vamos ver onde ficam os nerds da música, como você será no futuro.

Eles caminharam uma curta distância até o prédio de comunicação. Era escuro e frio por dentro. Placas, prêmios e fotos cobriam as paredes. A simples quantidade de informação visual cintilante deixou Dill deslumbrado. Por toda parte, havia grupos de pessoas que provavelmente não eram populares no ensino médio. *Meu tipo de gente.*

— Esse lugar parece muito divertido, Dill. Estou até com um pouco de inveja.

Ele deu um aperto rápido na mão dela, danem-se as regras.

— Você ainda vai chegar lá. — *Vale a tentativa.*

— Não deixa isso subir à cabeça.

Eles exploraram o prédio até ficarem com fome. Enquanto saíam na direção do centro estudantil para pegar alguma coisa para comer, passaram por uma garota bonita de óculos escuros e com o cabelo loiro desgrenhado, piercing no nariz e um braço coberto de tatuagens. Ela estava sentada de pernas cruzadas numa mureta de tijolos, seus chinelos estavam no chão na frente dela. Ela ergueu os olhos do celular e fez um contato visual rápido com Dill. Ela sorriu, baixou os olhos e mexeu no cabelo. Dill sorriu de volta. Lydia viu a troca de olhares. Podia ser imaginação dele, mas ele pôde jurar que Lydia lançou um olhar sutil de "cai fora" para a garota. *Isso é novo. Nunca vi isso antes.*

Então a garota voltou a erguer os olhos.

— Ei, licença. Sem querer me intrometer, mas acho que conheço você.

— Ah, sim, eu tenho um... — Lydia começou a dizer.

— Desculpa, não estava falando de você. — A garota apontou para Dill. — Você toca?

Dill demorou um segundo para entender que a garota estava falando com ele.

— Hum... sim.

—Você é o Dearly?

— Sim.

— Então, uma amiga minha postou um dos seus vídeos um dia desses. Era incrível. Você tem uma voz linda. — A garota ajeitou o cabelo de novo, torcendo uma mecha.

— Ah, nossa. Valeu. Agradece sua amiga por mim.

— O que você está fazendo por aqui? Só dando uma volta?

— Meio que sim. Vou estudar aqui no ano que vem.

— Que legal! Tomara que eu te veja por aí.

— É, tomara.

—Você vai fazer shows pela cidade?

— Ainda não pensei muito sobre isso.

A garota jogou o cabelo para o lado.

— Pois deveria. Eu e minhas amigas com certeza iríamos. Seu vídeo recebeu vários comentários positivos.

— Ah, legal...

— Enfim — Lydia disse alto. — É melhor a gente continuar a visita. Foi um prazer te conhecer...

— Marissa.

— Um prazer te conhecer, Marissa. Sou Lydia, empresária do Dearly. Diz tchau, Dearly.

— Tchau.

Depois que se afastaram de Marissa, Dill se voltou para Lydia, radiante.

— Aquela garota super me reconheceu.

— Pois é, percebi. Mas não estou surpresa. Seus vídeos não param de ser compartilhados. Eles têm *muitas* visualizações. Você é bom de verdade.

— Talvez, quando eu entrar pra universidade, isso seja tudo que as pessoas saibam sobre mim: que faço música.

— Sua vida vai ser melhor em muitos sentidos. — Lydia parou. — Por falar nisso, tem outra coisa sobre a qual a gente precisa conversar.

— Tá. — O coração de Dill passou de acelerado por ter sido tratado como uma pequena celebridade a acelerado do jeito mais conhecido de ouvir a frase "a gente precisa conversar".

Lydia ponderou por um momento.

— Então, não que você tenha aprendido isso na escola e não fique se achando, mas você é estranhamente bonito com esse seu jeitinho sombrio, melancólico e intenso que um certo tipo de garota acha muito intrigante. Além disso, você canta e toca violão como se fosse a encarnação de Orfeu, como você acabou de perceber.

— Obrigado, isso é...

— *Shhh.* Não estou te elogiando; estou constatando fatos. E ainda não acabei. Esse "certo tipo de garota" é, muitas vezes, maluco. O que estou dizendo é que você vai ter muitas oportunidades para ficar com garotas malucas na faculdade, mas vai se arrepender.

Dill sorriu.

— Talvez eu possa comprar um spray especial feito para espantar todas as garotas malucas.

Lydia segurou o braço dele.

— Dill, é sério.

— Certo. — Lydia costumava ser enfática em seus argumentos, mas Dill raramente a tinha visto tão enfática. *Ou possessiva.*

— Odeio a ideia de você ficar com outra pessoa, maluca ou não. — Lydia manteve o aperto no braço de Dill e olhou feio para um garoto que passou encarando.

Dill olhou no fundo dos olhos dela.

— Você pode se referir como quiser. Mas eu me considero seu namorado. E, sendo assim, não pretendo ficar com mais nenhuma garota. Maluca ou não. Está bem?

— Está bem. Só pra você saber, não pretendo ficar com nenhum garoto babaca e idiota também.

— Isso me deixa muito feliz.

— Nem com garotos não babacas e não idiotas.

— Ótimo.

Lydia pareceu imersa nesse pensamento pelo resto da caminhada até o centro estudantil. Até onde avistavam, havia prédios enormes da década de 1950, cercados por árvores altas. O aroma de grama cortada, lascas de madeira e hambúrgueres grelhando pairava no ar.

Então, do nada, como se fosse a coisa mais natural do mundo, Lydia estendeu a mão e pegou a de Dill. E lá estavam eles, andando na calçada, de mãos dadas. Em público.

— Esta é uma violação das regras — Dill disse.

Lydia não pareceu incomodada.

— Sim, mas Marissa dando em cima de você na frente da sua namorada também foi, então estou declarando uma moratória nas regras. A UEMT é uma terra anárquica sem lei.

Dill entrelaçou os dedos nos dela.

— Se isso é verdade, então não há nenhuma regra contra eu te beijar aqui, na frente de todo mundo.

— Acho que não.

— Você disse que vale tudo.

— Eu disse.

— Tá bom então.

— Tá bom.

— Vou fazer isso, hein. — Dill parou de repente, puxando Lydia para trás.

— Por que ainda está falando?

— Tá. — Ele se aproximou, colocou a mão na bochecha dela e a beijou. Um beijo longo e demorado. Como se estivessem completamente sozinhos, e não no meio da calçada cercados por estudantes universitários apressados para a aula.

— A primeira apresentação de Dearly na UEMT recebe excelentes críticas — Lydia murmurou, ainda com os olhos fechados.

— Ah, é? — Os lábios de Dill quase roçavam nos dela.

— Sim. Talvez a gente deva repetir para a Marissa e as amigas dela.

— Eu topo. Vamos atrás dela.

Lydia recuou e pegou a mão de Dill de novo, o puxando na direção do centro estudantil, quase o fazendo perder o equilíbrio.

— Vamos comer alguma coisa. Estou faminta. Vem, rockstar.

Eles compraram sanduíches na lanchonete cavernosa. Dill deixou a sacola com seu moletom novo da UEMT em cima da mesa, observou o lugar e sentiu algo brotar dentro dele. Ninguém poderia substituir Travis. Ninguém poderia substituir Lydia. Mas, pelo menos, ele não estaria mais enfrentando a solidão devastadora. Imaginou longas conversas com Lydia, em que falariam de aulas e amigos novos. Seria muito melhor do que escutar Lydia falando de aulas e amigos novos enquanto ele falava sobre a ótima noite que havia tido no Floyd's. De repente, um misto de alegria e melancolia e esperança e nostalgia tomou conta dele. Ele conteve as lágrimas.

Foi quase como se Lydia pudesse ler a mente dele.

— Ei, Dill.

Ele tossiu para limpar a garganta.

— Sim?

Ela deu um tapinha na sacola com o moletom da UEMT em cima da mesa.

— Você conseguiu.

Já estava escuro quando voltaram para a casa de Dill. A mãe dele ainda demoraria uma hora para chegar, mais ou menos. Lydia se inclinou sobre o banco e deu um beijo de boa-noite nele.

— Espera — Dill disse. — Entra comigo. Tenho uma coisa pra te mostrar. — Ele não havia planejado isso. Ainda não estava pronta. Mas, naquele dia, ele havia percebido que não haveria momento melhor.

Lydia seguiu Dill para dentro da casa dele pela segunda vez na vida. Dill fez sinal para ela se sentar no sofá caindo aos pedaços.

— Quer que acenda o abajur? — ela perguntou.

— Não. Eu gosto do escuro. — Ele foi até o quarto e pegou o violão. Parou na frente de Lydia, vermelho. Torceu para ela não conseguir ver.

Verificou rapidamente a afinação.

— Hum... Certo. Então, esta é uma música que compus pra você. Chama "Lydia". — Ele fez um último ajuste na afinação. — Acho que eu podia ter dito só que a música se chamava "Lydia" e você teria imaginado que era pra você.

— Provavelmente.

Ele tocou "Lydia" para ela. Era uma música ao mesmo tempo sublime e tranquila — como o coração dele ficava quando estava perto dela. Ele a ouviu fungar depois de trinta segundos e a viu tirar os óculos. A música era confusa e imperfeita. Mas ele não poderia se sentir mais orgulhoso daquelas notas.

— Enfim, tomara que tenha gostado — Dill disse ao terminar, ainda vermelho. — Não vou fazer um vídeo com ela. É só pra você. Quer dizer, se você quiser...

Mas Lydia se levantou e o interrompeu com um beijo intenso como uma tempestade de verão.

42
Lydia

Quando Lydia chegou em casa, seu pai estava tocando guitarra (ele não estava se dando nada bem se comparado à apresentação que ela tinha acabado de ouvir), enquanto sua mãe estava sentada numa das cadeiras de balanço da varanda, lendo, com uma taça de vinho na mão.

— Ei — sua mãe disse. — Chegou tarde.

Lydia se sentou na cadeira ao lado da mãe.

— Levei Dill pra passear na UEMT. Ele foi aprovado hoje.

Sua mãe deixou o livro de lado.

— Sério? Que maravilha! Acho que vai fazer bem pro Dill sair daqui.

— Nem me fale — Lydia disse.

Elas balançaram por um tempo, sem dizer muita coisa. Lydia cruzou as pernas.

— Então... só curiosidade, me conta mais de como você e meu pai ficaram juntos. — Ela tentou parecer descontraída. *Só batendo papo sobre alguma coisa para a qual nunca dei muita importância. Nada demais.*

Sua mãe lhe lançou um olhar.

— Só curiosidade, hein?

Nota mental: ser mais discreta. Lydia se recusou a fazer contato visual.

— Não posso me interessar pelo processo que levou à minha existência?

Sua mãe colocou a taça de vinho no chão.

— Querida, eu não nasci ontem.

— Tá. Fui descoberta. Parabéns — Lydia murmurou.

— Ei, não precisava ser nenhum grande detetive.

A guitarra ficou em silêncio. Alguns segundos depois, seu pai abriu a porta da frente e colocou a cabeça para fora.

— Aí estão minhas meninas. O que vocês...

— Dentro — Lydia mandou, apontando. — Volta pra dentro.

Ele lançou um olhar magoado para Lydia.

— Que belo jeito de...

— *Pra. Dentro.*

— Denny, amor — sua mãe disse com carinho. — Conversa de menina.

Seu pai ergueu as duas mãos em rendição e andou para trás.

— Tá bom, tá bom. Vou entrar. Não vou fazer nenhum movimento brusco. Não me machuquem. Que bom que chegou bem em casa, Lyd.

Sua mãe esperou até ter certeza de que o pai de Lydia estava longe.

— Então? Quanto tempo?

Lydia cutucou o esmalte lascado nos dedos dos pés.

— Um mês, mais ou menos. Desde que a gente virou a noite fazendo as inscrições pra faculdade.

— *Sabia.* Vocês dois acharam que estavam sendo tão discretos com aquelas piadinhas de "toc, toc".

— Bom.

— Mas que momento vocês foram escolher, hein.

Lydia suspirou.

— Porra, nem me fala.

Sua mãe soltou um som baixo de repulsa.

— Lydia. Não fala palavrão. Pelo menos tenta.

— Desculpa. Enfim, voltando ao assunto. É. O momento. Foi ruim. Eu sei — Lydia disse. — Mas a gente não planejou. Simplesmente meio que pareceu a coisa certa a ser feita. Assim, não me arrependo, mas era para ser mais fácil ir embora. Não sei o que fazer.

Sua mãe pegou a taça de vinho e tomou um gole.

— O que você pode fazer? Aproveitar esse tempo juntos. Deixa isso, seja lá o que for, ser bonito enquanto pode. Pode ser que vocês não fiquem juntos para sempre, e não tem problema. Mas o coração tem razões que a própria razão desconhece. Quando tem.

— O coração é besta.

— Ele é seu primeiro namorado, não é?

— Claro. Quem mais eu namoraria aqui?

Elas balançaram por um tempo.

— Dill é um bom primeiro namorado. Faz tempo que ele gosta de você mais do que como amigo — sua mãe disse.

— Sério? Como você sabia?

— Ah, querida. Estava na cara. Você realmente não fazia ideia?

— Eu tinha minhas suspeitas, acho. Mas sabia que iria embora, então nunca pensei que isso fosse uma coisa que pudesse acontecer. Eu só... não podia. — Lydia se afundou na cadeira. — E se você soubesse que você e o meu pai ficariam separados? Você teria mergulhado nessa mesmo assim?

— Claro. A vida é muito curta, meu amor. Sinto muito por você ter de passar por isso pela primeira vez. Não dá pra gente viver com o coração guardado dentro de um cofre.

43

Dill

Ele ainda estava vibrando pelo entusiasmo daquele dia quando sua mãe chegou em casa. Dill havia dito a si mesmo que esperaria até mais perto do início das aulas para contar a ela, mas, enquanto fazia o jantar, começou a repensar sua decisão.

Escorreu o espaguete e serviu um pouco num prato. Colocou uma colher do molho enlatado que havia esquentado numa panela em cima do macarrão. Deu o prato para a mãe.

— Obrigada. Você parece bem-humorado.

Ele serviu um pouco de espaguete para si mesmo.

— Estou.

— Fico feliz que esteja melhor — ela disse entre uma garfada e outra. — O Senhor ouviu as minhas orações.

— Pois é, Ele ouviu.

— Como foi o trabalho hoje?

— Tranquilo. — Uma pontada de culpa. *Você precisa contar para ela.*

— Quando você…

— Não, espera. Espera um segundo, mãe. Não fui pro trabalho hoje. Tem uma coisa que preciso te contar.

Ela deixou o garfo no prato e fixou os olhos exaustos nele. O ar parou por um segundo.

— Visitei a UEMT hoje com a Lydia.

O rosto dela ficou tenso.

— Por quê?

Diz para ela que foi só por diversão. Diversão inofensiva. Mas então ele se viu no palco no concurso de talentos. Se viu beijando Lydia. E soube que não poderia mais trair quem ele era agora. Ele era mais forte agora.

— Porque vou estudar lá no ano que vem. Fui aprovado.

— Concordamos que você não faria isso. — A voz dela era suave, mas não como um travesseiro. Como uma pilha de pedaços finos de metal ou de vidro em pó.

— *Você* concordou. Eu não. Eu só não discordei. Mas agora discordo. Eu vou.

— Não temos como pagar, Dillard. Você vai falir esta família. — Ela falou devagar e com cuidado, como se estivesse explicando a uma criança pequena para não encostar no fogão quente.

— Consegui auxílio financeiro. Vou pegar empréstimos, pelos quais sou responsável, pra poder dar conta do resto. Mas eu vou.

Ela balançou a cabeça.

— Não.

— Não estou pedindo sua permissão. Estou contando pra você porque te amo. Isso vai acontecer. Talvez um dia eu explique exatamente por que isso precisava acontecer. Mas agora não. Agora tudo que você precisa saber é que vai acontecer.

Ela inspirou fundo, deliberadamente. O ar ribombou na garganta dela. Ela virou o rosto e desviou os olhos como se rezasse. *Não como se rezasse. É claro que ela está rezando. Pelo quê? Pelas palavras para me dissuadir? Pela graça divina para aceitar minha decisão?*

Ela se levantou e empurrou o prato pela metade de espaguete, quase com delicadeza. Ela se virou e andou até o quarto. Fechou a porta com cuidado, devagar. Como se soubesse que Dill preferia que ela batesse a porta.

Dill ficou sentado no silêncio, ouvindo os estalos da geladeira. Era como o momento depois que ele terminara a música no concurso de talentos e antes dos aplausos mornos que vieram na sequência; como quando beijara Lydia — como toda vez que beijava Lydia; como quando ele sabia que tinha feito algo doloroso, valente e belo. *E, se é para viver, é melhor que seja para fazer coisas dolorosas, valentes e belas.*

44

Lydia

Lydia e Dill se sentaram no canto do refeitório, onde o assunto do momento era o baile de formatura dali a uma semana, no começo de maio. Ninguém os incomodava mais. Não depois da morte de Travis. Mas Lydia não sabia se isso era fruto de algum senso de decência ou se seus colegas tinham simplesmente seguido em frente depois de tanto tempo.

Dill estava no notebook pesquisando quais aulas fazer na UEMT no ano seguinte.

— Então a gente vai juntos ao baile de formatura? — ele perguntou enquanto digitava.

Lydia não tirou os olhos do seu romance de Djuna Barnes.

— Desculpa, Dill, mas vou ao baile de formatura numa limusine Hummer H2 amarela com meu namorado malhado que joga futebol americano. Vamos ter sete segundos de sexo selvagem frenético no banco traseiro do carro. Vou engravidar e vamos nos casar. Ele vai arranjar um emprego como vendedor de carros e... tá, essa piada está começando a me deprimir.

Dill fechou o computador.

— Não, é sério.

— Sério. Claro. — Ela mordeu uma cenoura coberta de homus, ainda sem erguer os olhos.

— Acho que você deveria ir ao baile comigo. — Ele disse com aquela nova autoconfiança sedutora dele.

Ela finalmente colocou o livro na mesa e arqueou timidamente a sobrancelha para Dill.

— Sim. E tenho uma ideia de como fazer o baile não ser ruim.

— Sou toda ouvidos.

Ele se debruçou.

— Baile Patético. A gente vai com a intenção deliberada de ter o baile de formatura mais patético possível.

Lydia absorveu a ideia.

— Do tipo que todos pensam que a gente teria.

— Exato. Vamos mostrar um grande dedo do meio pra essa escola. — Ele estendeu o dedo do meio para o refeitório a fim de enfatizar. Ninguém prestou atenção.

— Do tipo que não apenas teríamos deixado o Travis levar o cajado dele, mas teríamos insistido pra ele levar.

— Exato.

Lydia ergueu a mão.

— Toca aqui. Estou furiosa por não ter pensado nisso antes.

Dill usou o terno que havia usado para o funeral de Travis (ele não tinha muitas opções). Lydia parou o carro na frente da casa dele e buzinou. Dill desceu pulando da entrada da casa.

— Certo, não trouxe flores, já que você insistiu — Dill disse enquanto entrava no carro.

— Ótimo — ela disse, dando uma rosa morta e um clipe para ele. — Prende isso no meu vestido. — Ela estava usando um vestido de formatura espalhafatoso dos anos 1980 com lantejoulas vermelhas.

Dill obedeceu, e Lydia prendeu um dente-de-leão na lapela dele.

— Espera — ela disse. — Desce do carro. Precisamos de muitas selfies. E, aliás, você já ganhou milhagem suficiente comigo fingindo não conhecer você no meu blog. Depois das centenas de milhares de visualizações dos seus vídeos, não vai ter problema as pessoas acharem que estou sendo nepotista. Então tudo vai para o blog. Finge que está se divertindo comigo.

Dill riu ao ver Lydia fora do carro. Ela tinha feito bronzeamento artificial apenas na perna direita e no braço esquerdo.

Lydia fez uma pose.

— Eles não queriam fazer, no começo. Só aceitaram depois que paguei pelo bronzeamento artificial do corpo todo.

Além disso, ela estava com uma maquiagem ridícula e extravagante, e um penteado elaborado. Usava unhas postiças compridas rosa neon.

— Você está com cara de louca — Dill disse.

— A intenção era mais ser uma miss maquiada por uma prostituta de beira de estrada. Ou vice-versa.

— Mandou bem. Mas você está linda mesmo assim.

Não fica vermelha.

— Ah, chega. Fica parado.

Eles tiraram um monte de fotos, sozinhos e juntos. Enquanto Lydia as postava no Twitter e no Instagram, Dill sorrindo em todas, ela se alegrou de alívio. *Dill está vivo. Está feliz. Tem todo um futuro pela frente.*

— Certo, hora do nosso jantar de Baile Patético — Lydia disse. — Que eu vou pagar, para deixar as coisas mais patéticas.

— Não. Desculpa. — Dill enfiou a mão na carteira e tirou uma nota de cinquenta dólares novinha em folha.

— Isso é do concurso de talentos?

— Sim.

— Cara. Levar uma garota pra sair na cidade com seus lucros de rockstar é a coisa menos patética da vida.

— Acho que sou tão patético que não consigo acertar nem no Baile Patético — Dill disse, sorridente.

Levou meia hora de carro até Cookeville. Eles escutaram um CD de autoajuda com frases de autoafirmação no caminho. Lydia se viu gostando daquilo sem ironia, de tão bem-humorada que estava. Também se viu gostando sem ironia dos olhares de desejo de Dill. Talvez ela própria tenha lançado alguns para Dill.

— Aonde estamos indo? — Dill perguntou.

— Cracker Barrel.

— Mas eu gosto do Cracker Barrel.

— Eu sei. Estou roubando um pouquinho — Lydia disse. — Tecnicamente, o Krystal seria o mais patético, seguido de perto pela Waffle House. Mas lembra? Somos tão patéticos que não conseguimos acertar nem no Baile Patético, então vamos comer comida decente. — A menção do Krystal fez Lydia lembrar de Travis. *Não pareceria certo sem ele.*

Eles atraíram olhares ao entrar. Lydia jogou o cabelo para o lado e passou rebolando pelos curiosos. A garçonete corpulenta não se deixou abalar pelas roupas ou pelos olhares.

— Olha como estão arrumadinhos. É o baile de formatura hoje? — ela perguntou.

— Sim, senhora — Lydia disse, com um sotaque sulista bem mais forte que o normal. Ela o guardava para ocasiões especiais.

A garçonete se inclinou para a frente.

— Bom, vou cuidar bem de vocês nessa noite especial, então.

Dill ficou brincando com um resta-um da mesa enquanto esperavam suas sprites zero (a mais patética de todas as bebidas, segundo Lydia). Dill estava prestes a ganhar o jogo quando Lydia estendeu o braço como quem não quer nada e jogou o tabuleiro no chão, espalhando as bolinhas.

— Desculpa, Dill — Lydia disse enquanto Dill se agachava no

chão para recolher as bolinhas. — Ganhar no resta-um do Cracker Barrel *não é* patético. É um triunfo do espírito humano. Poxa. Foi você quem teve essa ideia.

A garçonete voltou com os refrigerantes.

— Já decidiram?

— Sim — Lydia disse. — Vou querer uma tigela de fígado de frango frito, uma pilha de panquecas de mirtilo com uma bola de sorvete de baunilha por cima; e um pedaço do Bolo Cremoso de Coca-Cola e Chocolate Duplo, também com sorvete de baunilha por cima.

Dill começou a falar.

— Vou querer...

— Ele vai querer o mesmo que eu.

A garçonete alternou o olhar entre Dill e Lydia.

— Vou querer o mesmo que ela — Dill disse, com uma resignação animada.

A garçonete lançou um olhar admirado para Lydia.

— Sim, senhorita. Já volto. — Ela saiu andando.

— Me olha nos olhos e diz se isso que eu pedi não é a refeição mais patética que existe — Lydia disse.

— E se você tivesse pedido uma bola de sorvete em cima dos fígados de frango?

— Bom, aí a gente entraria no território de arte performática pós-alimentar. O que não é patético. Gosto da ideia, mas, por favor, siga a líder aqui.

— Isso tudo foi ideia minha.

— Não estou nem aí.

— Entendi. — Ele tomou um gole do refrigerante e apontou para uma das fotos penduradas na parede. — Já pensou em quantas fotos de gente morta tem nas paredes do Cracker Barrels?

— Acho que o nome correto é Crackers Barrel. E se, quando

penduram sua foto no Cracker Barrel, seu fantasma tem de assombrar o Cracker Barrel pra sempre?

— A gente devia trazer uma foto do Travis pro Cracker Barrel e pendurar, por via das dúvidas — Dill disse. — Acho que o Travis ia gostar de assombrar o Cracker Barrel.

Ele e Lydia deram risada. Ela sentiu uma pontada aguda e passageira.

— Sinto falta do Travis — ela disse. — Queria que ele estivesse aqui.

Dill baixou os olhos e brincou com o resta-um, menos animado, de repente.

— Ele se divertiria muito hoje. Teria chamado a Amelia.

— O que você acha que Travis pensaria da... nossa situação atual?

— Ele teria aprovado. Tenho certeza. A gente conversou sobre isso. Ele tentou me convencer a tentar ficar com você antes de... — Dill perdeu a voz.

Lágrimas encheram os olhos de Lydia e começaram a cair. Não era apenas por causa de Travis. Sim, principalmente por causa dele. Mas também era por Dill. Especificamente, a falta iminente de Dill. Era até um pouco porque não havia um Crackers Barrel em Nova York. *Eu nunca teria como fazer essa noite direito. Sou uma bagunça mesmo com a premissa da piada.*

Ela estendeu a mão. Dill a pegou. Ele tinha começado a chorar também, bem na hora em que a garçonete apareceu com a comida deles.

Ela lançou um olhar preocupado para os dois.

— Vocês estão bem? Está tudo certo?

— Sim, senhora — Lydia disse, secando os olhos com cautela com os anelares, tomando cuidado para não se machucar com as unhas postiças. — É só que a gente só perde no resta-um e estamos emocionalmente frágeis.

— Minha querida, acho que nunca vi esse jogo chatear alguém desse jeito. Talvez seja melhor deixar o joguinho de lado um pouco, já que esse está chateando vocês, não?

Lydia fungou e deu risada.

— Aqui estamos nós, na noite do baile de formatura, chorando num Cracker Barrel em Cookeville, Tennessee. Acho que estamos pegando o jeito do tal Baile Patético — Dill disse, depois que a garçonete se afastou.

Lydia assoou o nariz em um lenço de papel.

— Vamos tirar uma selfie enquanto a gente ainda está com cara de choro.

45

Dill

— Que bom que não está chovendo — Lydia disse enquanto entravam na garagem da casa dela.

— Estou com medo de perguntar o porquê — Dill disse.

Lydia abriu um sorriso malandro para ele — aquele que Dill tinha passado a conhecer bem demais.

— Não precisa perguntar. Você já vai descobrir.

Ela abriu a porta da frente.

— Pai? — ela gritou. — Traz a limusine.

— Amor — ele gritou. — Tem certeza disso?

— Baile Patético.

Ele suspirou.

— A gente precisa ir pro baile. Vamos!

— Filha, olha, eu levo vocês. Ser levada pelo pai já é bem patético. Posso usar uma roupa bem ridícula.

— Ao contrário das suas muitas roupas *não* ridículas? Já falei, traz a limusine.

O dr. Blankenship balançou a cabeça e desapareceu. Voltou empurrando uma mountain bike Huffy de segunda-mão rangente e enferrujada.

— Ai, cara — Dill disse, rindo. — Não ando de bicicleta desde que eu era pequeno. Não sei se lembro como anda.

— Dizem que é como andar de bicicleta — Lydia disse.

— Tomem cuidado! — o dr. Blankenship gritou atrás deles enquanto saíam, cambaleando, com Lydia guiando a bicicleta.

Dill ficava olhando para Lydia durante o caminho. Ela observava a rua com um ar de felicidade. Se virou e ergueu a mão para tirar uma mecha de cabelo dos olhos dele. *Estou muito feliz de estar aqui agora, e não jazendo no fundo do rio Steerkiller.*

Eles podiam ouvir um cortador de grama em algum lugar. O cheiro de grama cortada se misturava ao de lilases. A combinação era como mel no ar quente do começo de maio.

— Alguma parte de você vai sentir falta disso? — Dill perguntou, enquanto entravam na rua principal e passavam pela livraria Riverbank, acenando para o sr. Burson.

— O quê? De sair com você? Ou — ela fez um gesto abrangente para a cidade — disso?

Dill imitou o gesto dela enquanto se aproximavam do Café da Boa Nova, da praça central com o coreto e do teatro abandonado dos anos 1920, no centro de Forrestville.

— Disso. É claro que você vai sentir falta de sair comigo.

— Está se achando, hein? — Ela assumiu um tom melancólico. — Sim — ela disse em tom baixo. — Vou sentir falta disso. Agora que consigo ver a luz no fim do túnel, esta cidade não me parece mais tão ruim. O Boa Nova fazia um Latte Lucas decente, até. E Nova York pode ter muitas livrarias, mas não tem Riverbank. E você?

— Sim. Um pouco. Vou sentir falta dos trens e da Coluna. — Ele se permitiu um momento contemplativo enquanto pedalava. — Pensei que viveria minha vida toda e morreria aqui. Não sei como eu conseguia viver assim.

Lydia ajeitou sua posição.

— Vamos ser universitários, Dill.

— Sim. Vamos.

— Tipo, com aulas e tudo.

— Nós dois vamos ter muitas aulas universitárias. — Pensar em aulas nunca o havia deixado animado. Mas isso era na escola.

— Vamos poder conversar sobre elas. Ou sobre literalmente qualquer outra coisa mais interessante, que devem ser todas as outras coisas.

Eles riram.

Lydia se recostou no corpo de Dill, quente e aconchegada em seu peito. Dill se inclinou e deu um beijo entre a orelha e o queixo dela.

— Conseguimos, Dill.

— Sim — Dill disse em voz baixa. — Conseguimos. — *Se ao menos estivéssemos conseguindo ir na mesma direção e ao mesmo lugar...*

E a separação deles o fez pensar em Travis novamente. *Sozinho no escuro embaixo da terra, enquanto eu e Lydia vivemos e seguimos em frente e rimos.* O que diminuiu sua sensação de culpa foi a intuição de que, se Travis os estivesse vendo de algum lugar nas alturas, estava feliz pelos dois.

Eles seguiram em frente mais um pouco, antes de Dill voltar a falar.

— Essa parte teria sido difícil com Travis.

— Mesmo se ele estivesse pedalando e você estivesse sentado no cano comigo, a gente não teria espaço para o cajado.

— A gente teria quebrado a bicicleta. Acho que o Travis pesava mais do que nós dois juntos.

Lydia olhou ao longe.

— Você vai me fazer chorar de novo. Vou borrar a maquiagem. — Ela virou para Dill. — Opa, espera.

46

Lydia

Eles chegaram à escola enquanto uma limusine PT Cruiser saía, depois de deixar seus passageiros. Jasmine Karnes e seu par, Hunter Henry, estavam um pouco à frente de Dill e Lydia na fila para entrar no ginásio da escola. Jasmine se virou, os viu ali, e fechou a cara para Lydia. "Vocês não têm nenhum respeito pela noite mais importante da minha vida", dizia a cara toda maquiada dela. Ela se aproximou de Hunter e cochichou alguma coisa. Hunter se virou, olhou os dois de cima a baixo e riu, mas mais para que os dois ouvissem do que como uma manifestação de alegria sincera.

— Hunter está rindo porque Jasmine comentou a futilidade inerente da existência humana e da ilusão de consciência, e o único jeito como ele pôde processar essas ideias emocionalmente foi através da reação incongruente do riso — Lydia sussurrou para Dill.

Eles entraram no ginásio escurecido. Um DJ tocava algum sucesso pop genérico de quatro meses antes. Conseguiram ouvir sussurros e murmúrios de desprezo e sentir os olhares.

— Não é incrível que daqui a algumas semanas nenhum de nós vai ver essas pessoas regularmente de novo? — Lydia comentou.

— *Você*, não. Algumas delas podem ir para a UEMT.

— Mas não vão atingir o mesmo nível crítico de horror novamente. Nem na UEMT.

—Verdade. É incrível. Também é ótimo não ligar mais pro que essas pessoas pensam de mim.

Na mesma hora, Tyson Reed e Madison Lucas passaram.

— Ah, Lydia, querida — Madison disse, a voz cheia de sarcasmo —, acho que pularam umas partes no seu bronzeamento artificial.

Lydia riu descontraída.

— *Sério?* Essa é a última vez que peço o pacote de bronzeamento da "atividade cerebral de Madison Lucas"!

— Sempre espertinha — Madison disse, rindo.

— Não posso dizer o mesmo de você — Lydia respondeu.

Dill ficou entre Madison e Lydia.

— Ei, Madison, Tyson. Vocês não entenderam ainda? Vocês não podem nos irritar mais. Não podem fazer mais nada com a gente. Não podem tirar nada de nós. Vocês não são mais nada agora.

A expressão de Madison era como se ela tivesse acabado de peidar no meio de uma oração. Tyson ficou cara a cara com Dill.

—Você tem sorte de estar no baile, Dildo. Senão eu te encheria de porrada. Estou pouco me fodendo que seu amigo morreu e que todo mundo está com peninha de você.

Dill não pestanejou. Sorriu.

—Você acha que pode me deixar mal depois de tudo que passei? Vai em frente. Me dá um soquinho, vai. — Ele encarou Tyson até o garoto repetir sobre a sorte que Dill tinha de estar no baile, pegar a mão de Madison e sair batendo os pés.

— Sinto muito por nenhuma faculdade querer que você jogue futebol americano pra eles! — Lydia gritou.

Lydia se virou, colocou o dorso da mão na testa e fingiu estar caindo de amores.

— Meu cavaleiro de armadura reluzente!

— Ficar de olho roxo na noite do baile não seria patético?

— Sem dúvida.

O DJ tocou uma música lenta. Lydia pegou a mão de Dill.

— Vem, Sir Galaaz. Ser as únicas pessoas dançando no baile também é patético.

Ela o guiou para o meio da pista de dança, onde ficaram sozinhos, as pessoas encarando e tirando sarro. Dill colocou as mãos (trêmulas) na cintura de Lydia.

— Acho que a gente deveria dançar bem coladinho, só pra ser mais patético — ela disse. — Vamos fazer do jeito certo. — Ela se aproximou dele. Perto o bastante para sentir seu calor. Para ver o maxilar (lindo) dele pelo canto do olho, e não os olhares dos outros. Para ouvir a batida (rápida) do coração dele, e não os risos.

Enquanto dançavam, balançando como duas árvores sob o vento, ela percebeu que não estava conseguindo se sentir patética.

47

Dill

Eles voltaram para a casa de Lydia sob a luz da lua e das estrelas. Lydia estava sentada na bicicleta, apoiando o ombro no peito de Dill.

— O fotógrafo do baile não ficou muito contente — Dill disse.

— Eu não estou nem aí — Lydia disse. — A ironia é que todos pareciam mais preocupados com a gente tirando sarro do rito de passagem deles do que com não dirigir embriagados ou tomar um boa-noite Cinderela.

— Nunca me diverti tanto.

Lydia se virou, ergueu os olhos para ele e sorriu.

— Foi bem corajoso quando você enfrentou o Tyson, aliás. Ouso dizer que foi bastante sexy, até.

Sexy, hein? Dill tirou uma das mãos do guidão e flexionou o braço, fazendo cara de malvado.

— Fazer o quê, gata? Quem não ama esses músculos?

Lydia bufou, pegou o punho dele e o puxou de volta ao guidão.

— Você é um caso perdido. Felizmente para a nossa relação, você é péssimo em fazer o papel de machão escroto.

Eles passaram pela livraria Riverbank. Dill tentou se concentrar na estrada, mas a geometria do pescoço de Lydia o distraiu.

— Vou sentir falta disso — Dill disse. *Esse era o eufemismo do século.*

— Dessa cidade? — Lydia apontou para a praça central atrás deles. — Ou *disso*? — Ela apontou para eles dois.

— *Disso*. De estarmos juntos. — Ele adorava o gosto das palavras "estarmos juntos" em sua boca, como mel.

Lydia ergueu a mão e apertou a bochecha dele.

— Ah, olha só quem está pegando o jeito dessa noite!

Dill recuou.

— Isso é patético? Sentir saudades de você?

— Claro que não. Só estou te enchendo o saco. — Ela voltou a apoiar a cabeça no peito de Dill.

A brisa floral da noite soprou uma mecha do cabelo desalinhado de Lydia contra os lábios de Dill. Fez cócegas, mas ele não o afastou. Eles chegaram à casa de Lydia.

Quando Lydia desceu da bicicleta, Dill observou rapidamente ao redor para confirmar que não havia ninguém por perto. Então, a pegou pela cintura e a puxou para junto de si.

— Tem mais uma coisa de que vou sentir falta. — E ele a beijou. A maneira como ela retribuiu o beijo o deixou seguro de que as regras estavam suspensas de novo. — Enfim — Dill disse depois de um tempo. — É melhor a gente parar antes que seu pai veja.

— Ele bem que merece ver a filha dele beijando o filho do pastor, como castigo por me obrigar a crescer nessa cidade caipira. Mas vem. — Lydia fez sinal para Dill a seguir até o quintal nos fundos da casa. Ela tirou os sapatos e andou até a torneira ao ar livre. — Agora entramos na última fase do Baile Patético. Enquanto nossos colegas estão chapando o coco no Holiday Inn em Cookeville e se engravidando, eu e você vamos brincar de guerra de água e ficar olhando estrelas até a hora de você ter de voltar pra casa. Pode ser?

Ela não esperou a resposta de Dill antes de ligar a água e fazer o sprinkler girar ruidosamente pelo gramado.

— Vem, Dill! — Ela entrou no caminho do sprinkler e gritou e riu como uma criança enquanto se encharcava.

Dill cobriu o rosto com a mão, riu e balançou a cabeça. Lydia já estava pingando. O que restou de seu rímel escorria por seu rosto em riscos pretos. O cabelo tinha se soltado e o penteado elaborado tinha desmanchado. Pendia encharcado em volta de seu rosto. Gotículas de água cobriam os óculos dela. Ela gargalhou e pegou o sprinkler, perseguindo Dill com ele na mão.

Ele tentou fugir.

— Não! Sai! — Ele escorregou e caiu na grama molhada e Lydia deu um salto. Ela pulou em cima dele (ele não se opôs tão vigorosamente a essa parte, especialmente quando ela ficou deitada em cima dele por mais tempo que o necessário) e o encharcou. Eles correram e saltaram em cima do sprinkler por vários minutos, gritando e rindo.

Os pais de Lydia saíram para a varanda dos fundos. A mãe de Lydia cruzou os braços.

— Lydia, tem certeza de que o Dill acha isso tão legal quanto você?

Ele se levantou, água se acumulando aos seus pés, uma mancha enorme de grama no terno.

— Sim, senhora. Pelo menos acho que sim. Nem sempre entendo o que se passa na cabeça da Lydia.

A sra. Blankenship suspirou.

— Bem-vindo ao clube.

— Certo, crianças, vamos deixar umas toalhas perto da porta dos fundos se quiserem entrar mais tarde — o dr. Blankenship disse. — Vamos estar assistindo à TV.

Lydia fez um gesto de "agora, vaza" para eles, e eles entraram. Lydia pegou a mão de Dill.

— Certo. Hora de olhar as estrelas. — Ela puxou Dill para o

meio do gramado e eles se deixaram cair sobre a grama molhada, deitados lado a lado.

Por duas horas, eles ficaram conversando e rindo sem parar sobre nada em específico, enquanto secavam devagar ao ar livre. Depois, ficaram em silêncio e observaram a extensão infinita de estrelas, enquanto as corujas e os grilos cantavam seus hinos noturnos.

Então, Lydia se aninhou junto a Dill e pousou a cabeça entre o peito e o braço dele. De repente era como se todos os nervos do corpo dele fossem uma rajada de vento sobre a grama alta.

— Certo, Dill — ela murmurou. — Eu menti. *Esta* é a última fase do Baile Patético. Em vez de transar, sua namorada vai pegar no sono em cima de você.

O cabelo de Lydia caiu sobre o peito dele, formando afluentes e estuários. A respiração dela ficou mais lenta e a cabeça, mais pesada. *O que vai ser disso? De nós? Não, não pergunta. Só aceita este presente, este momento, depois de toda a vida que foi tirada de você.* Ele se sentia iluminado, como se seu sangue estivesse fluorescente. Como se desse para ver seu coração pulsante e vigoroso através da pele.

Depois de um tempo, ela se remexeu com um ronronado e se aconchegou ainda mais, pousando os lábios no pescoço de Dill. Ele conseguia sentir a respiração quente dela. Ela colocou a perna em cima da de Dill.

É ela. Ela é tudo. Ela é o padrão pelo qual vou julgar a beleza pelo resto da vida. Vou comparar todos os toques à respiração dela na minha pele. Todas as vozes à voz dela. Todas as mentes à mente dela. Meu conceito de perfeição. O nome gravado dentro de mim. Se pudesse, ficaria deitado com ela sob as estrelas até meu coração transbordar.

Devagar, ele levou a mão livre ao cabelo dela e o acariciou. Passou a mão delicadamente ao longo do seu comprimento. E de novo.

De novo.

De novo.

Se ele pudesse ficar parado, todos os movimentos do mundo cessariam. A órbita da Terra. A dança das marés. O movimento dos rios em direção ao mar. O sangue em suas veias. E tudo se tornaria nada perto da perfeição que era estar ao lado dela.

Guarde este momento. Para sempre. Até o próximo apito de trem ao longe quebrar esse silêncio.

48
Lydia

O crepúsculo do começo de junho era verde e agradável, ainda sem o calor opressivo do verão. Grama fresca crescia sobre o túmulo de Travis. Eles se sentaram ao lado dele e ficaram pensando no que dizer um para o outro e para Travis. Lydia não sentia mais que estava abandonando Dill, mas ainda sentia que estava abandonando Travis. O que era pior, ao mesmo tempo que era menos racional.

— Quanto tempo dura a viagem? — Dill perguntou, puxando folhas de grama.

— Acho que umas dez horas — Lydia disse, matando um mosquito na sua panturrilha. Em geral, ela odiava conversa-fiada, ainda mais quando era sobre algo tão importante para ela e Dill. Mas entendia por que precisavam daquilo.

— Vai fazer num dia só? — A atitude de Dill mostrava que ele também não estava gostando da conversa-fiada, mas que também não estava pronto para preencher o silêncio com outra coisa.

— Sim.

— Caramba. Que horas você vai chegar lá amanhã de manhã?

Ela suspirou.

— Umas seis.

— Nossa. E aí seu estágio começa... — Dill delicadamente tirou uma joaninha do braço e a levou para a palma da mão, para que ela pudesse voar.

— Semana que vem. Nove de junho.

— Queria que você não tivesse que ir tão antes.

— Eu também, mas quero ter um tempo para conhecer e me instalar antes de começar o estágio.

— Você está com medo de trabalhar com a moça da *Chic*? Você comentou que ela dava medo.

Lydia riu com tristeza.

— Sim, ela dá.

Caiu um silêncio pensativo enquanto escutavam o som dos insetos nas árvores que cercavam o cemitério como um abraço. Os dez dias que tiveram desde o fim das aulas passaram voando em um movimento indistinto de trabalho, observação de trens, sentar na Coluna, viagens aleatórias (Graceland foi a favorita de Dill) e muitos e muitos beijos deitados sob as estrelas.

Dill se recostou, apoiado nas mãos.

— Não vai ser difícil estacionar o Al Gore em Nova York?

— Vai. Vou vender o Al pra um amigo da escola de Dahlia. Vamos nos encontrar na cidade e ele vai levar o carro para Stanford. — Ela sentiu uma dor passageira. *Ah, para. Sério mesmo que você está ficando sentimental por causa de objetos inanimados? Não era para estar tão destruída. Esse não era o plano.*

— Você vai vender o Al Gore? Vou sentir falta dele. — O tom de Dill de quem se sentia traído mostrou que ele tinha a mesma sensação. *A irracionalidade adora companhia.*

Lydia passou a mão na grama.

— Eu também.

— Espero que tenha guardado a bicicleta do baile para eu poder te dar carona quando vier para a cidade.

— Aposto que consigo convencer meu pai a nos deixar usar o carro dele.

— Sim, mas a bicicleta é bem mais divertida.

É, sim, Dill. É, sim.

Vaga-lumes cintilaram entre as lápides, sob a luz fraca verde--folha. O cemitério cheirava à terra limpa e pedra banhada pelo sol.

— A gente deveria ter planejado uma cerimônia — Lydia disse por fim.

— Planejar implicaria pensar sobre isso, e eu não queria pensar sobre isso.

— Eu também não.

Dill ficou olhando para o chão. Lydia fingiu fazer o mesmo, mas, na verdade, ficou olhando o perfil de Dill, a valsa reluzente de pirilampos em volta da cabeça dele. O coração dela doía ao perceber que cada segundo que passava era um segundo mais próximo de ir para longe dele.

— Dill? — Ela pousou a mão livre no joelho dele.

Ele ergueu os olhos.

— Sim?

— Espero que sempre façamos parte da vida um do outro, não importa aonde a gente vá ou o que a gente faça. — *Ninguém pode me acusar de não ter o coração mole*, ela pensou com uma careta interna. *Mas acho que Nova York vai me dar oportunidades de sobra para ser fria e descolada.*

Dill se aproximou de Lydia e colocou o braço em volta dela.

— Eu me comprometo se você se comprometer. Você é quem vai mais longe na vida.

Ela apoiou a cabeça no ombro dele.

— Não conte com isso. Acho que o futuro guarda muitas surpresas boas pra você.

— Tomara.

— Você se arrepende... — Lydia começou a perguntar, num murmúrio hesitante.

— Não. Não sei o que você ia perguntar, mas não me arrependo de nada em relação a nós.

Ela pensou nas coisas de que sentiria falta. Amava o jeito como ele inclinava a cabeça enquanto falava com ela, para não deixar o cabelo cair nos olhos; o jeito como se sentava de pernas cruzadas, apoiado nas mãos. Ele nem sempre olhava para ela enquanto falava, mas, quando era importante, olhava no fundo dos olhos dela, e isso lhe causava arrepios. E havia os olhos dele, incandescentes e escuros ao mesmo tempo. Raios iluminando uma nuvem de tempestade.

Era estranho pensar nele existindo longe da visão dela. Ela se perguntou se Dill tinha um vocabulário inteiramente diferente de gestos particulares. Talvez inclinasse a cabeça em um ângulo diferente. Sentasse de maneira diferente. Talvez seus olhos contivessem uma luminosidade e uma inteligência distintas.

Lydia soltou um suspiro pesaroso.

— Acho melhor me despedir do Travis.

Ela e Dill pararam perto do túmulo. Dill colocou a mão no ombro de Lydia. Ela começou a dizer algo, mas parou. De novo. E parou.

— Travis, vou sentir saudades. — Sua voz estremeceu. Ela respirou fundo. — E fico feliz que tive a oportunidade de ter você como amigo. Falei sobre você no meu discurso de formatura. Um mês atrás, eu e o Dill fomos juntos pro baile, e queríamos que você estivesse lá. Espero que esteja feliz onde estiver agora. E que tenha um manto legal e uma espada maneira ou sei lá o quê. Desculpa por não ter lido fantasia o suficiente nem para saber que tipo de coisa eu deveria desejar que você tenha. Mas terminei *Queda de sangue*, e achei muito bom. Queria que pudéssemos conversar sobre o livro. Desculpa por ter te enchido tanto por causa do cajado. Desculpa por não ter falado antes pras pessoas que a gente era amigo. Desculpa por não saber como as coisas estavam ruins na sua casa. E desculpa por não ter algo mais inteligente ou profundo para dizer.

Ela secou as lágrimas, se virou e abraçou Dill.

— Me sinto culpada em deixar o Travis pra trás.

— Eu também.

Eles foram à Coluna, onde aproveitaram mais alguns minutos de silêncio juntos, ouvindo o rio abrir seu caminho nas profundezas da Terra, como as pessoas abrem caminhos no coração das outras.

49
Dill

Lydia deixou que ele escolhesse a música no caminho de volta. Ele escolheu "Love Will Tear Us Apart" do Joy Division, porque lembrou que era a música favorita dela. Eles cantaram alto. Dill cantou porque parecia um jeito mais aceitável de gritar angustiado, que era o que ele queria fazer. O esforço de tentar manter a compostura o estava deixando enjoado.

Eles pararam na frente da casa de Dill.

— Bom — Lydia disse, os olhos se enchendo de lágrimas. — Acho que essa é a sua parada.

— Sim — Dill disse, limpando a garganta. — Acho que é.

Ele abriu a porta e saiu. Deu a volta pela frente do carro até o lado de Lydia e abriu a porta dela. Ela tirou o cinto de segurança, saiu e o abraçou. Forte. Mais forte do que nunca.

— Vou sentir muitas, muitas, muitas saudades — Lydia disse, e desatou a chorar.

— Vou sentir muitas, muitas, muitas saudades — Dill disse, e também começou a chorar.

Eles ficaram abraçados daquele jeito por minutos, balançando de leve, suas lágrimas se misturando, antes de voltarem a falar.

— Lembra disso, Dillard Early — Lydia sussurrou, a voz embargada. — Você é você, e você é magnífico e brilhante e talentoso.

Você não é seu avô. Você não é seu pai. As serpentes deles não são suas serpentes. O veneno deles não é seu veneno. A escuridão deles não é sua escuridão. Nem o nome deles é seu nome.

Dill afundou o rosto no cabelo dela. Inspirou seu cheiro — pera, baunilha, sândalo — enquanto juntava coragem. *Pelo menos se despeça dela com todos os tesouros secretos do seu coração. Você ainda não aprendeu que está completamente exposto? Você dançou com a morte. O que resta para temer? Você pode sobreviver a qualquer coisa. Serpentes. Veneno mortal. Isso.*

— Eu te amo — ele sussurrou no ouvido dela.

Lydia o abraçou mais forte, pressionando as bochechas manchadas de lágrimas nas dele, mas não disse nada por vários minutos. Ela começou a dizer, mas se conteve. Então ficou na ponta dos pés, colocou as mãos no rosto de Dill, e o puxou para ela.

50
Lydia

Ela conseguia sentir o gosto de suas lágrimas nos lábios de Dill. E, por um momento, lembrou da viagem para Nantucket, no fim do verão do ano passado, e o sal do oceano em sua língua. Esse era o gosto em seus lábios agora, como o do fim de um verão que tinha durado até então.

Uma serenidade tomou conta dela, uma entrega, como se estivesse caindo de um lugar muito alto, mas nunca atingisse o chão. Como se estivesse se afogando e não se importasse. As mãos trêmulas dele passavam pelo cabelo dela e acariciavam suas costas e seu pescoço. E eram como um fogo passando pelo seu corpo.

E.

E.

51

Dill

E.

Depois de tudo, talvez seja isso que finalmente te destrua. Mas ele não se importava. Queria ser destruído dessa forma. Aceitava essa destruição de braços abertos. *Mas você ainda tem de deixá-la ir. Precisa vê-la ir.*

Eles finalmente terminaram o beijo, mas logo se apertaram em outro abraço ávido. Ele não fazia ideia de quanto tempo tinha se passado. Horas. Dias. Segundos. Ele voltou a colocar a mão na nuca dela e acariciou seu cabelo uma última vez.

— Você me salvou.

Ela levou os lábios à orelha dele.

— *Você se salvou.* — Ela estava sem voz. Ele mal conseguia ouvir com o som dos grilos.

Como não suportava o tormento de prolongar as coisas, ele terminou o abraço. Então se lembrou. Pediu para ela esperar e correu para dentro de casa, voltou com um CD e o entregou para ela.

— Gravei algumas das minhas músicas pra você. Caso queira ouvir alguma coisa diferente no caminho. Tem "Lydia" aí.

Ela apertou o CD junto ao peito. Ficaram se olhando por um segundo, secando as lágrimas. E, como não havia mais nada a dizer e tudo a dizer ao mesmo tempo, se beijaram mais uma vez.

— Me liga quando chegar, tá? Pra eu saber se você chegou bem? — Dill pediu, as palavras como um nó na garganta.

Ela assentiu.

Ela entrou no carro. Ele retribuiu o aceno triste dela, ficou parado na rua e observou os faróis traseiros do carro dela se apagando, até desaparecer.

Ele subiu os degraus para a casa, sentou na varanda caindo aos pedaços e baixou a cabeça como se rezasse. Através da névoa de lágrimas, viu a placa da igreja. QUANDO JESUS ENTRA NA SUA VIDA, ELE MUDA TUDO.

Depois de um tempo, ele abriu a porta. Mas não conseguia entrar. Só a extensão do céu estrelado infinito e indiferente era capaz de conter sua tristeza crescente e feroz.

52
Lydia

Ela pensou que até tinha se contido bem na noite anterior, em termos de não perder o controle completamente. Apesar de tudo, ela estava bem — sentindo uma onda de euforia — ao entrar na parada de caminhões perto de Roanoke, Virginia. Enquanto enchia o tanque, fez planos para jantar com Dahlia e Chloe (em algum lugar discreto e afastado, já que Chloe tentava evitar atrair atenção; algo que acomodasse a dieta sem glúten de Dahlia; algo étnico, já que Lydia era de Forrestville). Ela estava documentando a viagem para os seguidores do Twitter e do Instagram, por isso tirou algumas fotos enquanto esperava.

Ela se sentiu sonolenta e entrou para tomar um café forte de estrada. A parada de caminhões era o paraíso da breguice sulista. Camisetas estampadas com águias austeras de uniformes dos Confederados, o grupo separatista norte-americano, e com frases como "Americano por nascimento, sulista pela graça de Deus". Aventais que diziam "Mestre churrasqueiro" sobre um desenho malfeito de um porco antropomórfico, fazendo um churrasco de (aparentemente) outro porco. Regatas com imagens dos estados sulistas como panelas de ferro. Ela pegou uma do Tennessee. Tirou uma foto atrás da outra.

Então, o prêmio máximo: um querubim de porcelana segurando uma bandeira dos Confederados com o lema "Herança não, ódio" pintado embaixo. Ela riu, tirou uma foto, mandou para Dill e depois a tuitou para seus 187 564 seguidores com a legenda "Racistas: não tão bons, com as, vírgulas", uma vez que o lema original era "Herança, não ódio".

Ela teve uma lembrança súbita. Em sua última viagem para comprar roupas em Nashville, Dill tinha apontado para um outdoor que dizia VISITE O VINHEDO DELLA TAZZA, A MELHOR VINÍCOLA NO MIDDLE TENNESSEE. Ele tinha um talento para apontar coisas que ela acharia engraçadas.

"Querido, busca minha melhor jaqueta da NASCAR e minha camiseta com a estampa da bandeira Confederada. Estou a fim de uma boa taça de vinho do Tennessee", ela havia dito com sotaque sulista.

E então bateu. Como um caminhão. A percepção de que a pessoa para quem ela mais queria mostrar o querubim com a bandeira rebelde e rir não estava ali. E não estaria para a maioria das coisas que ela veria e faria na vida. E, com isso, a percepção de que ela já estava sentindo falta de uma vida de que não era para ela sentir falta, e sentia uma falta de Dill mil vezes maior do que havia imaginado que sentiria.

Ela veio abaixo. Bem no meio do corredor, com os querubins com mensagens racistas a observando impassíveis com seus olhos inertes de gesso. Um longo choro feio, de borrar a maquiagem, com lágrimas e catarro escorrendo pelo rosto. *E é por isso que achei uma má ideia tentar ouvir seu CD enquanto dirigia. Se você pudesse me ver agora, Dill... Se você pudesse me ver agora...*

Ela conseguiu se recompor depois de um minuto ou dois e levou seu café e sua regata para a entrada. A mulher no caixa parecia cansada, na casa dos sessenta.

— Minha querida — ela disse —, está tudo bem?

Lydia fez que sim, mas lá vieram as lágrimas de novo. Ela balançou a cabeça.

— Só queria ter dito "eu te amo" pra uma pessoa antes de ir embora. Só isso.

— Bom, minha filha, mesmo se não disse, você demonstrou para ele?

— Espero que sim — Lydia disse, a voz tremendo, embargada.

— Então acho que ele sabe. Nós mulheres não somos muito boas em esconder coisas assim. — A mulher entreabriu um sorriso empático e colocou a mão embaixo do balcão. Pegou um ursinho de pelúcia que parecia tão cansado quanto ela.

— Esta é uma parada de caminhões, minha filha, estamos acostumados com pessoas sentindo saudades e pessoas se arrependendo de não ter dito coisas antes de ir embora.Você precisa de um abraço do Chester?

Lydia estendeu a mão e pegou Chester, o urso. Ela o abraçou. Ele cheirava a cigarro e perfume barato. *Por que não começar minha nova vida glamorosa de garota da cidade grande chorando em uma parada de caminhoneiros, cercada por querubins racistas, enquanto abraço um urso de pelúcia fedido?* Não era Chester quem ela queria abraçar, mas ele teria de servir.

53

Dill

Dill se levantou enquanto os guardas traziam seu pai. Ele encarou os olhos de Dill com um olhar ardoroso, mas Dill o enfrentou, sem desviar o olhar. Seu pai puxou uma cadeira com violência e começou a se sentar, mas viu que Dill não tinha a intenção de sentar, então ficou de pé. Eles se encararam pelo que pareceu muito tempo.

— Então — seu pai começou. — Você deve saber que eu sei. — Sua voz expressava uma calma viperina.

— Sei.

— Explique-se.

Dill forçou a voz a não vacilar, e ela não vacilou.

— Vou pra faculdade. Vou ter uma vida melhor do que esta. Não tem mais o que explicar.

— Você está *abandonando* sua mãe. — Seu pai cuspiu a palavra como se fosse uma profanação.

— Olha quem fala.

A calma venenosa de seu pai começou a desaparecer.

— Não. Eu não abandonei você e sua mãe. Fui tirado de vocês. Você está nos abandonando por escolha própria, como seu avô me abandonou.

— Não, não estou. Quase abandonei vocês dessa forma. Mas não fiz isso. — Dill pôde ver pela expressão que perpassou o rosto do pai que o havia tocado, apenas por um segundo.

E então o fogo pentecostal voltou com tudo.

— Você está brincando com os mandamentos de Deus ao desonrar seu pai e sua mãe dessa forma. Existe um lugar de tormento eterno para aqueles que brincam com as leis de Deus.

— Eu honrei você até demais vindo aqui para contar pessoalmente. É mais do que você merece.

O pai de Dill se inclinou para a frente, as mãos apoiadas na mesa, os olhos perscrutando Dill. Uma expressão de rendição perpassou o rosto dele. Dill sabia que seu pai devia ter tido aquela expressão em ocasiões anteriores, mas nunca a tinha visto.

— Isso é obra daquela meretriz, não é? Sua pequena Dalila. *Lydia*. Sua mãe me falou dela. Como ela seduziu você.

Dill sentiu uma onda de raiva incandescente; sentiu gosto de ferro em sua boca. E então entendeu. *É sua raiva que ele quer. Não dê isso a ele. Não importa o que ele queira que você sinta — quem ele queira que você seja —, negue a ele.*

— Você não sabe do que está falando — Dill disse, em tom baixo. — Não faz a mínima ideia. E sinto pena de você. Eu sentia ódio. Quando pensava no que você se tornou, odiava tanto você. Tinha mais medo de me tornar você do que de morrer. Mas agora que sei que nunca vou ser como você, posso finalmente sentir pena. — E, com isso, Dill se virou e saiu andando.

— Você vai fracassar! — seu pai gritou atrás dele. — Você vai fracassar e decair. Dillard? Dillard?

Mas Dill não olhou para trás.

Do lado de fora, o dr. Blankenship estava esperando no estacionamento, o porta-malas do Prius lotado de compras do Trader Joe's.

— Ei, Dill — ele disse quando Dill entrou. — Pronto pra ir?

Dill assentiu e sorriu.

— Sim. Ah, dr. Blankenship, aproveitando, seria muito incômodo me dar uma carona pra UEMT daqui a dois meses? Pesquisei os ônibus, mas vai ser difícil.

— Claro que não seria incômodo algum. Vai ser o maior prazer ajudar você a se instalar.

— Seria incrível. Muito obrigado.

— No caminho, podemos passar em Nashville se quiser vir visitar seu pai.

— Não, não precisa.

Os dias de verão se passaram numa névoa de trabalho e mais trabalho. Sem mais nenhum amigo na cidade, Dill não via muita utilidade para o tempo livre. Ele trabalhava para o dr. Blankenship durante o dia e, à noite, em seu antigo trabalho no Floyd's, e deu o máximo de dinheiro que podia à mãe ao mesmo tempo que economizava para a universidade. Ele passava seu pouco tempo livre compondo músicas ou conversando com Lydia. Eles se falavam todo dia.

Lydia ficava ocupada com seu estágio durante o dia. À noite, trabalhava na versão expandida de Dollywould em que Dahlia e Chloe haviam investido dinheiro para lançar. Ela estava convidando escritoras de fora pela primeira vez e tratando de questões maiores do interesse de jovens mulheres. Já estava provocando um burburinho positivo e atraindo entrevistas de alta visibilidade.

Cerca de um mês depois da partida de Lydia, Laydee viu um dos vídeos de Dill no Twitter de Lydia. Ela o retuitou para seu 1,9 milhão de seguidores. Isso fez as coisas andarem muito mais rápido para Dearly. Algumas semanas depois, a empresária de Laydee ligou para conversar com Dill sobre a possibilidade de Laydee gravar uma das músicas dele no próximo álbum. Num tom que sugeria que ela estava minimizando bastante os fatos, disse a Dill que ele poderia conseguir comprar alguns livros para a faculdade com os direitos autorais.

Dill estava sentado na sala, esperando o dr. Blankenship, rodeado por tudo que ele levaria para a faculdade. Duas malas de segunda-mão cheias de todas as roupas que ele possuía (incluindo as que Lydia havia mandado para ele em uma caixa de Nova York), um conjunto de partituras e uma toalha. Uma mochila com seu notebook dentro. Seu violão. Seus cadernos de composição. Ele observou as poucas coisas que tinha, admirado pelo rumo inesperado que sua vida tinha tomado.

Na noite anterior, havia feito sua própria cerimônia solitária de despedida no túmulo de Travis. Ele deixou um hambúrguer do Krystal. Tocaria seu primeiro show num café na noite seguinte. Tudo indicava uma casa lotada.

A mãe de Dill, vestindo o uniforme de camareira, entrou e olhou ao redor, uma expressão séria no rosto.

— Eu vi o plano de Deus para você, e não era isso — ela disse.

— Como você viu o plano de Deus pra mim? — Ele se esforçou para expulsar qualquer tom de rancor da voz, mesmo sabendo que não gostaria da resposta da mãe. Ele não queria uma nuvem negra sobre sua partida.

A expressão dura de sua mãe se suavizou.

— Quando peguei você no colo ainda bebê e olhei em seu rosto, o Espírito me revelou. Seu lugar é aqui. Trabalhando duro, levando uma vida simples. Uma vida no caminho de Deus.

Dill passou os dedos no cabelo e desviou o olhar.

— Houve um tempo em que eu teria acreditado nisso.

Sua mãe recuou.

— Não acredita mais?

Dill observou o carpete por um tempo, fixando o olhar na parte descolorida, que às vezes chamava sua atenção, enquanto tocava violão.

— Também tenho uma lembrança. Quando você estava no hospital, em coma, depois do acidente. O médico me falou que você poderia morrer. Fiquei segurando sua mão por horas, escutando o barulho das máquinas que respiravam por você, e pedi a Deus para curar você e tornar minha vida melhor algum dia. E ele atendeu às minhas preces. Me mandou pessoas que me fizeram me sentir corajoso e me mostraram que tenho opções. Agora acredito que Deus dá às pessoas muitos caminhos para elas escolherem. Não um só.

Ela arqueou as sobrancelhas.

— E você acha que esse é um dos caminhos que ele te deu?

— Sim.

Ela balançou a cabeça. Não como se expressasse discórdia — mas mais como se tentasse ignorar o que Dill dizia. Desviar os ouvidos para que as palavras dele não entrassem.

— O que você pensa que é Deus pode ser Satanás, aparecendo como um anjo da luz.

Dill abriu um sorriso triste.

— Confia em mim, os anjos que conheço teriam me falado se fossem Satanás.

— Não tem graça. — A mãe de Dill tirou uma mecha de cabelo da frente dos olhos. — Você está diferente.

— Como eu era antes?

— Menos orgulhoso.

Ele a encarou nos olhos.

— O que você chama de orgulho, eu chamo de coragem.

Ela cruzou os braços.

— As coisas são o que são. Não importa como a gente as chame. — Depois de um silêncio hesitante, ela disse: — Também tenho uma lembrança de quando estava em coma. Lembro de ver uma luz bonita. Ela me encheu de calor e amor. E eu sabia que poderia segui-la até um lugar melhor, onde me ajoelharia ao lado do Salvador e nada mais me machucaria. Mas não segui. Voltei para cuidar de você. Fiz a escolha de não abandonar você, e sofri por essa escolha. Mas não me arrependo.

Dill se levantou e encarou a mãe. Fazia tempo que ele era mais alto do que ela, mas sentiu que estava se assomando sobre ela.

— Não espero que você entenda. Este é o Espírito de Deus se movendo em mim. É o sinal da minha fé. Fiz isso para me salvar.

— Ninguém salva a si mesmo — ela disse com uma pontada de desprezo.

— Não disse que não tive ajuda.

— Fiz tudo que pude por você, Dillard. — Ela falou com a voz embargada e resignada.

— Eu sei. Mas aqui não é mais o lugar ou a vida que quero pra mim. — Ele ia dizer como havia chegado perto. Que sorte ela tinha de ele ainda estar vivo. Mas não conseguiu. Ela nunca precisaria saber de certas coisas.

A mãe de Dill alisou a blusa, balançando a cabeça.

— Alguma parte de você tem orgulho de mim? — Dill perguntou. *Você já sabe a resposta.*

— As meninas no trabalho falam que eu deveria ter.

— E tem?

Ela baixou os olhos.

— Não sei — ela assumiu, a voz baixa.

Dill sabia que deveria se sentir magoado com a resposta. Em vez disso, sentiu mais uma tristeza exausta e residual. Um hematoma antigo. Só a decepção de que a resposta era exatamente o que ele esperava. *Não, não exatamente. Você esperava um não categórico.*

Sua mãe quebrou o silêncio pegando as chaves ao lado do abajur.

— Preciso ir pro trabalho. — Ela começou a sair pela porta.

— Mamãe? — Dill disse antes de saber o que diria depois.

Ela parou com uma mão na maçaneta, a outra apertando a ponta do nariz, a cabeça baixa. Ela não se virou.

— Eu te amo — ele disse para as costas dela.

Ela se virou devagar. Lágrimas encheram os olhos dela.

— Tenho medo de ficar sozinha — ela sussurrou, como se tivesse medo de que falar alto estouraria alguma barricada precária dentro dela.

— Eu sei. — *Todos temos.* Dill deu um passo hesitante à frente e a abraçou. Fazia muito tempo que não a abraçava. Ele conseguiu sentir os ossos das costas e dos ombros fraturados dela. Ela cheirava a sabonete barato e sabão em pó de uma caixa amarela com "sabão de lavanderia" escrito no rótulo. Ela cobriu o rosto com as mãos e não retribuiu o abraço.

Quando Dill acabou de abraçá-la, ela colocou a mão úmida na bochecha dele.

— Vou orar por você, Dillard. — Ela falava como se ele estivesse partindo para morrer no meio do mato. Ela tentou se virar e sair antes que Dill visse as lágrimas começarem a escorrer pelas bochechas dela, mas não conseguiu a tempo.

Ele ficou sentado por um tempo, olhando para a parede. Ligou o ar-condicionado, pegou seu violão e tocou mais alto que os estalidos da casa até o dr. Blankenship estacionar o Prius e buzinar.

Dill desligou o ar-condicionado e guardou o violão no estojo. Pendurou a mochila nas costas e carregou suas duas malas e o violão, tentando não derrubar nada. Saiu para a manhã clara, se sentindo mais iluminado e livre do que nunca.

AGRADECIMENTOS

Do fundo do coração, gostaria de agradecer às seguintes pessoas que tornaram este livro possível.

Meus agentes incríveis: Charlie Olsen, Lyndsey Blessing e Philippa Milnes-Smith. Minha equipe editorial maravilhosa: Emily Easton e Tara Walker. Isabel Warren-Lynch e seus designers talentosos — Alison Impey, por sua visão artística incrível para a capa do livro, e Trish Parcell, pela diagramação admirável. Phoebe Yeh, Samantha Gentry e todos na Crown Books for Young Readers, e Barbara Marcus, Judith Haut, John Adamo e sua equipe de marketing, e Dominique Cimina e sua equipe de divulgação na Random House Children's Books.

Meus leitores incríveis: Joel Karpowitz, Shawn Kessler, Sean Leslie, Heather Shillace, Amy Saville, Jenny Downs, Sherry Berrett, Valerie Goates, Ben Ball e dr. Daniel Crosby.

SWAB.

Os meninos de Bev: Jeremy Voros, Rob Hale, James Stewart.

Meu guru: Fred Voros.

Minhas chefes fantásticas: Amy Tarkington e Rachel Willis.

Lindsay Reid Fitzgerald, por me falar que eu deveria escrever mais.

David Arnold e Adam Silvera, por me receberem em sua fraternidade.

Dra. Małgorzata Büthner-Zawadzka, a primeira a me chamar de escritor.

Jarrod e Stephanie Perkins, por sempre me apoiarem e serem inspirações tão grandes.

John Corey Whaley, por ser tudo que sonho em me tornar algum dia. A única coisa comparável ao seu talento incrível é a sua generosidade de espírito.

Natalie Lloyd, por sempre me fazer rir e pelo Midnight Gulch e os mundos mágicos que você ainda vai criar.

Minhas Lydias da vida real: Tracy Moore e Alli Marshall.

Denise Grollmus, sempre vou estar em dívida com você. Este livro não existiria sem você.

Minha professora de inglês do quarto ano, Lynda Wheeler, que me fez acreditar que eu poderia ser um contador de histórias.

Joe Bolton, por sua poesia.

Todos do Tennessee Teen Rock Camp e do Southern Girls Rock Camp.

Todos que disseram, ainda que de maneira sarcástica, que eu deveria escrever um livro algum dia, porque normalmente entendo até elogios sarcásticos como sinceros.

Todos que ouviram minhas músicas e me apoiaram. Este livro não existiria sem as histórias que começaram como músicas. Aquelas músicas não teriam existido sem vocês.

A cidade de Nashville, Tennessee, por nos receber de volta. A Nashville Metro Transit Authority, por fazer dos ônibus lugares tão bons para escrever. A maior parte deste livro foi escrita em seus ônibus.

O sistema de bibliotecas públicas de Nashville, a Parnassus Books e a Rhino Booksellers, em Nashville, e a Riverbank Books, em Sparta, por existirem.

Minha mãe e meu pai, por incentivarem um amor pelos livros

para a vida toda. Que leram para mim. Que me deixaram na biblioteca com uma ficha para o telefone público para que eu pudesse ligar pedindo carona quando cansasse de ficar por lá, muitas horas depois de chegar. Vocês tornaram este livro possível.

Minha linda esposa e incrível melhor amiga, Sara. Sem seu estímulo e seu apoio, eu não poderia ter escrito isto nem nada. Você é meu mundo. Você traz música para a minha vida. E meu filho lindo, Tennessee. Obrigado por ser o filho perfeito e me deixar sempre tão orgulhoso. Nunca vou esquecer das manhãs que passamos juntos, trabalhando em nossos livros.

O amor merece monumentos, e este é o único tipo que sei construir. Vou continuar construindo-os enquanto tiver forças na minha mente e nas minhas mãos. Amo vocês dois. Obrigado.

ESTA OBRA FOI COMPOSTA PELA VERBA EDITORIAL EM BEMBO E FUTURA
E IMPRESSA PELA GRÁFICA BARTIRA EM OFSETE SOBRE PAPEL PÓLEN SOFT DA
SUZANO PAPEL E CELULOSE PARA A EDITORA SCHWARCZ EM OUTUBRO DE 2018

A marca FSC® é a garantia de que a madeira utilizada na fabricação do papel deste livro provém de florestas que foram gerenciadas de maneira ambientalmente correta, socialmente justa e economicamente viável, além de outras fontes de origem controlada.